Vos ressources pédagogiques en ligne !

Un ensemble d'outils numériques spécialement conçus pour vous aider dans l'acquisition des connaissances liées à

POUVOIR ET DÉCISION

4e édition

CHENELIÈRE
ÉDUCATION

4e édition

POUVOIR ET DÉCISION

INTRODUCTION À LA SCIENCE POLITIQUE

W. Phillips Shively

Adaptation française :
Jules-Pascal Venne
Université de Sherbrooke

Rédaction des activités
interactives en ligne :
Valérie Lafrance
Collège Montmorency

Achetez en ligne ou en librairie
En tout temps, simple et rapide!
www.cheneliere.ca

Chenelière McGraw-Hill

CHENELIÈRE ÉDUCATION

Pouvoir et décision
Introduction à la science politique, 4ᵉ édition

Traduction et adaptation de : *Power & Choice, An Introduction to Political Science*, Thirteen Edition de W. Phillips Shively © 2012, 2007, 2005, 2003, 2001, 1999, 1997, 1995, 1993, 1991, 1987 McGraw-Hill, Inc. (ISBN 978-0-07-352636-2)

© 2013 Chenelière Éducation inc.
© 2008, 2003, 1999 Les Éditions de la Chenelière inc.

Conception éditoriale : Sylvain Giroux
Édition : Frédéric Raguenez
Coordination : Josée Desjardins
Révision linguistique : Sylvie Bernard
Correction d'épreuves : Maryse Quesnel
Conception graphique : Micheline Roy
Illustration de la page couverture : Alain Reno
Conception de la couverture : Micheline Roy
Impression : TC Imprimeries Transcontinental

**Catalogage avant publication
de Bibliothèque et Archives nationales du Québec
et Bibliothèque et Archives Canada**

Shively, W. Phillips, 1942-

Pouvoir et décision

4ᵉ éd.

Traduction de la 13ᵉ éd. de : Power & choice.
Comprend des réf. bibliogr. et un index.
Pour les étudiants du niveau collégial.

ISBN 978-2-7651-0700-2

1. Science politique – Manuels d'enseignement supérieur. 2. Pouvoir (Sciences sociales). 3. Politique – Prise de décision. 4. Administration publique. ɪ. Titre.

JA66.S4714 2013   320   C2012-942274-6

**Chenelière
McGraw-Hill**

CHENELIÈRE ÉDUCATION

5800, rue Saint-Denis, bureau 900
Montréal (Québec) H2S 3L5 Canada
Téléphone : 514 273-1066
Télécopieur : 514 276-0324 ou 1 800 814-0324
info@cheneliere.ca

ISBN 978-2-7651-0700-2

Dépôt légal : 2ᵉ trimestre 2013
Bibliothèque et Archives nationales du Québec
Bibliothèque et Archives Canada

Imprimé au Canada

2 3 4 5 6 ITIB 19 18 17 16 15

Nous reconnaissons l'aide financière du gouvernement du Canada par l'entremise du Fonds du livre du Canada (FLC) pour nos activités d'édition.

Gouvernement du Québec – Programme de crédit d'impôt pour l'édition de livres – Gestion SODEC.

La vie politique, nationale et internationale semble aujourd'hui opaque, inaccessible et hautement complexe. Vouloir exposer autant les institutions que les partis qui les habitent, autant le système politique que la société civile qui interpelle les parlementaires, autant les phénomènes nationaux que les forces transnationales qui exercent des pressions constantes sur les décideurs locaux exige de la part du politologue un étrange mélange d'audace et de modestie.

À la lecture de cette dernière édition, il ne fait pas de doute que Jules-Pascal Venne a réussi à relever le défi avec brio. En ayant toujours pour matrice l'excellent ouvrage du politologue américain W. Phillips Shively, *Power and Choice*, devenu depuis un classique, Jules-Pascal Venne présente aujourd'hui une édition grandement remaniée. Les données ont été mises à jour, des compléments ont été intégrés dans le texte, des idées ont été précisées, et les efforts de la science politique pour mieux comprendre l'évolution du monde ont été introduits ici et là, en vue de fournir aux lecteurs un ouvrage systématique. Au terme de chaque chapitre, le lecteur attentif trouvera des éléments historiques, des données factuelles et des comparaisons adéquates pour lui permettre de comprendre l'essentiel du phénomène. La présentation a aussi été améliorée; le lecteur s'y retrouvera ainsi plus rapidement.

Le chapitre sur les idéologies, par exemple, initie le lecteur aux idées politiques et aux mouvements sociaux. Les chapitres sur les régimes parlementaire et présidentiel permettent d'appréhender les institutions politiques. Mais il y a plus: l'ouvrage donne des précisions se rapportant tout particulièrement aux dynamiques québécoises et canadiennes; il fournit aussi des comparaisons adéquates avec d'autres pays.

Pour les lecteurs qui examinent l'ensemble du travail, il est évident que l'ouvrage se destine à un large public. Ceux qui songent à travailler au sein de l'administration publique y trouveront les paramètres de base de l'organisation gouvernementale. Pour tous ceux qui sont fascinés par le droit, cet ouvrage prépare la table avec élégance et brièveté. Enfin, pour quiconque est préoccupé par l'actualité d'ici et d'ailleurs, ce manuel fournit des repères indispensables.

Ceux qui connaissent l'auteur retrouveront, dans la clarté du livre, la clarté de ses exposés. Ils y trouveront aussi l'exigence pédagogique qui n'a jamais cessé de l'animer.

Enfin, Jules-Pascal Venne a atteint ses objectifs parce que cet ouvrage regorge de ressources complémentaires, de références précises et d'hyperliens vers des banques de données qui permettent au lecteur de continuer sa trajectoire vers une plus grande compréhension des phénomènes politiques. En somme, l'audace initiale de W. Phillips Shively, combinée à celle de Jules-Pascal Venne, donne à un large lectorat un outil précieux, presque une boussole, pour se retrouver dans un univers complexe, en constante mutation.

JEAN-HERMAN GUAY, Ph. D.
Professeur titulaire à l'École de politique appliquée de l'Université de Sherbrooke

AVANT-PROPOS DE L'ÉDITION ORIGINALE ANGLAISE, 13ᵉ ÉDITION

Ce manuel est une introduction comparative générale aux principaux concepts et thèmes de science politique. J'ai tenté pendant de nombreuses années de livrer un cours qui visait ce but. L'expérience m'a montré à quel point nous avions besoin d'un ouvrage stimulant sur le plan conceptuel et qui offrirait aux étudiants des exemples concrets d'analyse sans les égarer dans de multiples détours théoriques. C'est l'objectif que je poursuivais lorsque j'ai écrit la première version de cet ouvrage, et l'accueil qu'il a reçu a dépassé mes attentes.

Le titre de ce manuel, *Pouvoir et décision*, exprime un thème subsidiaire récurrent. On peut voir la politique comme (1) l'utilisation du pouvoir ou (2) la production de choix publics. On aborde souvent le sujet de la politique en insistant lourdement sur l'une ou l'autre de ces dimensions. Le marxisme présente la politique avant tout comme l'utilisation du pouvoir alors que le pluralisme et de nombreuses démarches formelles de modélisation insistent plutôt sur l'émergence des choix publics. Dans le cadre de la présente démarche, je définis la politique comme l'utilisation du pouvoir pour prendre de concert des décisions qui concernent un groupe de personnes. Une telle définition commande nécessairement de tenir compte des deux perspectives simultanément. À divers stades de ma présentation, je relate des cas où un parti pris pour une moitié seulement de la définition a donné lieu à une interprétation déformée de la situation.

Ce thème subsidiaire en cache un autre plus large et souvent implicite : l'analyse politique s'accommode mieux d'une vision éclectique que du carcan qu'impose une seule approche. Ainsi, ma propre recherche porte entièrement sur le domaine « comportemental », mais j'ai constaté, en rédigeant cet ouvrage, que mes lecteurs devaient être exposés à certains aspects des politiques et des institutions, et les comprendre mieux que ce que j'avais escompté à l'origine. De même, la notion d'État en tant qu'organisateur de la science politique s'est imposée davantage que je l'avais prévu. Des distinctions qui, en recherche, procurent des cadres utiles se sont avérées inutiles dans ma démarche d'explication de ce qu'est la politique ; j'y vois une saine façon de procéder.

J'ai choisi de présenter le contenu par sujet plutôt qu'en fonction de ce qui se fait dans chaque pays ; cependant, afin de fournir le type de cadre de référence contextuel que procure la présentation par pays, j'ai intégré dans les plus gros chapitres quelques exemples détaillés de pays dont la dimension politique illustre particulièrement bien le contenu du chapitre. [...]

Les ajouts à cette nouvelle édition

Au cours des décennies qui se sont écoulées depuis le lancement de la première édition de ce manuel, le monde s'est avéré aussi étrange que merveilleux, plus même que ce que je croyais à l'époque. Ce manuel a témoigné de la joie et de l'espoir des jeunes qui ont démoli le mur de Berlin en 1989, de même que de la turpitude des attentats suicides qui ont détruit les tours du Word Trade Center en 2001. Puisqu'il a fait l'objet de nombreuses rééditions depuis sa publication, rien ou presque de sa première mouture n'est resté inchangé. L'esprit qui en émane a pu connaître des hauts et des bas à l'occasion, mais ma foi dans la capacité des peuples à façonner leur avenir par la politique, elle, n'a pas changé.

Cette 13ᵉ édition comporte bien sûr de nombreuses mises à jour. Les livres qui traitent de tous les États de la planète sont toujours sujets à de nombreuses modifications […]. Les retombées de la crise économique mondiale de 2008-2009, la Russie, les changements dans la Constitution de l'UE, les nouvelles élections au Nigeria et dans d'autres États ainsi que de nombreux autres sujets ont été mis à jour.

[…]

J'ai longuement jonglé avec une question qui peut sembler anodine, mais qui ne l'est pas : par quel terme désigner les États qui ne constituent pas des démocraties ? « État non démocratique » me semblait boiteux. « Système autoritaire » risquait d'être confondu avec « démocratie autoritaire », un concept trop important pour être écarté. J'ai opté pour « autocratie » dans les éditions précédentes, mais ce compromis n'était pas parfaitement exact. Je sentais qu'avec cette 13ᵉ édition, je devais vraiment faire un choix et j'ai opté pour « régime autoritaire ». Vos commentaires sont les bienvenus : shively@umn.edu.

AVANT-PROPOS DE L'ADAPTATION FRANÇAISE, 4e ÉDITION

Dans *Diplomatie*, l'ancien et controversé secrétaire d'État américain (1973-1976) et professeur de sciences politiques, Henry Kissinger, a bien su exprimer les différences de perspective entre ceux qui ont comme profession d'analyser les phénomènes politiques et ceux qui ont comme responsabilité d'exercer le pouvoir:

« L'analyste peut choisir le problème qu'il souhaite étudier, alors que les problèmes que doit résoudre l'homme d'État lui sont imposés. L'analyste est maître du temps pour arriver à une conclusion et l'homme d'État est soumis à une course contre la montre. L'analyste court peu de risques si ses conclusions sont fausses, par contre pour ceux qui assument le pouvoir, leurs erreurs sont irrattrapables[1]. »

Pour ceux qui ont comme métier d'enseigner la science politique, cette distinction devient un défi: comment, en effet, intégrer l'actualité, la pratique politique et la théorie ou encore tracer la frontière entre la politique et le politique? L'ouvrage de W. P. Shively a su largement relever ce défi en mettant l'accent sur la politique comparée, en insistant sur la singularité des phénomènes politiques propres à chaque société, en plaçant les étudiants devant des décisions à prendre et en insistant sur les dangers de toute généralisation.

Pouvoir et décision

Le titre *Pouvoir et décision* annonce les deux approches qui caractérisent cet ouvrage. On peut en effet analyser les phénomènes politiques sous deux angles, soit celui du pouvoir, c'est-à-dire de l'imposition des intérêts de minorités dominantes sur ceux de la majorité, soit sous l'angle d'un processus de décision collective où les différents groupes sont en compétition et où, somme toute, les intérêts s'équilibrent. Cet ouvrage tient compte de ces deux approches pour deux raisons. D'une part, parce que notre compréhension des phénomènes politiques est bonifiée lorsqu'ils sont analysés en même temps selon ces deux points de vue complémentaires et, d'autre part, parce que ni l'une ni l'autre de ces deux approches ne suffit à l'analyse des phénomènes politiques.

L'adaptation française

En préparant la version française, nous nous sommes fixé deux objectifs. Premièrement, il fallait adapter et transformer le texte pour le rendre conforme aux réalités canadiennes ou québécoises, tout en conservant son approche comparative. Pour ce faire, nous avons remplacé de nombreux exemples par d'autres, tirés de notre vie politique. Nous avons tout particulièrement incorporé les résultats de travaux de recherche et d'études de politologues québécois, canadiens et français, et ajouté des ouvrages en français dans la bibliographie. Enfin, dans certains chapitres, nous avons développé notre exposé, notamment en ce qui concerne les idéologies, le nationalisme et l'État, les phénomènes de démocratisation, les régimes totalitaires, le droit de vote, les partis politiques, le fédéralisme et le régime parlementaire.

1. Kissinger, Henry (1996). *Diplomatie*, Paris, Fayard, p. 19.

Notre deuxième objectif était de nature pédagogique. Nous avons simplifié les définitions et introduit certains éléments qui sont absents de l'édition américaine. Le lecteur trouvera aussi, dans cet ouvrage, plus de tableaux et de photographies, une liste de cibles d'apprentissage au début de chaque chapitre et des exercices à la fin de chacun d'eux, un glossaire et des références ainsi qu'une bibliographie qui fait une large place aux études québécoises, canadiennes et françaises, bref, autant d'éléments qui enrichissent l'ouvrage et en font un outil d'apprentissage encore plus efficace.

La nouvelle édition

Dans cette quatrième édition, nous avons mis à jour les données, les sources, les tableaux et les figures et inséré de nouveaux textes à l'étude. Nous avons également ajouté un certain nombre de sections et de paragraphes ainsi que de nouveaux tableaux et figures. En outre, des définitions et des explications de concepts clés de même que des encadrés « Pour aller plus loin » figurent maintenant dans tous les chapitres, en marge du texte.

De plus, l'équipe de Chenelière Éducation a fait un travail remarquable en ce qui concerne la présentation visuelle, qui se veut maintenant beaucoup plus aérée et pédagogique.

Remerciements

Je tiens à remercier les personnes qui m'ont aidé à mener cette quatrième édition à terme. Ma collègue, Eugénie Dostie-Goulet, professeure à l'École de politique appliquée, qui a révisé et bonifié le chapitre portant sur les groupes d'intérêts, et le politologue Guillaume Poirier, qui a fait de même pour le chapitre sur les élections et qui a actualisé un certain nombre de tableaux.

Merci aussi à ces enseignants pour leurs commentaires éclairés: Blaise Giguère-De Carufel, Cégep de Lévis-Lauzon, Geneviève Hébert, Collège de Maisonneuve, Michel Lauzon, Collège Montmorency, Frédéric Morier, Cégep régional de Lanaudière à Joliette, Johanne Paquin, Collège Édouard-Montpetit, et Nathalie Sentenne, Cégep régional de Lanaudière à Joliette.

J'adresse un merci particulier au consultant Patrick Vanasse pour ces excellentes suggestions.

Merci à ma conjointe, Sylvie Bourque, pour son soutien et pour les nombreuses heures qu'elle a consacrées à la révision du texte. Merci également à mon collègue, Jean-Herman Guay, qui a accepté de rédiger la préface de cette quatrième édition. Un dernier clin d'œil à mon collègue du Collège Édouard-Montpetit, Jacques Provost, pour sa contribution aux trois premières éditions.

Merci enfin à toute l'équipe de Chenelière Éducation, notamment à Josée Desjardins et à Frédéric Raguenez pour leur professionnalisme et leur disponibilité.

JULES-PASCAL VENNE
Saint-Denis-de-Brompton, mars 2013

CARACTÉRISTIQUES DE L'OUVRAGE

En plus de présenter un exposé théorique pertinent, ce manuel propose de nombreux outils destinés à faciliter l'apprentissage.

EN DÉBUT DE CHAPITRE, ON TROUVERA :

← des cibles d'apprentissage qui donnent à l'étudiant une idée précise des connaissances à acquérir et des habiletés à développer.

À L'INTÉRIEUR DES CHAPITRES :

en marge du texte, des définitions claires et faciles à repérer ; →

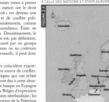

← de nombreux éléments visuels qui facilitent la compréhension et agrémentent la lecture (tableaux, figures, cartes et photos), ainsi que des encadrés « Pour aller plus loin » qui apportent des compléments d'information.

À LA FIN DE CHAQUE CHAPITRE :

← des textes à l'étude, qui se rapportent au sujet du chapitre ;

- des concepts clés pour cerner le vocabulaire de base de la science politique ;
- des exercices variés sous forme de questions d'approfondissement et de sujets de discussion ;
- des suggestions de lecture pour ceux qui veulent approfondir leurs connaissances.

Restez branchés sur votre apprentissage.
http://mabibliotheque.cheneliere.ca

← Des ressources complémentaires sont aussi accessibles en ligne. Destinées aux enseignants et aux étudiants, ces composantes offrent un soutien additionnel à l'enseignement et à l'apprentissage.
Toutes ces particularités d'ordre pédagogique font de ce manuel l'un des plus complets sur le marché !

TABLE DES MATIÈRES

PARTIE 1

L'ÉTAT ET LA POLITIQUE PUBLIQUE

PARTIE 2

LE CITOYEN ET LE RÉGIME

PARTIE 3

LA GOUVERNANCE DES AFFAIRES PUBLIQUES

LISTE DES FIGURES ET TABLEAUX

PARTIE 3

1 Éléments de science politique

On peut se passionner pour la politique et le pouvoir au point d'y consacrer toute sa vie. Ainsi, Robert Bourassa (1933-1996), ancien premier ministre du Québec, et Jean Chrétien, ancien premier ministre du Canada, ont dédié pratiquement toute leur existence à la chose publique. Il en va de même pour la première ministre du Québec, Pauline Marois. Pourtant, certaines personnes sont indifférentes et même rebelles à la politique.

L'intérêt pour la politique varie d'une famille à l'autre, d'une classe sociale ou d'une génération à l'autre. Ainsi, dans une étude récente (2011) mettant en évidence la baisse de la participation aux élections fédérales, les politologues André Blais et Peter Loewen montrent non seulement que les jeunes votent moins que leurs aînés, mais aussi que le phénomène a tendance à s'accentuer depuis les 30 dernières années. Ces deux chercheurs indiquent que le taux de participation chez les jeunes avait déjà commencé à diminuer dès les années 1980 puisqu'il était passé de 50 % environ à la fourchette de 40 % dans les années 1990[1]. Ce constat vient d'être confirmé par une étude toute récente sur la baisse de la participation électorale des jeunes Québécois par la politologue Eugénie Dostie-Goulet[2]. Toutefois, comme l'indique cette chercheuse, cette génération (génération Y) préfère mettre l'accent sur d'autres formes d'engagement politique, comme nous l'a démontré la mobilisation étudiante du printemps 2012, au Québec. On vient ici de faire une différence fondamentale entre les politologues et ceux qui font de la politique. Ainsi, si les politiciens s'occupent de faire de la politique et s'affairent à gérer le bien public, les politologues, par contre, étudient et analysent les comportements politiques et tentent d'évaluer les changements et l'évolution des phénomènes politiques.

1. Blais, André, et Peter Loewen (2011). *Participation électorale des jeunes au Canada*, p. 15, [En ligne], www.elections.ca/res/rec/part/youeng/youth_electoral_engagement_f.pdf (Page consultée le 9 janvier 2013).
2. Dostie-Goulet, Eugénie (2011). « Jeunesse et démocratie : états des lieux », *Éthique publique*, vol. 13, n° 2, p. 225-241.

Les politologues

Les politologues font à peu près les mêmes choses que les politiciens ou que ceux qui s'intéressent à la politique : ils lisent les journaux, regardent les nouvelles à la télévision, écoutent les conférences de presse, examinent les sondages, suivent attentivement les campagnes électorales et sont attentifs aux demandes des différents groupes de pression. Ils ont cependant ceci de particulier qu'ils s'efforcent d'étudier le plus objectivement possible les différents aspects d'une même question en tâchant d'éviter que leurs émotions, leurs croyances ou leur parti pris idéologique viennent fausser leur jugement. En outre, les politologues se réfèrent à des disciplines telles que l'économie, la démographie, l'histoire, la sociologie, la psychologie et la philosophie pour mieux comprendre les phénomènes politiques. Par-dessus tout – nous y reviendrons ultérieurement dans ce chapitre –, ils s'efforcent de donner un sens précis aux mots employés. Beaucoup de termes du vocabulaire politique, comme « libéral », « fasciste », « socialiste », « gauche » et « droite », ont plusieurs sens, et sont souvent utilisés à tort et à travers. En d'autres termes, les politologues prennent soin de peser les divers sens des mots et d'employer ces derniers de façon appropriée, d'une part parce qu'il est important de s'exprimer de façon précise et, d'autre part, parce que l'examen attentif d'un terme peut nous en apprendre beaucoup sur la réalité qu'il décrit.

Quel est l'objet d'étude des politologues ? Ces dernières années, par exemple, ceux-ci ont traité des sujets suivants :

- Ils ont mesuré les coûts réels d'une guerre menée en sol étranger, comme en Irak et en Afghanistan.
- Ils ont étudié les éléments qui ont mené à l'échec du **référendum** sur **l'accord de Charlottetown** tenu au Canada en 1992.
- Ils ont tenté d'expliquer le nombre surprenant d'élus du Nouveau Parti démocratique (NPD) au Québec lors de l'élection fédérale du printemps 2011.
- Ils ont étudié l'ambivalence de l'électorat québécois concernant l'avenir et l'indépendance du Québec.
- Ils ont montré que pour un régime politique autoritaire, la présence d'un ennemi est un élément structurant et que sa disparition entraîne un affaiblissement de son autorité et une crise de légitimité.
- Ils ont montré que le seuil de tolérance des populations à l'égard des grandes inégalités demeure élevé tant que les groupes qui les subissent se trouvent dans le tunnel de la pauvreté absolue (*tunnel effect*)[3], mais que la mise en place de réformes et l'amélioration de situations insupportables créent une conjoncture propice aux crises politiques et aux révolutions, le mal étant moindre, mais la sensibilité plus vive.

Enfin, comme l'indique l'éminent politologue américain Robert Dahl[4] :

> [L]'analyse du pouvoir n'est pas une simple entreprise de théorisation, mais un travail de haute importance pratique. Car notre façon d'agir dans la vie politique dépend largement de nos croyances à l'égard de la nature, de la distribution et des pratiques de pouvoir qui caractérisent le système

Référendum
Consultation populaire, procédure électorale de la démocratie directe. Vote de l'ensemble des citoyens pour approuver ou rejeter une mesure publique proposée par le pouvoir exécutif (gouvernement).

Accord de Charlottetown
En août 1992, à Charlottetown, capitale de l'Île-du-Prince-Édouard, les premiers ministres des provinces et du Canada ainsi que les représentants des peuples autochtones ont conclu un accord en vue d'une modification en profondeur de la Constitution canadienne. À l'automne 1992, cet accord a été soumis à un référendum et rejeté par une majorité de Canadiens (55 %) et de Québécois (56 %), et par 6 provinces sur 10.

---

3. Ce constat a été fait par le politologue américain Albert O. Hirschman. Voir à ce sujet Rouquié, Alain (1985). « Changement politique et transformation des régimes », dans Madeleine Grawitz et Jean Leca (dir.). *Traité de science politique : les régimes politiques*, tome 2, Paris, PUF, p. 610-611.
4. Dahl, Robert A. (1973). *L'analyse politique contemporaine*, Paris, Robert Laffont, coll. « Science nouvelle », p. 49.

politique auquel nous sommes confrontés. Si l'on agit en croyant que le pouvoir est plutôt largement réparti au sein de la communauté alors qu'en fait il est hautement concentré, ou si l'on agit en supposant que le pouvoir est entre les mains de quelques-uns alors qu'en réalité il est réparti entre une grande variété d'individus et de groupes qui doivent négocier, marchander, convaincre et séduire afin d'atteindre leurs buts, alors on risque de commettre de sérieuses erreurs politiques.

La politique

Qu'est-ce que la politique? Qu'est-ce qui fait qu'un acte est «politique»? Toutes les questions ci-dessous présentent un aspect politique. Qu'ont-elles en commun?

- Comment Hitler est-il parvenu à prendre le pouvoir à la suite d'élections démocratiques en Allemagne, en 1933?
- Tous les pays devraient-ils accorder aux couples homosexuels le droit de se marier et le droit d'adopter des enfants?
- Pourquoi les postiers devraient-ils trier les lettres comme le leur demande leur patron, même s'ils connaissent une méthode plus efficace?
- Les communautés amérindiennes devraient-elles, dans leurs actes de commerce, être exemptées des lois fiscales canadiennes et québécoises?
- Devrait-on interdire aux partisans du fascisme ou du communisme d'enseigner dans les écoles parce qu'ils prônent des régimes autoritaires?
- Devrait-on interdire aux partisans de la souveraineté du Québec de travailler dans la fonction publique fédérale canadienne?
- Lors des grèves étudiantes du printemps 2012 et de l'imposition de la *Loi permettant aux étudiants de recevoir l'enseignement dispensé par les établissements de niveau postsecondaire qu'ils fréquentent*, les violences commises par certaines personnes ou par certains groupes, tant du côté des forces de l'ordre que des manifestants, étaient-elles légitimes?
- Les gouvernements provinciaux, les administrations municipales et les sociétés publiques comme Hydro-Québec devraient-ils avoir le droit de procéder à des expropriations?
- Le président américain Harry Truman a-t-il eu raison de larguer des bombes atomiques sur Hiroshima et Nagasaki en août 1945?
- Pourquoi les étudiants doivent-ils satisfaire aux demandes de leurs professeurs?

Toutes ces questions ont un rapport avec la politique. Dans certaines d'entre elles, notamment celles qui portent sur les patrons et les étudiants, le rapport avec la politique ne semble pas d'emblée évident, mais il apparaîtra plus clairement après la lecture de ce chapitre.

Qu'ont en commun ces questions? Deux choses essentiellement. Premièrement, toutes ces questions supposent qu'une personne ou un groupe a pris une décision générale concernant un groupe, c'est-à-dire une décision qui s'applique uniformément à tous ses membres. Deuxièmement, elles supposent qu'une personne ou un groupe utilise le pouvoir pour influer sur le comportement d'une autre personne ou d'un autre groupe. Examinons ces points communs plus en détail.

La politique en tant que prise de décision relative à un groupe

Tout groupe organisé doit à l'occasion prendre des décisions qui s'appliqueront à tous les membres, sans exception. Ainsi, une famille doit décider de son lieu de résidence, des règles de conduite à l'égard des enfants, de la répartition de son budget, etc. Pour un cours collégial ou universitaire, on doit décider des manuels à utiliser, des modes d'évaluation ou encore de l'intensité de l'éclairage dans les salles de cours. Un pays doit notamment décider de l'emplacement des parcs nationaux et provinciaux, des pays auxquels s'allier en cas de guerre, des méthodes de perception des impôts et des programmes d'aide sociale. Chacun de ces domaines nécessite d'établir des **politiques publiques** qui concernent la collectivité dans son ensemble, et de prendre des décisions qui toucheront tous les membres du groupe.

Politique publique
Ensemble d'intentions et d'actions imputables à une autorité publique, et ayant comme objet un problème d'allocation de biens ou de ressources (politique de santé, d'éducation, etc.).

Tout groupe doit prendre des décisions qui s'appliquent uniformément à tous ses membres. Ici, une assemblée d'étudiants.

Bien entendu, toutes les relations et actions humaines ne nécessitent pas l'élaboration de règles ou de politiques publiques. L'étudiante qui fait des lectures complémentaires pour un de ses cours ou qui, au contraire, s'abstient de lire n'exécute pas une politique commune de la classe. Les décisions de la société Bombardier relatives à la conception d'un nouvel avion sont étrangères à la politique publique et nationale, de même que celles du fabricant d'automobiles Ford concernant ses nouveaux modèles.

L'élaboration de politiques publiques constitue un domaine important de la politique. Il en est de même du pouvoir décisionnel touchant ces choix, c'est-à-dire la question de savoir par qui, comment et pourquoi ces politiques sont élaborées. Il est parfois difficile de déterminer avec précision ce qui relève de la politique. Certaines décisions d'entreprises privées ont des impacts publics en raison de leurs conséquences sur l'ensemble d'une communauté ; certaines entreprises pèsent si lourd que leurs décisions ont souvent des conséquences économiques et politiques sur l'ensemble d'une société ou encore d'une région. Lors de la crise financière de 2008 et 2009, la décision du gouvernement américain de verser une aide massive à des institutions financières privées au bord de la banqueroute pour les renflouer était politique. Le refinancement des banques espagnoles et grecques en 2012 est de même nature. Plus près de nous, si Bombardier décidait de fermer ses usines au Québec pour les déménager à l'étranger, ce geste aurait aussi un caractère politique.

La frontière entre le politique et le non-politique. La frontière entre le politique et le non-politique est parfois difficile à tracer, car c'est souvent une question de point de vue. Les décisions de Bombardier en matière de conception d'avions ne constituent pas des décisions politiques pour le Québec et le Canada : elles sont cependant politiques pour les actionnaires, les gestionnaires et les travailleurs de Bombardier, car elles ont des effets communs pour l'entreprise. La décision de bâtir une maison prise par une famille n'est pas une décision politique pour le pays, mais elle l'est pour la famille, dans la mesure où elle se rattache à une politique commune établie par celle-ci. La « politique d'entreprise » est liée à la décision de Bombardier alors que la « politique familiale » est liée à celle de la famille. Aucune de ces deux décisions ne constitue toutefois une politique nationale. La société est composée de groupes et de sous-groupes. La société Bombardier forme un groupe à l'intérieur de la société, et les familles qui dépendent d'elle forment aussi un groupe. La politique est présente dans l'un ou l'autre groupe chaque fois qu'une décision concerne tous les membres. Alors, selon la perspective considérée, la décision prise a un caractère soit politique, soit non politique.

La politique en tant qu'exercice du pouvoir

La deuxième caractéristique des phénomènes politiques qui se retrouve dans toutes les questions posées au début de cette section est la suivante : la politique suppose l'exercice du **pouvoir** par une personne ou un groupe. En politique, on trouve toujours une personne qui impose sa volonté aux autres, soit par la force, soit par la persuasion. Si nous revenons à notre liste de questions, nous notons qu'Hitler a pris la tête du gouvernement en persuadant de nombreux Allemands de voter pour lui. Par ailleurs, le gouvernement canadien serait incapable d'interdire à des souverainistes de travailler dans la fonction publique fédérale, car il ne peut aller à l'encontre des chartes canadienne et québécoise des droits et libertés qui interdisent toute discrimination de nature politique. Les deux questions supposent qu'un individu ou un groupe exerce une forme de pouvoir sur un autre individu ou un autre groupe.

Pouvoir
Capacité d'amener, par différents moyens, une personne ou un groupe à faire ce que l'on veut.

Les trois types de pouvoir. Le pouvoir s'exerce par différents moyens. Il peut se manifester brutalement, comme lorsque les forces policières décident de mettre fin à une manifestation, ou plus discrètement, comme lorsqu'un groupe de personnes défavorisées rencontrent un ministre du gouvernement pour qu'il les aide davantage. Il est ainsi possible de distinguer trois types de pouvoir : le pouvoir d'injonction-coercition, le pouvoir d'influence-incitation et le pouvoir de persuasion.

- Le pouvoir d'injonction-coercition se définit comme le pouvoir qui force une personne ou un groupe à agir contre son gré. Cette forme de pouvoir repose sur l'alternative suivante[5] : ou bien la personne assujettie s'incline devant la volonté ainsi imposée, et elle évite alors toute sanction, ou bien elle refuse de s'incliner et s'expose alors à une punition (poursuite judiciaire). Le pouvoir d'injonction-coercition suppose la capacité de faire usage de la force.

- Le pouvoir d'influence-incitation exclut l'utilisation de la force. Il repose sur la capacité d'offrir une gratification en échange de l'adoption du comportement recherché. La gratification peut être une récompense pécuniaire, une communication d'information perçue comme utile, une distinction (médaille, prix), etc.

- Le pouvoir de persuasion est le pouvoir qui réussit à convaincre un individu ou un groupe d'accepter ce qui lui est proposé.

La mobilisation des ressources. L'exercice du pouvoir implique l'utilisation – ou encore la mobilisation – de plusieurs ressources ou moyens afin d'amener une autre personne à faire ce que l'on veut. C'est ce que l'on appelle des **ressources politiques** : l'argent, l'affection, la force physique, le statut juridique (comme celui d'un policier ou d'un magistrat), la possession d'information privilégiée (le savoir des experts), la séduction (comme le charisme), l'existence de puissants alliés, la détermination (élément qui a aidé le Viet Nam du Nord à vaincre les États-Unis lors de la guerre du Viet Nam, de 1963 à 1973).

Ressources politiques
Moyens qu'un acteur politique mobilise en vue d'augmenter ses chances d'atteindre un objectif.

5. Voir Hermet, Guy, Bertrand Badie, Pierre Birnbaum et Philippe Braud (2001). *Dictionnaire de la science politique et des institutions politiques*, Paris, France, Armand Colin, p. 249.

POUR ALLER PLUS LOIN

Le charisme

Le sociologue allemand, Max Weber (1864-1920), a développé le concept de charisme. Selon lui, la domination charismatique se distingue des formes traditionnelles d'exercice de l'autorité. Le charisme se traduit par la capacité de séduction politique d'un leader, fondée sur les qualités extraordinaires qui lui sont imputées. Par exemple, c'est en partie le charisme dégagé par Hitler qui lui a permis d'avoir une telle emprise sur la population allemande lors de la Seconde Guerre mondiale (1939-1945).

Il n'est pas nécessaire de mémoriser la liste de ces ressources. L'énumération avait seulement pour but de montrer que l'exercice du pouvoir est complexe. Par contre, il importe de retenir que les relations politiques impliquent toujours l'utilisation du pouvoir, qu'il existe différents types de pouvoir, et que les ressources politiques sont inégalement distribuées entre les individus, les groupes et les pays. Ainsi, le directeur d'une entreprise possède plus de ressources financières qu'un salarié, et un docteur (Ph. D.) en économie a des connaissances que n'a pas un technicien en comptabilité. De même, les États-Unis disposent d'une puissance militaire qui dépasse celle de tout autre pays.

Les relations de pouvoir implicite et les relations de pouvoir manifeste. Il n'est pas nécessaire que les interactions entre des individus ou des groupes soient observables pour qu'il y ait une relation de pouvoir. C'est pourquoi les spécialistes font la distinction entre les relations de pouvoir manifeste et les relations de pouvoir implicite. Les relations de pouvoir manifeste correspondent à une action observable de A qui amène B à faire ce qui est voulu par A. Ainsi, le geste de l'agent responsable de la circulation qui fait arrêter les automobilistes est l'expression d'un pouvoir manifeste. Dans le cas des relations de pouvoir implicite, B fait ce que désire A, non pas pour répondre à une demande explicite de A, mais parce qu'il sent et perçoit que A veut quelque chose et que, pour une raison ou un autre, il désire faire ce que veut ce dernier.

On trouve une multitude d'exemples de pouvoir implicite dans les familles: les membres d'une famille se connaissent tellement bien qu'ils parviennent à deviner ou à anticiper leurs désirs respectifs sans avoir à les exprimer. Par exemple, un père remet spontanément les clés de sa voiture à sa fille, le samedi soir, parce qu'il sait qu'elle a alors habituellement besoin de celle-ci. La fille, de son côté, respectera les limites de vitesse et limitera sa consommation d'alcool parce qu'elle sait que ses parents tiennent à ce qu'elle le fasse. Dans les deux cas, aucun signal explicite ou observable n'a été constaté. Historiquement, le règne du roi Henri II d'Angleterre (1154-1189) fournit un exemple célèbre de relations de pouvoir implicite. Ce monarque était fréquemment en conflit avec Thomas Beckett, l'archevêque de Canterbury et le chef de l'Église d'Angleterre. Henri II demanda un jour: «Quelqu'un me débarrassera-t-il jamais de cet homme?» Quatre chevaliers interceptèrent ces paroles et, par la suite, assassinèrent Beckett. Le roi voulait-il vraiment se défaire de Beckett? Les historiens n'ont pas encore éclairci la question.

La politique moderne regorge d'exemples de pouvoir implicite. Ainsi, certains projets de loi ne sont jamais présentés à la Chambre des communes ou à l'Assemblée nationale pour la simple raison que les députés savent que ces projets n'ont aucune chance d'être adoptés. Nous n'observons jamais ces relations de pouvoir qui sont présentes dans ce genre de situation, mais elles n'en sont pas moins réelles.

Les relations de pouvoir implicite sont effectivement très difficiles à observer, entre autres parce que l'origine de ce pouvoir peut être fort lointaine. Ainsi, pour comprendre pourquoi la jeune fille de l'exemple donné auparavant respecte le Code de la sécurité routière, il faudrait examiner son enfance ainsi que l'éducation qu'elle a reçue. Il est facile d'analyser le phénomène du pouvoir quand le pouvoir est manifeste, par exemple, lorsqu'un pays lance un ultimatum à un autre: «Si vous ne mettez pas fin à votre programme de mise au point d'armes nucléaires, nous procéderons à des attaques militaires préventives», comme cela pourrait être le cas en ce qui concerne l'Iran. En revanche, si les ressources dont dispose le pouvoir sont variées et complexes, il est difficile de déterminer exactement quel type de pouvoir a été exercé et si celui-ci est implicite ou manifeste, comme dans le cas de l'Allemagne vaincue, qui est parvenue à obtenir une aide économique massive des États-Unis au lendemain de la Seconde Guerre mondiale. L'analyse est également difficile à faire lorsque le pouvoir est partiellement hermétique ou totalement implicite, comme dans le cas d'un chef d'État ou d'un leader qui murmure des paroles à l'oreille d'un de ses conseillers.

Le pouvoir et le choix

Pour résumer ce qui a été dit jusqu'ici, la politique consiste à déterminer des objectifs communs en faisant appel à diverses ressources politiques et à l'utilisation de divers types de pouvoir. Cette définition est complexe, mais elle est suffisamment précise pour nous permettre de déterminer si une action donnée est politique. L'analyse des phénomènes politiques peut être envisagée de deux points de vue. La plupart du temps, nous ne la considérons que sous un seul angle. Il faut garder à l'esprit que cela peut influer sur notre conclusion.

- On peut concevoir les phénomènes politiques comme des actions visant à résoudre rationnellement un problème qui concerne la collectivité ou, à tout le moins, à trouver une solution collective acceptable. Autrement dit, la politique consiste à choisir collectivement dans une démarche rationnelle. Il importe de noter que même si ce point de vue fait ressortir l'aspect concerté de la prise de décision, ce sont la répartition des ressources politiques et les types de pouvoir, c'est-à-dire l'utilisation des pouvoirs de persuasion et d'influence-incitation, qui vont déterminer le résultat.

- On peut concevoir les phénomènes politiques comme des actions ayant pour but de dominer d'autres individus ou groupes. La politique se résume alors à user du pouvoir aux fins d'un individu ou d'un groupe particulier. Dans cette optique, le pouvoir s'exerce généralement par l'injonction-coercition, autrement dit par le recours à la force.

Deux personnes qui observent le même événement ou la même action politique d'un point de vue différent arriveront à des conclusions différentes. Ce dernier point rejoint les remarques du politologue Robert Dahl, cité à la page 2, sur nos croyances à l'égard de la nature, de la distribution et des pratiques du pouvoir. Ainsi, considérant le phénomène récurrent de l'abstentionnisme élevé aux élections municipales et scolaires au Québec, la personne qui pense que le choix collectif est un élément essentiel de la politique conclurait qu'il s'agit d'une situation relativement normale. Elle se dirait que si un grand nombre de personnes n'ont pas pris la peine de voter, c'est qu'elles doivent être satisfaites de la situation. Par contre, la personne qui prend comme conception celle du pouvoir conclurait que les élections municipales

Pouvoir et choix: une même situation peut être envisagée selon divers points de vue. On peut voir ici soit un État qui exerce son pouvoir en faisant appel aux forces de l'ordre, soit un groupe (les étudiants) qui tente d'influencer un choix politique.

et scolaires sont une imposture et qu'elles servent simplement à donner aux électeurs l'illusion de la démocratie sans leur offrir de véritables choix. Autrement dit, les électeurs ne votent pas parce qu'ils se sentent impuissants à influencer les décisions politiques et que les ressources politiques leur paraissent concentrées entre les mains de quelques-uns, d'un groupe ou encore d'une classe.

Ces deux conceptions opposées correspondent à des réalités et sont en partie exactes. Il est généralement impossible de faire de la politique sans tenir compte des besoins fondamentaux des gens qui sont concernés et sans tenter d'y répondre. La tyrannie à l'état pur ou la domination absolue n'existent pas, mais en même temps, dans l'élaboration d'une politique générale dans une démarche de choix collectif, certains groupes ayant plus de ressources politiques imposent leur volonté à d'autres. Dans l'exemple des élections municipales et scolaires, les deux conclusions comportent une part de vérité.

POUR ALLER PLUS LOIN

Le choix rationnel (théorie)

Le choix rationnel est une démarche méthodologique désignée en anglais par l'expression *rational choice*, et empruntée par la science politique aux économistes néoclassiques au cours des années 1950. Elle postule que les acteurs qui interviennent dans le champ politique effectuent les choix qui leur paraissent les plus efficaces pour atteindre leurs fins, qu'il s'agisse de politiciens professionnels, de hauts fonctionnaires ou de simples citoyens[6].

Il convient de retenir ces deux points de vue, car ils nous permettent de ne pas tirer de conclusions à la fois hâtives et catégoriques. Prenons un exemple : une classe d'étudiants du cégep ou de l'université est un groupe pour lequel il faut élaborer des règles générales et dans lequel une seule personne (le professeur) assume officiellement cette responsabilité. De prime abord, les relations politiques dans une salle de cours se réduisent à l'autorité du professeur. Cependant, ce pouvoir d'autorité n'est pas absolu, car il existe un certain nombre de mécanismes officieux qui permettent aux étudiants de participer ou du moins d'influencer la prise de décision, et ces mécanismes ne sont pas négligeables. Ainsi, les relations politiques dans une salle de cours relèvent aussi de la résolution rationnelle de problèmes généraux, donc d'un choix collectif. Il arrive souvent que les professeurs déterminent, de concert avec les étudiants, le calendrier des examens, la nature des travaux ou encore l'intensité de l'éclairage ; les professeurs ont évidemment intérêt à créer une ambiance cordiale, et non un climat d'affrontement avec leurs étudiants. À la limite, les étudiants peuvent exercer – de façon implicite – une certaine influence sur le contenu du cours en exprimant leur intérêt ou leur lassitude, de façon gestuelle, par une attention soutenue ou des bâillements. Par conséquent, non seulement les relations politiques dans une salle de classe consistent dans l'imposition du pouvoir d'une autorité, mais elles impliquent aussi la recherche commune de solutions à des problèmes collectifs. C'est là un aspect que nous pourrions négliger si nous n'étions pas sensibilisés aux deux conceptions des relations politiques.

Il est important de garder à l'esprit ces deux conceptions de l'analyse politique lorsque nous étudions des phénomènes politiques à propos desquels nous avons au départ des opinions subjectives, voire des préjugés. Ainsi, la décision de l'administration du président Bush d'envahir l'Irak, en 2003, nous fournit un bel exemple du danger de réduire les phénomènes politiques à une seule de ces deux conceptions. Les dirigeants américains étaient tellement obnubilés par la brutalité de la dictature de président Saddam Hussein,

---

6. Hermet, Guy, Bertrand Badie, Pierre Birnbaum et Philippe Braud (2001). *Dictionnaire de la science politique et des institutions politiques*, 5e éd., Paris, Armand Colin, p. 45.

utilisant largement son pouvoir de coercition, qu'ils ont cru que les soldats de l'armée américaine allaient être accueillis comme des libérateurs et que le peuple irakien serait reconnaissant de l'intervention, comme ce fut le cas pour la libération de l'Europe en 1945. Pour l'administration Bush, il fallait intervenir par la force afin d'abattre ce régime : il n'y avait pas de compromis possible. Ils n'avaient pas perçu que le régime de Saddam Hussein n'était pas seulement une dictature brutale, mais que ce dernier favorisait aussi certaines ethnies ou régions au détriment d'autres, et maintenait l'ordre et la sécurité sur l'ensemble du territoire irakien, empêchant des actes de terrorisme aveugle. Dans les mois qui ont suivi, les dirigeants américains ont été surpris de la colère du peuple irakien due à leur incapacité à maintenir un minimum d'ordre devant l'anarchie et la violence interreligieuse et interethnique. Nous devons nous rappeler qu'il est rare, sinon impossible qu'un régime politique s'appuie uniquement sur l'utilisation de la force, du pouvoir d'injonction-coercition. Nous pouvons rester ouverts à de telles éventualités, même si nous nourrissons de solides préjugés sur une question.

En résumé, la politique consiste à prendre une décision pour un groupe en faisant usage de différents types de pouvoir. On peut considérer toute action politique ou tout conflit politique sous deux points de vue : en tant qu'imposition de la volonté d'une minorité sur les intérêts de la majorité ou en tant que recherche commune de solutions à des problèmes collectifs (choix rationnel). Le pouvoir et le choix, tels sont les deux thèmes autour desquels s'articule notre vision de la politique. Dans les chapitres ultérieurs, nous les évoquerons à mesure que nous étudierons les divers aspects de la politique.

La politique et l'État

En lisant la liste de questions présentée à la page 3, vous avez probablement été surpris de constater que des faits, qui ne semblent pas « politiques » à première vue, possèdent cependant ce caractère. Le sens du mot « politique » varie quelque peu dans l'usage courant. On n'a pas l'habitude de considérer la famille, le milieu de travail et l'Église comme des contextes relevant de la politique, encore qu'on le fasse parfois. Lorsque nous parlons de « politique de l'entreprise », de « politique de l'université » et de « politique de l'Église », nous faisons référence à des activités qui correspondent à la définition de la politique que nous avons donnée. Toutefois, le sens que le terme « politique » a dans le langage courant est plus restreint. Lorsque nous disons « François s'est lancé en politique » ou « La politique me fascine », nous ne pensons ni à la famille, ni à l'entreprise, ni à l'Église. Le mot « politique » se rapporte ici uniquement au gouvernement d'un État ou d'une région.

En science politique, le mot « État » a un sens précis : il désigne un pays indépendant reconnu comme tel par la communauté internationale. C'est ainsi que nous parlerons de l'État canadien, de l'État américain, etc. Nous étudierons la notion d'État en détail au chapitre 2. Pour l'instant, contentons-nous de souligner que l'État moderne est la forme d'organisation politique où seul l'État a le monopole de la violence légitime, et que cette forme d'organisation politique est extrêmement perfectionnée et complexe. Historiquement, les États se sont progressivement constitués et ont imposé de plus en plus de lois et de règlements à leurs citoyens. À l'origine, les États s'occupaient presque uniquement de la guerre et de la paix avec les autres États, et de maintenir la paix à l'intérieur de leurs frontières. Puis, les États se sont mis à organiser le commerce, à encourager l'industrialisation, à unifier et à harmoniser les lois, à réglementer le prix et la qualité des produits, à construire des routes et des canaux, etc. Aujourd'hui, les citoyens attendent de l'État qu'il maintienne l'économie stable et qu'il maîtrise les cycles économiques, qu'il assure un haut niveau d'emploi et qu'il donne accès aux citoyens à des services de santé et à une éducation de qualité.

Pour le meilleur ou pour le pire, l'État joue désormais un rôle d'une importance capitale, et ses politiques ont pris un poids considérable. D'ailleurs, dans le langage usuel, le mot « politique » désigne habituellement les politiques de l'État. Les politologues ne sont pas moins préoccupés que les citoyens ordinaires par les politiques de l'État. Nous examinerons à l'occasion d'autres formes de politique dans cet ouvrage, mais nous concentrerons notre attention sur les politiques de l'État. Il ne faut pas pour autant oublier le sens plus général du mot. Ne perdez pas de vue que le fait d'étudier les États modernes nous oblige à nous restreindre à une seule des formes d'organisation politique. C'est toutefois la plus importante et la plus complexe.

POUR ALLER PLUS LOIN

Les termes anglais *policy* et *politics*

En anglais, le terme *policy* désigne la gestion exercée dans un domaine déterminé, comme la politique sociale d'un État, la politique d'habitation de la Ville de Montréal ou la politique environnementale d'une entreprise. Le terme *politics* désigne quant à lui les luttes en vue de la conquête du pouvoir, par exemple lorsqu'on vise, par son action politique, à accéder au pouvoir. En français, le terme « politique » a une double signification. Il s'emploie pour désigner, d'une part, ce qui a rapport avec la conquête du pouvoir et avec l'exercice du pouvoir dans un domaine précis et, d'autre part, une ligne d'action suivie par un individu ou une organisation[7].

La science politique[8]

La science politique[9] est la discipline qui a pour objet l'analyse des phénomènes politiques et, en particulier, ceux qui se rapportent aux États modernes. La science politique peut-elle être considérée comme une science ? Le débat reste ouvert (*voir à ce sujet les textes à l'étude aux pages 13 et 14*). Certains politologues estiment que la politique est trop complexe et qu'elle fait intervenir des valeurs personnelles si fondamentales qu'il est impossible de procéder à des analyses objectives et d'arriver à établir des constantes.

La plupart des politologues considèrent toutefois que les phénomènes politiques peuvent être étudiés scientifiquement et que, de l'observation des faits et des événements, on peut dégager les règles qui régissent les rapports à l'intérieur du monde politique. C'est ainsi que l'analyse politique apparaît d'abord aux États-Unis en réaction aux études européennes, qui privilégiaient les aspects juridique, historique et philosophique. Ce type d'analyse a donné naissance aux recherches **béhavioristes**, qui s'attardent à l'étude des comportements et, par la suite, à l'élaboration de différentes méthodes ou théories explicatives comme le fonctionnalisme, le développementalisme et l'analyse des systèmes.

Quelle que soit la méthode qu'ils emploient, les politologues ont tendance, dans leurs analyses des phénomènes politiques, à rechercher les généralisations et l'abstraction. Comme le soulignent les politologues québécois Bélanger et Lemieux, l'étude scientifique est un travail d'abstraction qui consiste à

Béhaviorisme (ou comportementalisme)
Courant ou mode d'approche empirique apparu aux États-Unis au cours des années 1930, selon lequel le rôle des politologues n'est pas de déterminer quel est le meilleur régime politique, mais d'établir comment fonctionnent les différents régimes politiques. L'approche béhavioriste privilégie les données quantifiables plutôt que celles qui ne le sont pas.

---

7. Thoening, Jean-Claude (1985). « L'analyse des politiques », dans Madeleine Grawitz et Jean Leca (dir.). *Traité de science politique : les politiques publiques*, tome 4, Paris, PUF, p. 6 et 7.
8. Au sujet du développement de la science politique au Canada et au Québec, voir l'excellent résumé dans Guy, James J. (2000). *Le parlementarisme canadien*, Québec, Presses de l'Université Laval, p. 35-39.
9. Voir l'excellent résumé de l'évolution de la science politique par rapport aux autres sciences sociales dans Bélanger, André-J., et Vincent Lemieux (2002). *Introduction à l'analyse politique*, Montréal, Presses de l'Université de Montréal, p. 17-23.

comparer différents éléments du réel en vue de dégager des règles générales[10]. Pour permettre des généralisations, le travail doit se fonder sur une théorie.

Une **théorie** est un énoncé qui déduit un principe général de l'étude de cas particuliers. Nous retenons deux types d'approches théoriques : les approches empiriques et les approches normatives.

Les approches empiriques

Les approches empiriques décrivent la manière dont les phénomènes agissent. Elles ont généralement un caractère explicatif, c'est-à-dire qu'elles essaient de démontrer pourquoi tel phénomène se produit de telle façon. En principe, elles sont constituées d'énoncés tels que «x cause y».

Supposons que nous ayons à répondre à la question : «Pourquoi n'y a-t-il eu, jusqu'aux élections de 2007, que deux grands partis politiques au Québec?» Il serait possible d'expliquer empiriquement le phénomène comme suit : le système électoral québécois, qui est du type uninominal majoritaire, désavantage les petits partis et tend à réduire à deux le nombre des partis politiques. Nous étudierons le système uninominal au chapitre 8. Pour l'instant, il suffit de se rappeler que l'énoncé précédent est de type causal (le système uninominal majoritaire entraîne le bipartisme) et qu'il applique un principe général à un cas particulier (celui du Québec).

Les approches normatives

Pour leur part, les approches normatives aident leurs tenants à se faire une opinion, à porter un jugement sur un phénomène, et non à en décrire les mécanismes. Elles répondent à la question : «Qu'est-ce que X devrait faire?» Les approches normatives, comme les approches empiriques, font le lien entre des cas particuliers et des principes généraux. À la question : «Est-ce que le Canada devrait maintenir un programme de sécurité du revenu?», il est possible de répondre soit par la négative, si l'on s'appuie sur le principe général selon lequel les États doivent intervenir le moins possible dans la vie des citoyens, soit par l'affirmative, si l'on se base sur le principe selon lequel les États doivent assurer à l'ensemble des citoyens un minimum de revenus et répartir équitablement la richesse. Notons ici que ces deux conceptions du rôle de l'État dans les sociétés correspondent à deux grands courants politiques : la droite et la gauche[11]. Ces termes sont couramment utilisés dans la vie politique au Québec, au Canada, en Europe et dans la plupart des pays. Mais il faut savoir qu'aux États-Unis, le terme «gauche» de même que celui de «socialiste» sont très péjoratifs, et qu'une personne de gauche porte plutôt l'étiquette de «libérale». Il ne faut pas confondre le terme «libéral» avec le Parti libéral du Québec ou celui du Canada. Nous reviendrons sur l'origine et l'évolution de ces courants politiques au chapitre 3, qui porte justement sur les idéologies modernes.

Les secteurs d'étude et d'analyse

Revenons aux approches, c'est-à-dire aux deux façons d'aborder l'étude des phénomènes politiques. Il est important de retenir que les deux types d'approches théoriques (empiriques et normatives) portent sur des cas particuliers et les

Théorie
Ensemble de concepts, de propositions et de modèles articulés entre eux, qui ont pour objectif d'expliquer un phénomène (la théorie de la lutte de classe, les théories du développement économique).

---

10. Bélanger, André-J., et Vincent Lemieux (2003). *Introduction à l'analyse politique*, Montréal, Presses de l'Université de Montréal, p. 25.
11. Voir à ce sujet Boudreau, Philippe, et Claude Perron (2003). *La gauche et la droite*, Montréal, Chenelière/ McGraw-Hill ; Parenteau, Danic (2008). *Les idéologies politiques, le clivage gauche-droite*, Québec, Presses de l'Université du Québec.

relient à des principes généraux. L'utilisation de théories est ce qui distingue les politologues des autres spécialistes qui traitent de politique, et en particulier des historiens. L'élaboration de théories est l'une des caractéristiques fondamentales de la science politique. Étant donné les exigences des programmes et de la planification de l'enseignement au Québec et en Amérique du Nord, les politologues divisent la science politique en secteurs ou en sous-disciplines. Ces secteurs sont les suivants[12] :

- L'administration publique : analyse de l'appareil de l'État, tant dans sa dimension administrative que dans sa dimension politique.
- L'analyse des politiques publiques : analyse qui, contrairement aux études de l'administration publique, permet d'étudier pourquoi, en quoi et comment les pouvoirs publics ont mis de l'avant ou non telle politique.
- L'étude des idées politiques : étude qui a pour but d'expliquer la formation des concepts, des idées, des valeurs et des idéologies politiques.
- Les relations internationales (ou politique internationale) : étude de la politique étrangère des États et de leurs politiques d'expansion, des organisations internationales, de l'intégration régionale, des causes de conflits entre les États ainsi que des mécanismes de résolution, des éléments stratégiques et du système international.
- La sociologie politique : étude des partis politiques, des systèmes partisans et des systèmes politiques, des groupes de pression, des systèmes électoraux et des comportements des citoyens.
- La théorie politique : étude des théories politiques, de leur étendue et de leurs limites, ainsi que de leur niveau d'« opérationnalisation ».
- La politique comparée : étude comparative des régimes et des institutions politiques, des processus de modernisation, de démocratisation, de rupture et de changements politiques.

Vous trouverez, dans ce manuel, un aperçu des principales découvertes de la science politique, de même que de nombreux renseignements sur les phénomènes politiques au Québec, au Canada, aux États-Unis, en France et dans d'autres pays, ce qui vous permettra d'aborder de manière comparative l'étude des phénomènes politiques.

La fascination pour la politique

Ce chapitre vous a peut-être paru difficile, mais il fallait d'abord clarifier un certain nombre de concepts et de termes. Souvent, en lisant ce manuel, vous constaterez que le sens de certains mots est plus précis que dans le langage courant. C'est que nous devons recourir à des concepts abstraits. Nous espérons néanmoins que vous n'oublierez pas que l'étude des phénomènes politiques est un domaine fascinant et souvent dramatique.

« Utiliser le pouvoir pour faire des choix collectifs. » Réfléchissez à la signification de cet énoncé. Il évoque les guerres civiles comme en Syrie. L'utilisation du pouvoir, cela fait aussi penser à Louis Riel, Métis et francophone, qu'on a jeté en prison et pendu parce qu'il a lutté pour ses frères Métis au Manitoba ; à certains membres des Églises catholique et protestante et aux communistes

---

12. Michaud, Nelson (1997). *Praxis de la science politique*, Québec, Presses de l'Université Laval, p. 133-164.

qui ont résisté à l'Occupation nazie pendant la Seconde Guerre mondiale ; aux Noirs américains qui luttent contre la ségrégation raciale dans les États du sud des États-Unis ; aux étudiants chinois qui, risquant leur vie, ont manifesté au nom de la démocratie sur la place Tiananmen en 1989. Utiliser le pouvoir pour faire des choix collectifs, c'est instaurer la démocratie et la justice pour tous, et lutter pour l'égalité politique et la justice sociale, l'éducation publique et gratuite, la protection de l'environnement et des services de santé publique. Cependant, la politique, c'est aussi l'horreur provoquée par l'extermination de millions de Juifs, de milliers de Rwandais, d'Amérindiens et de peuples considérés comme indésirables. La politique est à l'origine à la fois des pires souffrances et des plus grandes conquêtes de l'humanité.

Martin Luther King (1929-1968), militant des droits de l'homme, a été le leader le plus important du mouvement afro-américain des droits civiques aux États-Unis.

POUR ALLER PLUS LOIN

Louis Riel (1844-1885)

Métis francophone, Louis Riel prit la tête de la résistance des communautés métisses contre l'exploitation territoriale de la Compagnie de la Baie d'Hudson dans la région de la rivière Rouge, au Manitoba, en 1869. Par la suite, il dirigea, en 1884, l'insurrection des communautés amérindiennes en Saskatchewan. Il échoua et fut condamné à mort.

Les difficultés de l'étude « scientifique » des phénomènes politiques

ANDRÉ BERNARD

La grande difficulté que rencontre l'étude « scientifique » des problèmes politiques tient à leurs particularités. Ces problèmes sont extrêmement complexes. Ils sont interdépendants. Ils sont extrêmement nombreux et variés. Ils se présentent sous des aspects changeants. Ils évoluent constamment. La diversité des situations et la multiplicité des facteurs qui les influencent freinent les efforts de classification et les tentatives de compréhension. L'évolution des sociétés et la capacité des êtres humains de modifier leurs comportements mènent à réviser sans cesse les conclusions tirées de l'observation de régularités passées. De plus, les valeurs ou émotions associées aux problèmes politiques font partie de ce que les spécialistes appellent des *impondérables* ou des *intangibles*. Les préférences politiques sont incommensurables (elles ne peuvent être mesurées): certes, on peut compter les personnes qui soutiennent une option politique, mais on ne peut évaluer la ferveur de ces personnes, d'autant plus que leur

engagement repose sur des considérations fort nombreuses, souvent inconscientes, parfois contradictoires et toujours extraordinairement complexes et enchevêtrées. En définitive, les particularités des problèmes politiques posent un défi colossal.

Mais, de toutes les particularités des problèmes politiques, la plus contraignante est celle qui tient aux apparences trompeuses derrière lesquelles ils se manifestent. Ces apparences peuvent être trompeuses en raison du manque de perspective dans l'observation (tout comme la Terre semble plate, vue du sol), mais également parce que la tromperie fait partie de l'art politique : les déclarations, les réponses aux questions, les répliques, les réactions, les interventions, les commentaires, etc., tout, dans le discours politique, est sujet à caution. Les personnes qui prennent une part active à la vie politique découvrent très tôt qu'elles ne

TEXTE À L'ÉTUDE

▶

peuvent pas dire ce qu'elles pensent vraiment ou, du moins, tout ce qu'elles pensent ; elles apprennent à choisir les mots qui ne leur seront pas reprochés, à taire leurs véritables options, à répéter ce que leur public veut entendre, etc. Elles apprennent aussi à se méfier des propos d'autres personnes. Même quand ils ne sont pas mensongers, les propos politiques sont suspects. Ceux de chaque protagoniste du combat politique le sont aux yeux de ses adversaires, lesquels les contestent et peuvent – souvent – montrer qu'ils contredisent des propos antérieurs.

Le caractère trompeur de l'information relative aux problèmes politiques est accentué par le secret qui entoure les délibérations des personnes qui occupent les postes d'autorité ou qui dirigent les partis, les associations ou les entreprises. Le secret est nécessaire en raison de la concurrence que se livrent les groupes et des menaces qui pèsent sur les autorités, bref, en raison du principe même de l'action politique. La crainte des délations, des révélations, des trahisons et des réactions que ces délibérations susciteraient explique la règle du secret. En conséquence, l'information relative aux problèmes politiques n'est pas abondante.

Compte tenu de leurs particularités, les problèmes politiques ne peuvent pas être étudiés de la même façon que les phénomènes examinés par les sciences dites *exactes*. Certes, de nombreux aspects des problèmes politiques peuvent faire l'objet de « quantifications » analogues à celles qui ont permis le développement des sciences dites *exactes*. Mais les aspects « politiques » de ces problèmes ne se prêtent pas à la quantification puisqu'ils sont incommensurables (les croyances, opinions ou préférences peuvent être dénombrées, classées et ordonnées, mais ne peuvent être quantifiées). Finalement, dans la mesure où ces aspects « politiques » sont justement ceux qui caractérisent les problèmes politiques, les quantifications ne mènent pas très loin.

Par ailleurs, compte tenu de ces particularités, les hypothèses relatives aux problèmes politiques ne peuvent guère être soumises à l'expérimentation scientifique. Il est certes possible d'effectuer des simulations avec des volontaires ou avec des communautés qui, volontairement ou non, servent de « cobayes », mais les conditions dans lesquelles s'effectuent ces simulations sont différentes de celles qui prévalent dans l'ensemble du territoire.

Faute de pouvoir procéder à des simulations appropriées, les personnes qui étudient les phénomènes politiques peuvent tenter d'extrapoler à partir de l'observation des comportements ou de la cueillette [sic] d'informations sur les attitudes, les opinions, les croyances, etc. Pour cela, en plus d'examiner la documentation écrite et audiovisuelle disponible, ces personnes ont la possibilité de recourir à l'enquête par sondage, ce qu'elles font de plus en plus. Mais ce type d'enquête coûte très cher dès lors qu'une relative précision est recherchée. En raison de son coût élevé, l'enquête par sondage est un outil réservé aux organisations qui disposent de ressources importantes (organismes publics, grands partis, grosses entreprises, certaines associations, etc.). ◄

Source : Bernard, André (1994). *Problèmes politiques : Canada et Québec*, Sainte-Foy, Presses de l'Université du Québec, p. 2 et suiv.

Les caractères d'une démarche scientifique

JEAN-MARIE DENQUIN

LA NOTION DE SCIENCE

L'idée même de science a suscité de vastes et complexes polémiques. Un accord assez général se dégage cependant pour reconnaître à la science quatre caractères : elle est un discours portant sur le réel, contrôlable intersubjectivement, inachevé et donc révisable.

- La science est un discours. Cela signifie que la science est l'expression dans un langage humain (langue naturelle ou langage formel, comme les mathématiques) de ce que l'homme a cru discerner en observant l'univers. Elle ne saurait donc dépasser les capacités propres de l'esprit humain.

- La science est un discours portant sur le réel. Autrement dit, la science fait le pari d'atteindre une certaine réalité. On ne saurait guère être plus précis : car pour connaître la distance qui sépare un savoir de l'ultime réalité – à supposer que cette formule ait un sens –, il faudrait connaître celle-ci. Mais l'important ici est surtout l'ambition et la conviction qui animent les savants. Ceux-ci entendent parler de l'univers, et non élaborer un discours arbitraire utile ou agréable, mais déconnecté du réel. En outre, ils ont le sentiment que tel est bien le cas, même s'il leur est extrêmement difficile de préciser en quel sens c'est le cas.

▶

TEXTE À L'ÉTUDE

- Ce sentiment tient sans doute pour beaucoup à ce que la science est contrôlable. À la différence d'autres discours – théologiques, esthétiques, idéologiques –, le discours scientifique ne saurait admettre aucun argument d'autorité. Ce qu'un savant pense avoir établi, n'importe quel autre – à condition de posséder la compétence nécessaire, et cela est également contrôlable – peut l'examiner, le confirmer ou le réfuter s'il y a lieu. Toute affirmation qui ne satisfait pas à cette condition ne peut, comme l'a montré le grand épistémologue Karl Popper, être tenue pour scientifique. Il en résulte qu'un discours construit de manière à écarter toute possibilité de réfutation (l'astrologie ou la psychanalyse, par exemple) ne saurait être une science au sens de Popper. Il en résulte aussi que la science n'est pas structurellement apte à rendre compte de phénomènes dont la réalité est cependant hors de doute : c'est le cas par exemple de l'expérience intérieure des individus, qui est pour chacun d'eux parfaitement évidente, mais qu'aucun autre individu ne peut examiner. Il y a donc des savoirs qui ne peuvent être objets de science.

- La science, enfin, est inachevée, donc révisable. Le premier point découle logiquement des diverses limites que l'on vient de constater. La science ne saurait mettre à l'abri d'investigations nouvelles le produit de son activité. Aucun savoir scientifique n'est donc jamais, en droit, définitivement acquis. Mais cette faiblesse, qui doit conduire à rejeter a priori tout triomphalisme scientiste, a une contre-partie : inachevée, la science peut être améliorée. Le but est inaccessible, mais le progrès est toujours possible.

Tout savoir n'est donc pas une science, et la science n'est pas un savoir absolu. Il n'en reste pas moins que la science constitue, dans les domaines où elle peut s'exercer, la forme de connaissance la plus digne de foi à laquelle les hommes peuvent accéder.

LES SCIENCES DE LA NATURE ET LES SCIENCES HUMAINES

Les caractères que l'on vient de mettre en lumière définissent la science en général. Toutefois, pour être précis, il convient d'introduire une distinction, car une différence importante sépare les sciences de la nature des sciences humaines.

Les premières, comme la physique par exemple, permettent de dégager des lois, suffisamment précises et générales pour rendre possible la prévision. Elles ont ainsi accru dans des proportions immenses la maîtrise de l'humanité sur le monde. Les sciences humaines, au contraire, ne permettent pas l'élaboration de lois générales. Cette différence s'explique d'abord par la complexité des phénomènes sociaux, résultantes de l'action d'un nombre considérable d'individus dont chacun constitue un univers en soi. Elle s'explique aussi par l'impossibilité d'appliquer la méthode expérimentale : on ne peut cultiver une société *in vitro* comme une colonie de microbes.

Il n'en résulte pas, cependant, que les sciences humaines soient dépourvues de tout caractère opératoire. Comme toute connaissance exacte, les sciences humaines accroissent la capacité d'intervention sur l'univers. Elles sont un guide pour l'action, même si ce guide demeure imprécis et ne réduit pas les risques d'échec à un pourcentage négligeable. Elles peuvent même, dans les meilleurs cas, permettre la formulation de lois, mais ce ne seront que des lois locales, vraies seulement si un grand nombre de conditions sont remplies, que l'on ne peut généraliser sous peine de les rendre inopérantes. ◄

Source : Denquin, Jean-Marie (2007). *Introduction à la science politique*, Paris, Hachette, p. 13-14.

CONCEPTS CLÉS

EXERCICES

Questions d'approfondissement

1. Pour chacun des trois types de pouvoir, donnez un exemple concret, tiré de l'actualité politique nationale (Québec-Canada), qui permettrait de l'illustrer.

2. Pour chacun des trois types de pouvoir, donnez un exemple concret, tiré de l'actualité politique internationale, qui permettrait de l'illustrer.

3. Décrivez deux événements de l'actualité politique nationale (Québec-Canada) qui pourraient illustrer le phénomène du pouvoir manifeste.

4. Citez deux exemples tirés de l'actualité politique internationale qui pourraient illustrer le phénomène du pouvoir manifeste.

5. Pourquoi les relations de pouvoir implicite sont-elles difficiles à analyser?

6. Commentez l'assertion suivante: « Le pouvoir du premier ministre du Québec est surtout un pouvoir d'influence-incitation. »

7. Commentez l'assertion suivante: « Devant ses opposants, le président de la Syrie use surtout du pouvoir d'injonction-coercition. »

8. Les politologues étudient surtout la politique des États.
   a) Ont-ils raison de concentrer leur attention sur cette forme d'organisation politique? Pourquoi?
   b) Devraient-ils accorder plus de place à d'autres formes d'organisations politiques (politique des entreprises, politique de la structure familiale, etc.)?

Sujets de discussion

1. Commentez la phrase suivante: « L'intérêt pour la politique varie d'une famille à l'autre, d'une catégorie sociale à l'autre et d'une génération à l'autre. »

2. Commentez la phrase suivante: « La science politique ne pourra jamais devenir une vraie science parce que la politique est dominée par le mensonge, la corruption et la tromperie. »

3. Le charisme est une ressource parmi d'autres, mais la personne qui possède ce don particulier ou cette qualité peut exercer un ascendant sur un groupe.
   a) Quel leader politique québécois peut être considéré comme charismatique? Pourquoi?
   b) Quel leader politique canadien peut être considéré comme charismatique? Pourquoi?
   c) Quel leader politique étranger peut être considéré comme charismatique? Pourquoi?

WWW

http://mabibliotheque.cheneliere.ca

LECTURES SUGGÉRÉES

BÉLANGER, André-J., et Vincent LEMIEUX. *Introduction à l'analyse politique*, Montréal, Presses de l'Université de Montréal, 2003.

BOUSSAGUER, Laurie, Sophie JACQUOT et Pauline RAVINET (dir.). *Dictionnaire des politiques publiques*, Paris, Les Presses de Science PO, 2006.

BRAUD, Philippe. *La science politique*, 9ᵉ éd., Paris, PUF, coll. « Que sais-je? », 2008.

DEBBASCH, Charles, et Jean-Marie PONTHIER. *Introduction à la politique*, 5ᵉ éd., Paris, Dalloz, 2000.

DENQUIN, Jean-Marie. *Introduction à la science politique*, Paris, Hachette, 2007.

GAZIBO, Mamoudou, et Jane JENSON. *La politique comparée. Fondements, enjeux et approches théoriques*, Montréal, Presses de l'Université de Montréal, 2004.

LECOMPTE, Patrick, et Bernard DENNI. *Sociologie politique*, Grenoble, Presses universitaires de Grenoble, 2002.

MULLER, Pierre. *Les politiques publiques*, Paris, PUF, coll. « Que sais-je? », 2006.

PARTIE 1

L'ÉTAT ET LA POLITIQUE PUBLIQUE

CHAPITRE 2
L'État moderne

CHAPITRE 3
Les idéologies modernes

L'État moderne

Nationalité
Sur le plan juridique, rattachement légal d'un individu à un État. La nationalité implique des droits et des obligations envers l'État.

Dans cet ouvrage, nous avons choisi de concentrer notre attention sur le couple « politique-État » plutôt que sur les autres formes de politique comme la « politique de l'entreprise » ou la « politique de la famille », pour la simple raison que l'État joue, de nos jours, un rôle de premier plan et qu'il est au cœur des études en science politique.

L'importance de l'État pour les individus

L'attention que nous portons à l'État est telle qu'elle détermine largement nos rapports avec les gens. Nous sommes enclins à définir une personne qui vient d'un pays étranger en fonction de sa nationalité et à oublier des caractéristiques plus essentielles. Si l'on vous parle d'un ingénieur français de votre connaissance nommé Dupont et qu'on vous demande de le décrire spontanément, en un mot, vous direz fort probablement qu'il est français. Il y a aussi de fortes chances que vous répondiez « un homme », car le sexe des personnes capte plus notre attention que leur nationalité. Dupont exerce la profession d'ingénieur, et voilà qui devrait en dire long sur son compte. Toutefois, peu de gens seraient portés à donner immédiatement cette indi-cation. Dupont pourrait être catholique ou juif, pieux ou agnostique, grand ou petit, séduisant ou balourd ; il n'importe : la plupart des personnes qui le connaissent diront d'abord de lui qu'il est français. Toutes les autres caractéristiques que nous avons mentionnées renseigneraient cependant davantage sur la personne de Dupont que le ferait sa nationalité.

La fixation de notre appartenance à un État entraîne une conséquence assez curieuse : la majorité des gens accordent beaucoup plus d'attention au gou-vernement national, pourtant lointain, qu'aux gouvernements régionaux ou à l'administration municipale, qui sont plus près d'eux. Au Canada, l'activité politique culmine lors des élections fédérales. Aux États-Unis, les élections présidentielles captivent tellement la population que le nombre des inscriptions aux cours de science politique dans les universités augmente de 10 à 20 % pendant cette période ! De même, aux États-Unis, le taux de participation est beaucoup plus élevé aux élections présidentielles qu'aux autres élections. Au Québec, le taux de participation aux élections provinciales est plus élevé qu'aux élections municipales. Aux élections provinciales du 4 septembre 2012, le taux de participation a été de 75 %, plus qu'aux élections de 2008 (57,4 %) et qu'aux élections de 2007 (71,2 %).

L'importance démesurée accordée à la politique nationale est d'autant plus déroutante que dans un pays comme le Canada, un électeur seul n'a aucune chance d'influencer les résultats d'une élection nationale.

Par contre, aux élections municipales, le citoyen d'une ville de taille modeste a des chances faibles mais réelles de faire pencher la balance d'un côté ou de l'autre, étant donné que 5 000 ou 10 000 autres personnes seulement ont le droit de vote. Par ailleurs, on peut affirmer sans risquer de se tromper que les politiques d'un gouvernement local concernent tout autant les citoyens que celles d'un gouvernement national. Certes, la politique étrangère, les décisions relatives à la guerre ou à la paix ainsi qu'à l'économie nationale ont des effets directs sur la vie des gens. Cependant, les politiques des gouvernements locaux ont beaucoup plus d'impacts immédiats sur la vie quotidienne des citoyens. Les écoles primaires et secondaires, le transport scolaire, l'entretien des rues, la gestion de la circulation automobile, le zonage résidentiel ou commercial, les parcs, les loisirs, la qualité de l'eau potable, la sécurité et le comportement des policiers relèvent tous des gouvernements locaux ou des administrations municipales.

Les régions habitées du monde n'ont pas toujours été aussi rigoureusement structurées en États dotés de frontières bien délimitées. Dans les sections qui suivent, nous étudierons la formation des États et des nations, puis nous examinerons les rapports entre l'État moderne et le **nationalisme**, de même que leurs rôles et fonctions. Enfin, nous considérerons de nouvelles formes d'organisations politiques susceptibles de remplacer les États modernes.

Nationalisme
Doctrine politique qui prône la souveraineté de l'État-nation, l'unité ethnique, linguistique et politique d'une communauté d'individus qui se considère comme distincte. Le nationalisme part du principe que toute nation doit s'organiser en État souverain (indépendant).

Les relations politiques avant l'apparition de l'État moderne

Comme nous l'avons indiqué au chapitre 1, l'État moderne tel que nous le connaissons est une création récente. On peut distinguer trois grandes étapes menant à son apparition.

La période préétatique

Il y a 600 ou 700 ans, les gens n'avaient pas le sentiment d'appartenir à un État ou à un pays au sens que nous donnons à ces mots aujourd'hui. La plupart des gens pratiquaient une agriculture de subsistance, et leur horizon se bornait à leur village, qu'ils quittaient rarement. Leur sentiment d'appartenance se limitait à leur famille et à leur village. Parfois, des armées envahissaient le village, mais pour les villageois, les soldats pouvaient tout aussi bien avoir été engagés par le roi de France, le pape ou encore le roi d'Angleterre. La France du XIVᵉ siècle était géographiquement divisée en une multitude d'entités politiques qui étaient gouvernées par le roi de France, le roi d'Angleterre, le duc de Bourgogne ou encore le duc de Lorraine. Cette situation laissait les populations de ces diverses entités plutôt indifférentes.

La période de la concentration du pouvoir étatique

Aux XIVe et XVe siècles, les rois d'Europe commencèrent à concentrer le pouvoir entre leurs mains en créant des institutions, et à l'étendre au moyen d'une administration centralisée. Les petites entités politiques furent ainsi regroupées en États.

Au début de cette période, qui vit la construction des États européens, les populations restèrent largement indifférentes à l'égard de l'État dont elles devenaient peu à peu les sujets. Certains territoires avaient été acquis par la Couronne (roi ou empereur) à l'occasion de mariages royaux ou de guerres, ou encore en paiement de dettes. Les autorités politiques s'échangeaient tout simplement les populations comme s'il s'agissait de biens matériels, sans les avoir consultées. Aujourd'hui, cela ne serait plus possible en raison du droit international et, en particulier, « du droit des peuples à disposer d'eux-mêmes ».

POUR ALLER PLUS LOIN

Le protestantisme et le développement des langues nationales

Dans la seconde moitié du XVe siècle et au début du XVIe siècle, l'invention de l'imprimerie et le schisme au sein de la chrétienté, causé par la Réforme protestante, vont jouer un rôle déterminant. En facilitant la diffusion des écrits, l'invention de Gutenberg va en effet favoriser la croissance de la littérature en langue nationale et contribuer à fragmenter l'Europe en de nombreuses entités culturelles et nationales. L'expansion du protestantisme en Allemagne, en Grande-Bretagne et en Scandinavie aidera grandement au développement des langues nationales des pays concernés, en raison de la nécessité de traduire et d'imprimer la Bible, ce qui résultait de l'obligation, pour tous les protestants, de la lire quotidiennement.

Sur ce sujet, le lecteur pourra consulter *Sociologie du politique,* de Bernard Denni et Patrick Lecomte.

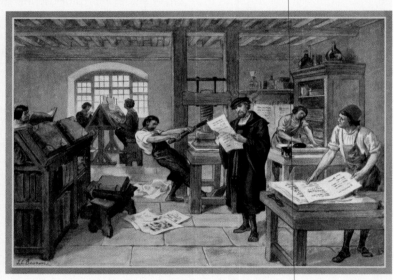

Si les gens ordinaires ne se souciaient pas de l'État, les élites instruites et les dirigeants, pour leur part, voyaient dans celui-ci un outil propre à servir leurs intérêts. Les membres de l'élite qui savaient écrire le faisaient non pas dans leur langue maternelle, mais en latin. La plupart des écrivains avaient le sentiment d'appartenir à un monde cosmopolite, chrétien et européen, et non à une communauté d'expression anglaise, française ou espagnole. Ce n'est qu'aux XVIe et XVIIe siècles, à l'époque de la centralisation et de la formation des États, que les langues nationales s'imposèrent. En France, l'ordonnance de Villers-Cotterêts, promulguée en 1539, édictait l'usage du français dans tous les actes officiels et de justice. Le latin et les diverses langues des minorités (l'occitan, le breton, etc.) furent ainsi relégués au second plan. Certaines de ces langues minoritaires ont difficilement réussi à perdurer.

Dans bien des cas, les rois qui formaient les nouveaux États veillaient beaucoup plus à leurs propres intérêts qu'à ceux de la société qu'ils gouvernaient. En temps de guerre, les armées nationales n'existaient pas ; les États faisaient ainsi régulièrement appel à des mercenaires étrangers. Le roi de France pouvait engager des soldats d'origine étrangère pour combattre les Anglais, et vice versa. Pendant la révolution américaine (1776-1783), le roi d'Angleterre et le gouvernement britannique mobilisèrent des troupes allemandes (les soldats de la Hesse) et les envoyèrent se battre dans les colonies américaines.

La période de l'intégration étatique

Historiquement, ce n'est qu'au début du XIXe siècle qu'apparut l'État tel que nous le connaissons aujourd'hui, c'est-à-dire un groupement humain vivant sur un territoire qui a des frontières précises et stables, et qui est uni par des liens politiques complexes et un fort sentiment d'appartenance.

POUR ALLER PLUS LOIN

Max Weber (1864–1920) : une définition de l'État moderne

Pour le sociologue allemand Max Weber (1864-1920), l'État est un groupe qui, au sein de la société, détient le monopole de la violence légitime. L'État est une forme d'organisation extrêmement perfectionnée qui est apparue dans les sociétés occidentales avec l'industrialisation et la spécialisation des tâches liées à la division du travail. Sur le plan des institutions politiques, cette forme d'organisation se caractérise par la monopolisation du pouvoir légal de contrainte et de coercition au profit de l'État, ce qui signifie, en bref, que seul l'État possède le pouvoir légitime d'imposer des obligations. Cette violence légitime ne peut être exercée que par cette autorité politique centrale organisée et clairement reconnue par la société qu'est l'État. Celui-ci diffère grandement des autres formes d'organisation humaine, comme la formation tribale, une forme de société sans État où le pouvoir est réparti entre les membres de la tribu, et la société anarchique, caractérisée par l'absence de tout gouvernement et la libre association des individus.

On peut affirmer que c'est Napoléon Bonaparte (1769-1821) qui démontra le niveau de puissance que peut atteindre un État moderne. Bonaparte édifia l'un des premiers États résolument modernes en canalisant l'enthousiasme suscité par la **Révolution** française dans l'établissement de la première armée de type national et d'une administration centralisée et efficace. Il mobilisa ainsi toutes les ressources économiques et sociales de la France. Le nouvel État français était presque invincible et il réussit à soumettre la majeure partie de l'Europe. Son pouvoir reposait en partie sur la plus puissante armée d'Europe, dont les membres servaient non seulement leurs intérêts personnels, mais aussi leur nation et leur patrie, et défendaient en outre les idéaux de la Révolution française. L'État moderne et national venait de prouver son efficacité. L'ambition démesurée de Napoléon causa sa perte, mais il avait démontré ce qu'un État centralisé et moderne pouvait accomplir. Les États qui se sont formés ou qui ont subsisté après

Révolution
Rupture radicale avec un mode d'organisation politique, sociale ou économique.

POUR ALLER PLUS LOIN

Les différents types de révolutions

Nous pouvons avoir différents types de révolutions. On distingue généralement les révolutions sociales et les révolutions politiques : les premières transforment radicalement l'organisation politique et les structures sociales, comme l'ont fait la Révolution française de 1789 et la Révolution russe de 1917. Ces révolutions ont un caractère et une portée universels. Les secondes ne touchent que l'ordre politique, comme c'est le cas pour la Révolution anglaise de 1688 – *The Glorious Revolution* – et la Révolution américaine de 1776.

LA CROISSANCE DES ÉTATS SOUVERAINS DE 1648 À 2012

FIGURE 2.1

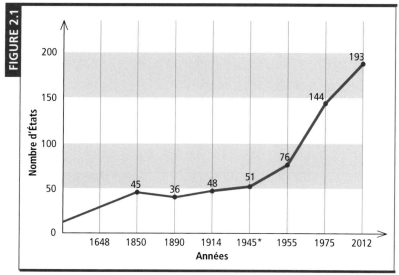

* À partir de 1945, seuls les États souverains membres de l'ONU ont été comptabilisés.

Sources : Adapté de Guy, James John (2001). *People, Politics and Government : A Canadian Perspective*, 5ᵉ éd., Toronto, Prentice-Hall, p. 118 ; ONU, [En ligne], www.un.org/fr/members/index.shtml (Page consultée le 27 février 2013).

1815 ont tenté d'imiter la France, avec plus ou moins de détermination, en centralisant et en unifiant leur administration.

Au XIXᵉ siècle, d'autres formes d'organisation politique ont continué d'exister sur tous les continents. Entre 1700 et 1900, les puissances coloniales européennes avaient établi des colonies, comparables à des filiales, dans le reste du monde. Puis, au XXᵉ siècle, les deux guerres mondiales eurent pour effet d'ébranler l'hégémonie de l'Europe sur le plan politique et économique, et ce fut pour les colonies l'occasion de s'émanciper. Leurs nouveaux dirigeants, qui avaient pour la plupart étudié en Europe, adoptèrent la forme d'organisation politique qui y avait cours, de sorte que l'État moderne devint la forme universelle d'organisation politique. Le nombre d'États souverains est passé de 45, en 1850, à près de 200, en 2012 (*voir la figure* **2.1**).

POUR ALLER PLUS LOIN

Les colonies et le colonialisme

La colonie consiste en un territoire étranger dépendant d'un État sur les plans politique, économique et culturel. Les États européens commencent à constituer des colonies au XVIᵉ siècle, et l'expansion coloniale atteint son apogée au début du XXᵉ siècle : empires coloniaux espagnol et portugais, français et britannique, belge et hollandais. Après la Seconde Guerre mondiale (1939-1945), ces empires commencent à s'effondrer et une règle de droit international s'impose : « le droit des peuples à disposer d'eux-mêmes ». Outre qu'elle était motivée par des raisons économiques et de puissance, l'expansion coloniale reposait sur une idéologie, le colonialisme, qui justifiait la domination des peuples coloniaux par des peuples occidentaux et japonais, qui étaient jugés supérieurs et qui devaient leur apporter la civilisation ainsi que le progrès économique et culturel !

L'apparition des États modernes

Quelle est l'origine des États modernes ? Pour reprendre les termes du politologue québécois Gérard Bergeron, qu'est-ce qui a mené à la mise sur pied du plus gigantesque dispositif de contrôle social que l'homme ait jamais inventé ? De 1880 à l'an 2000, la présence de l'État, en termes économiques, a été multipliée par huit dans les pays développés comme le Canada, les États-Unis et le Royaume-Uni[1]. Il en va de même pour la croissance des administrations publiques et des interventions des États dans toutes les sphères de la vie sociale et culturelle. En 2012, comme l'indique le tableau **2.1**, les dépenses des États par rapport au produit intérieur brut (PIB) représentaient, pour le Canada, 41,7 %, pour les États-Unis, 40 %, et pour la France, 55,8 %.

---

1. Fonds monétaire international (FMI) (2007). *Government Finance Statistics Yearbook*, 2010.

L'apparition de l'État et la guerre

Les facteurs qui expliquent l'apparition de l'État moderne, particulièrement en Europe, ont fait l'objet de nombreuses études[2] au cours des 20 dernières années. Pour certains, tel l'historien Paul Kennedy[3], c'est la guerre qui a amené la formation des États modernes aux XVe et XVIe siècles. En concentrant le pouvoir militaire entre leurs mains, de nombreuses dynasties royales ont pu ainsi mettre au pas les grands seigneurs féodaux, les soumettre à leur autorité politique et édifier un État-nation sur le territoire. La succession des guerres napoléoniennes (1795-1815) en Europe favorisa la formation d'une conscience nationale. Ainsi, les Français apprirent à haïr les Anglais, les Espagnols, etc. Les guerres entraînèrent de très lourdes dépenses, obligeant les rois et les empereurs à trouver de nouvelles formes d'impôt, et à créer un appareil administratif propre à raffiner les modes d'imposition et à centraliser de plus en plus le pouvoir.

L'apparition de l'État et le capitalisme marchand

Pour Reinhard, la formation des États européens est liée à l'essor du capitalisme marchand au XVIe siècle. Quoi qu'il en soit, le développement des États modernes en Europe est surtout dû à la révolution industrielle et à l'élargissement de l'espace commercial. L'existence de grandes populations unifiées capables de coordonner leurs activités rendit possible la production industrielle et les échanges commerciaux à grande échelle. Tant que l'activité économique se limitait à l'agriculture de subsistance, au tissage artisanal et à la pêche côtière pratiquée dans de petites embarcations, n'importe quelle forme d'organisation politique pouvait convenir. Toutefois, à partir du moment où les opérations économiques et commerciales prenaient de l'expansion, une structure telle que l'État offrait d'importants avantages.

Ainsi, avec l'apparition de l'État, les industries purent puiser leur main-d'œuvre dans une population nombreuse et homogène, et vendre leurs produits sur un marché étendu assujetti à une législation unique. Ils purent transporter aisément, d'un endroit de l'État à un autre, des produits exempts de taxes spéciales ou de droits de douane, comme cela avait été le cas au Moyen Âge, et créer ainsi un large marché commun. Grâce aux possibilités qu'offrait l'État moderne, on put construire de grandes usines et des navires de fort tonnage, et établir de complexes réseaux de production et de commerce. Le développement de l'État est donc étroitement lié à celui de l'industrie et du commerce.

TABLEAU 2.1 | LES DÉPENSES DE CERTAINS PAYS PAR RAPPORT AU PIB

Pays	Total des dépenses du gouvernement en % du PIB
Afrique du Sud	31,7
Algérie	40,9
Allemagne	45,1
Angleterre	45,3
Argentine	39,4
Brésil	38,6
Canada	41,7
Chili	23,6
Chine	24,1
Corée	21,6
Côte d'Ivoire	23,6
Danemark	56,8
Égypte	33,9
Espagne	42,0
États-Unis d'Amérique	40,0
Finlande	55,1
France	55,8
Israël	44,3
Italie	50,7
Mexique	24,5
Nigeria	26,5
Norvège	43,8
Pakistan	19,5
Portugal	47,4
Russie	38,1
Suède	48,3

Source : Fonds monétaire international (FMI) (2012).

---

2. Reinhard, Wolfgang (1996). *Les élites du pouvoir et la construction de l'État en Europe*, Paris, PUF. Cet ouvrage fait partie d'une série de sept volumes rédigés par le Groupe de recherche international sur les origines de l'État moderne en Europe, dirigé par la Fondation européenne de la science. Voir aussi Badie, Bertrand (1999). *Le développement politique*, Paris, Éditions Economica ; Denni, Bernard, et Patrick Lecompte (1999). *Sociologie du politique*, Grenoble, Presses de l'Université de Grenoble ; Thiesse, Anne-Marie (2001). *La création des identités nationales en Europe*, Paris, Éditions du Seuil.

3. Kennedy, Paul (2004). *Naissance et déclin des grandes puissances*, Paris, Éditions Payot, p. 19-34 et 143-242.

L'État et la théorie marxiste

Nous postulons que la naissance de l'État moderne s'explique en partie par le développement des techniques militaires et des communications, et en partie par les exigences du commerce et de l'industrie. Le marxisme explique autrement la formation de l'État.

Selon Marx, la société moderne est formée de deux classes antagonistes : la classe des capitalistes et celle des prolétaires. La domination des capitalistes engendre des tensions telles qu'il devient nécessaire pour ces derniers de contrôler et de dominer les ouvriers, et c'est au moyen de l'État qu'ils y parviennent. L'État a recours à la répression (la police) pour dominer les prolétaires et tente de les neutraliser en les persuadant, notamment par l'éducation et l'information, que leur situation est acceptable. Marx croyait que les travailleurs finiraient par se révolter et par instaurer une société sans classes. L'État deviendrait alors superflu et disparaîtrait. Nous serions ainsi dans une société communiste.

Dans la doctrine de Marx, l'État est ramené à un simple instrument de pouvoir et la notion de choix public et démocratique est complètement occultée. Nous verrons au chapitre 3 que la théorie marxiste dans son ensemble envisage la politique uniquement sous l'angle du pouvoir.

Le renforcement mutuel de l'État, de l'industrie et du commerce

Il est possible d'affirmer que l'industrie et le commerce avaient besoin, pour se développer, d'un concept comme celui de l'État, et que c'est ce qui explique en partie l'émergence de ce dernier. Or, l'industrie et le commerce modernes favorisèrent aussi l'apparition de l'État en fournissant à l'administration publique les matériaux, les techniques et, surtout, les moyens de communication nécessaires pour administrer une population étendue. Avant l'avènement des communications modernes, le contrôle de la population d'un État, même de dimensions modestes, posait de grandes difficultés aux gouvernements. Jusqu'au début du XIXe siècle, il fallait par exemple trois jours pour traverser d'est en ouest la partie méridionale de l'Angleterre en diligence. Dans ces circonstances, le contrôle gouvernemental ne pouvait être qu'incertain et aléatoire. Cependant, au XIXe siècle, l'invention du chemin de fer et du télégraphe permit aux gouvernements de contrôler et de surveiller étroitement les populations, d'établir un système fiscal et d'impôts efficace, et de dépêcher rapidement des forces policières ou militaires dans les régions agitées ou en révolte.

On peut considérer sous deux angles la relation entre l'État moderne et le développement du commerce et de l'industrie. D'une part, le commerce et l'industrie avaient besoin de cette forme d'organisation politique qu'est l'État (*voir la figure* 2.2). Celui-ci apparut parce qu'il était devenu opportun. D'autre part, en facilitant le contrôle des populations et la perception des impôts, le commerce et l'industrie ont permis à l'État de se développer. Les gouvernements ont pu alors étendre leur pouvoir. Ces deux interprétations sont également vraies. Elles font appel aux concepts de pouvoir et de choix, tous deux inhérents à la politique, comme nous l'avons vu au chapitre 1. Le fait d'affirmer que l'État est apparu parce qu'il avait été rendu nécessaire par l'économie moderne consiste à considérer la politique dans l'optique du choix. Et celui de penser que l'État est né parce qu'il facilitait le contrôle des populations revient à voir la politique sous l'angle du pouvoir. Les spécialistes sont partagés entre ces points de vue. Dans des cas extrêmes, comme celui dont il est question dans l'encadré intitulé « L'État et la théorie marxiste », on rejette complètement l'un des deux. Toutefois, il est erroné de souscrire totalement à l'un ou à l'autre. Au fil du temps, les caractéristiques et les rôles des États modernes ont évolué.

L'ÉTAT MODERNE : LA RÉSULTANTE À LA FOIS DU CHOIX ET DE L'EXERCICE DU POUVOIR

FIGURE 2.2

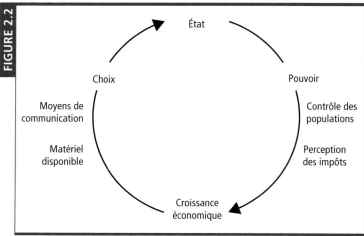

Les caractéristiques et les rôles des États modernes

De nos jours, les États modernes assument des rôles et des fonctions incontournables. Ce sont les premiers acteurs politiques, et ils déterminent l'avenir ainsi que les grandes orientations des sociétés nationales et de la communauté internationale.

Les conditions d'existence de l'État. Nous pouvons distinguer l'État des autres formes d'entités politiques et publiques par les caractéristiques ci-dessous, qui constituent les conditions d'existence de l'État :

- La population : ensemble d'individus détenant la citoyenneté ou la nationalité d'un État.
- Le territoire : zone géographique sur laquelle se situe un État. Le territoire est délimité par des frontières terrestres, maritimes (en fonction de plusieurs traités, dont la *Convention sur le droit de la mer* qui délimite les eaux territoriales à l'intérieur d'une zone de 200 milles marins) et aériennes (80 km au-dessus du territoire).
- L'appareil d'État : les institutions centrales de l'État (pouvoirs législatif, exécutif et judiciaire) ainsi que l'appareil administratif permettant le fonctionnement de l'État.
- La souveraineté : souveraineté de l'État aux niveaux interne et international. Au niveau international, l'État peut limiter sa souveraineté en signant des traités internationaux et en adhérant à des organisations internationales. Toutefois, ces limitations sont volontaires, et l'État est souverain dans sa décision d'y adhérer ou non, ainsi que de s'en retirer.

Le rôle de l'État. L'État moderne exerce deux rôles centraux : celui de maintien de la sécurité des citoyens et l'ordre, ainsi que celui d'État providence.

Assurer la sécurité est le rôle le plus ancien de l'État et le plus universel. La société étant constituée de forces qui s'opposent, l'État est nécessaire pour éviter l'anarchie et la loi du plus fort. L'État a ainsi besoin d'un bras armé qui détient le monopole de la violence et de la contrainte physique. Ce bras s'illustre par les forces de police, l'armée et les services de renseignements. L'État a ici pour rôle d'assurer la sécurité des individus, des entreprises et organisations privées, et de lui-même. Ce rôle est nécessaire en raison des nombreuses atteintes à la sécurité qui planent sur les sociétés. Ces atteintes proviennent principalement des activités criminelles, des débordements violents lors de manifestations, des agressions des autres États et des attaques terroristes.

Par ailleurs, si l'économie capitaliste est reconnue comme un facteur de progrès dans les sociétés, celle-ci amène des effets pervers importants si elle n'est pas encadrée par l'État. Ces effets sont les crises économiques et les inégalités sociales. Afin de contrer ces effets, l'État a développé des moyens d'intervention, surtout après la Seconde Guerre mondiale. Ces moyens ont amené le concept de l'État providence. L'État providence intervient de deux façons :

- Les programmes sociaux : ces programmes visent à réduire les inégalités sociales en donnant aux citoyens des services visant à améliorer leur condition sociale. C'est ainsi que l'État providence assure aux citoyens l'accès aux soins de santé, à l'éducation, à des programmes d'aide sociale, à des services de garde à bas prix, etc.
- L'intervention de l'État dans l'économie : afin de réduire les impacts des crises économiques ou de donner à l'État un rôle d'appui au développement économique, l'État providence intervient dans l'économie, tout en donnant

une place au libre marché. Pour ce volet, l'État providence intervient par divers moyens, notamment en développant des entreprises publiques (comme Hydro-Québec), en investissant dans le capital des entreprises privées (par le biais d'Investissement Québec ou de la Caisse de dépôt et placement du Québec) ou en accordant de l'aide aux entreprises par le biais de subventions ou de garanties de prêt. Ces interventions peuvent aussi contribuer à aider des régions vivant des conditions économiques défavorables ou à développer des industries porteuses d'avenir.

L'État moderne et le nationalisme

L'État moderne a ceci de frappant que tous les individus l'acceptent. En règle générale, les citoyens s'identifient fortement à l'État et sont prêts à le défendre. Cette identification profonde à l'État correspond à ce qu'on appelle le nationalisme et, comme toute passion, celui-ci suscite le meilleur et le pire chez l'individu. Le nationalisme a donné lieu tantôt à des actes de courage et de dévouement admirables, tantôt à des massacres et à des génocides[4]. Il est incontestablement utile pour les gouvernements. Il prédispose une population vaste et hétérogène à obéir à l'État et, en cas d'agression de la part d'un autre pays, pousse les soldats comme les civils à se mobiliser contre l'ennemi. C'est pourquoi les gouvernements encouragent le nationalisme (sans nécessairement entretenir la haine de l'autre mais, à tout le moins, en faisant vibrer la fibre patriotique) en faisant appel à des défilés, à des symboles nationaux comme le drapeau, à l'enseignement de l'histoire dans les écoles, etc.

Le nationalisme joue un rôle central dans une société. Pour pouvoir gérer une communauté composée de groupes aux intérêts divergents et faciliter les consensus, l'État moderne a besoin qu'un sentiment identitaire se développe. Dans les sociétés modernes, le nationalisme[5] remplit une double fonction :

- Une fonction de cohésion et d'intégration, qui permet aux sociétés de surmonter les conflits d'intérêts.

- Une fonction disciplinaire, qui permet au pouvoir politique d'avoir recours à la force et à la contrainte en toute légitimité.

L'instabilité politique, en particulier celle qui résulte de la contestation du pouvoir central, est une des principales difficultés auxquelles font face les États où le sentiment d'appartenance est faible ou inexistant. Nous verrons, au chapitre 4, des cas précis de pays qui connaissent ce type de difficulté.

Des Québécois de différentes communautés culturelles arborent le fleurdelisé lors de la Fête nationale du Québec.

On distingue communément deux sortes de nationalisme, en fonction des critères d'admission ou d'exclusion des individus concernés : le nationalisme civique et le nationalisme ethnique. Pour le nationalisme ethnique, ou nationalisme romantique, l'attachement à la communauté nationale ne résulte pas d'un choix délibéré, mais découle d'un certain nombre de caractères culturels ou ethniques. Ce dernier se fonde sur la culture, la langue, la religion ou l'histoire partagées par l'ensemble de la communauté pour inclure ou exclure des individus de celle-ci. C'est le cas du nationalisme allemand et, plus récemment, du nationalisme serbe. Le nationalisme civique se base quant à lui sur l'acceptation

---

4. Charny, Israël W. (2001). *Le livre noir de l'humanité : Encyclopédie mondiale des génocides,* Toulouse, Éditions Privat, p. 330-331.

5. Gellner, Ernest (1989). *Nations et nationalisme,* Paris, Éditions Payot, p. 11-19 ; Braud, Philippe (2006). *Sociologie politique,* Paris, Librairie Générale de Droit et de Jurisprudence, p. 21-125 ; Halpern, Catherine, et Jean-Claude Ruano-Borbalan (dir.) (2004). *Identité(s),* Paris, Éditions Sciences humaines, p. 275-359.

de valeurs et de droits fondamentaux ou d'un mode d'existence collectif regardés comme ayant une valeur universelle, telles les libertés civiles et politiques et la démocratie libérale.

Cette distinction est assez théorique : le nationalisme n'est jamais uniquement ethnique ou civique. Le nationalisme ethnique peut très bien prendre un caractère plus civique alors que le nationalisme civique peut créer des mythes historiques et donner naissance à une culture politique exclusive, s'autoproclamant universelle et supérieure aux autres, comme c'est le cas aux États-Unis dans certains milieux politiques. Le sentiment d'identité, apparu au moment de la formation des États en Europe, a produit les deux types de nationalisme : le nationalisme civique et le nationalisme ethnique.

Le nationalisme civique

Le nationalisme civique s'est développé principalement en France et en Angleterre. C'est à l'époque de la Révolution française de 1789 que le terme « nation » a pris son sens moderne de « communauté politique ». Au Moyen Âge, ce mot désignait un groupe d'étudiants provenant d'un même lieu. La Révolution française fit de la nation un sujet de droit, c'est-à-dire que la nation devint la seule source légitime du pouvoir et de l'autorité politiques dans une société. La souveraineté appartenait à la nation, et non plus à la monarchie de droit divin; elle avait cessé de relever de l'**absolutisme** royal. Dans cette conception libérale, la nation composée de citoyens, et non pas de sujets, constituait la seule source de la souveraineté populaire, en vertu du principe du « droit des peuples à disposer d'eux-mêmes ». L'adhésion à une communauté nationale est un choix libre et volontaire.

Absolutisme
Dans son acceptation la plus large, l'absolutisme est une forme de pouvoir politique qui n'est limitée ni par des institutions représentatives ni par des règles constitutionnelles. S'appuyant sur une administration efficace, le monarque absolu jouit, en droit comme en fait, de la plénitude des pouvoirs (souveraineté) et les exerce sans partage.

Le nationalisme ethnique

Le nationalisme ethnique est apparu en Allemagne au début du xixe siècle, en réaction à la conception libérale de la nation. Aux yeux de certains auteurs allemands, dont le philosophe Johann Gottfried von Herder (1744-1803), les communautés nationales sont délimitées par des frontières linguistiques et ethniques. De plus, ces nationalités doivent posséder les traits et caractères essentiels de la communauté d'origine et les protéger. Cette conception « raciale » de la nation a donné naissance au **national-socialisme** d'Adolf Hitler, en Allemagne de 1933. De nos jours, très peu de personnes défendent cette conception ethnique et statique de la nation.

National-socialisme
Doctrine politique totalitaire définie par Adolf Hitler. Cette doctrine prône l'inégalité raciale, l'élitisme et la supériorité de la race allemande. Elle favorise le culte du chef charismatique et les sentiments nationalistes.

POUR ALLER PLUS LOIN

Le sentiment identitaire

Comme de nombreuses études l'ont montré, le sentiment identitaire est un concept relatif, c'est-à-dire qu'il varie dans le temps et dans l'espace. La représentation qu'une communauté a d'elle-même évolue au cours de l'histoire, comme l'a montré le sociologue québécois Fernand Dumont dans son étude sur l'essor et le déclin du Canada français[6]. On le constate lorsqu'on analyse l'évolution du sentiment d'appartenance des Québécois francophones. Comme l'indique la figure **2.3**, à la page suivante, ces derniers s'identifient de plus en plus comme des Québécois, et non comme des Canadiens français ou des Canadiens tout court. En moins de 30 ans, la proportion des francophones qui s'identifient comme des Québécois est passée de 20 % à plus de 60 %. Cet aspect relatif du sentiment identitaire a été confirmé par d'autres études québécoises[7].

6. Dumont, Fernand (1997). « Essor et déclin du Canada français », *Recherches sociographiques,* vol. 38, n° 3, p. 421-467.
7. Gagnon, Alain-G., André Lecours et Geneviève Nootens (dir.) (2007). *Les nationalismes majoritaires contemporains : identité, mémoire, pouvoir,* Montréal, Québec-Amérique, p. 217-270 ; Lessard, Jean-François (2007). *L'État de la nation,* Montréal, Liber.

L'ÉVOLUTION DU SENTIMENT IDENTITAIRE DES FRANCOPHONES AU QUÉBEC DE 1969 À 1997

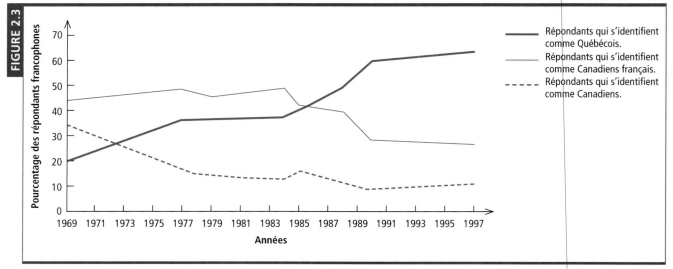

FIGURE 2.3

Source: Everitt, Joanna, et Brenda O'Neill (dir.) (2002). *Citizen Politics: Research and Theory in Canadian Political Behaviour,* Don Mills, Oxford University Press, p. 147.

L'État et la nation

Nous devons maintenant faire une distinction entre « nation » et « État ». Ces termes, ainsi que celui de « pays », sont employés presque indifféremment dans le langage courant et, de fait, ils ne sont pas loin d'être synonymes. Nous avons défini plus haut le nationalisme comme une identification passionnée à l'État, ce qui montre bien que pour la plupart des gens, les mots « nation » et « État » sont très voisins. Mais les nations ne sont pas, et loin de là, intégrées à l'intérieur des frontières des États souverains. Le terme « État-nation » désigne un État qui coïncide avec une nation, mais ce phénomène est plutôt rare. L'Europe nous fournit un bon exemple. Ainsi, la langue et la culture allemandes excèdent largement le territoire de l'Allemagne. On parle allemand en Autriche, dans une grande partie de la Suisse et dans une petite partie de l'Italie, de même qu'il y a, en Europe orientale, des enclaves germanophones et une minorité hongroise en Roumanie. Les Basques habitent le nord-ouest de l'Espagne et le sud-ouest de la France. La Suisse réunit divers groupes linguistiques qu'on pourrait qualifier de nations (*voir la figure* **2.4**).

La coïncidence entre la nation et l'État est particulièrement rare en Afrique et en Asie. Les frontières de nombreux États africains et asiatiques sont les conséquences de l'ère coloniale et elles ont été tracées en fonction des intérêts des métropoles coloniales. Trop souvent, les frontières sont sans rapport avec l'appartenance culturelle et ethnique des populations. En obtenant leur indépendance, les nouveaux États ont dû gérer des populations hétérogènes, ce qui a suscité de nombreux conflits ethniques. Aujourd'hui, 50 ans après leur accession à l'indépendance, des pays comme le Nigeria et la République démocratique du Congo (l'ex-Zaïre) sont régulièrement aux prises avec des conflits ethniques. Le peuple kurde, par ailleurs, est réparti entre la Turquie, l'Iraq et l'Iran, et il est minoritaire dans chacun de ces pays. Il tente encore aujourd'hui de se regrouper pour former son propre État unifié et obtenir un statut d'État souverain.

Étant donné l'importance que revêt le nationalisme de nos jours, nous en sommes venus à penser que les membres d'une même nation ont le droit d'avoir un État à eux. Ce «droit» est devenu une source constante de tensions et de conflits politiques, pour deux raisons. Premièrement, comme nous venons de le voir, de nombreux États ne coïncident pas avec une nation. Deuxièmement, le sentiment de former une nation est, par définition, subjectif. Ce «sentiment», éprouvé par un groupe de personnes, peut être entretenu ou au contraire combattu par des dirigeants persuasifs; il peut donc évoluer et changer.

Il est donc rare que les États coïncident exactement avec les nations, et cela est source de conflits. Bon nombre des conflits politiques qui ont éclaté depuis plus de trois décennies sont dus à cette situation: le mouvement nationaliste basque en Espagne et en France; le conflit entre les Belges d'expression française et les Belges d'expression néerlandaise; les luttes de l'Organisation de libération de la Palestine (OLP), qui réclame un État palestinien souverain; les soulèvements incessants des Kurdes en Iraq, en Iran et en Turquie; la guerre de Sécession de la Tchétchénie depuis 1994; et, surtout, les guerres ethniques qui ont ensanglanté la Bosnie et la Croatie dans les années 1990 ainsi que, plus récemment, le conflit au Kosovo.

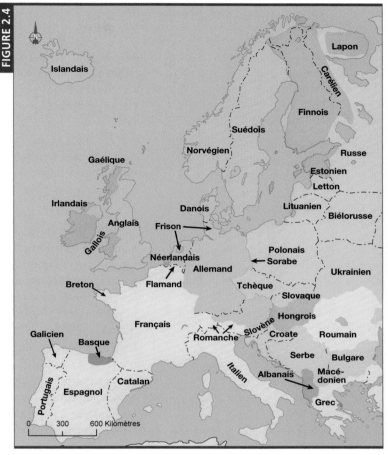

FIGURE 2.4

LA CARTE LINGUISTIQUE DE L'EUROPE RELATIVEMENT À CELLE DES NATIONS ET ÉTATS EUROPÉENS

L'État: un concept remis en question

Au cours des derniers siècles, l'État est devenu la principale forme d'organisation politique, mais il est aujourd'hui soumis à des pressions supranationales et infranationales.

Sur le plan supranational

Les États nationaux cherchent à se doter d'institutions régionales qui pourraient remplir plusieurs des fonctions de l'État et incorporer plusieurs pays. C'est là le résultat du phénomène de la mondialisation et des interdépendances. Les objectifs de ces institutions supranationales sont surtout d'ordre économique. En Europe, malgré la crise récente de l'euro, l'Union européenne (UE), formée de 27 États, tente d'unifier ses politiques fiscales et budgétaires (*voir le texte à l'étude sur la construction de l'Union européenne, page 33*). En Amérique du Nord, le Canada, les États-Unis et le Mexique ont créé une zone de libre-échange à l'intérieur de laquelle une partie de la réglementation du commerce ne relève plus des gouvernements nationaux. À l'échelle mondiale, le Fonds monétaire international (FMI) exerce des contraintes sur les politiques des États membres. Dans le domaine de l'environnement, de nombreux États ont signé des accords internationaux afin de protéger les animaux sauvages migrateurs, restreindre l'émission de polluants, etc.

Sur le plan infranational

Sur le plan infranational, une foule de mouvements ethniques et autonomistes ont vu le jour entre les années 1980 et 2012, comme pour donner tort à ceux qui prédisaient la disparition du nationalisme et l'avènement d'une société mondiale et d'une citoyenneté universelle. Des Flamands de la Belgique aux séparatistes tamouls du Sri Lanka, des Albanais du Kosovo aux Croates et aux Slovènes de l'ancienne Yougoslavie, ces aspirations régionales ou ethniques, silencieuses il y a 30 ans, se sont cristallisées pour former des mouvements politiques capables de perturber et de remettre en cause l'intégrité des États.

Les raisons de la remise en cause de l'État

Que s'est-il produit ? Pourquoi la notion d'État est-elle remise en cause ? Pour répondre à ces questions, il faudrait sans doute déterminer en quoi l'État répond moins bien qu'autrefois aux besoins des sociétés. Cela permettrait d'expliquer les mutations amorcées sur les plans tant supranational qu'infranational. Sur le plan supranational, les problèmes environnementaux qui ont surgi au cours des dernières années ne sont certainement pas près de s'atténuer, et les différents États auront de la difficulté à les résoudre. Les arbres de la Suède meurent à cause de la pollution provenant des usines anglaises et allemandes ; les lacs et les forêts du Québec et de la Nouvelle-Angleterre subissent les pluies acides venant de la région industrielle des Grands Lacs ; les gaz à effet de serre réchauffent l'atmosphère et affectent tous les pays qui les produisent. Pour régler ces problèmes, il faut des structures politiques plus larges que l'État, des structures supranationales qui assurent la coordination des actions entreprises par les pays.

Sur le plan économique, l'industrie a besoin, pour prospérer, de faire des gains d'échelle. Rares sont les petits États capables de se doter d'une industrie automobile. Il n'existe pas de constructeur d'automobiles en Norvège et aux Pays-Bas, par exemple ; la construction automobile s'est concentrée dans certains États : la Corée du Sud, les États-Unis, la France, l'Italie, le Japon, et maintenant la Chine et l'Inde. La technologie nucléaire, l'industrie aéronautique et la technologie spatiale doivent se développer à une échelle encore plus grande pour atteindre la rentabilité. Faut-il s'étonner, dès lors, que les États se regroupent ?

Sur le plan infranational, on s'est aperçu dans la seconde moitié du XXe siècle que les États centralisés n'avaient pas la souplesse nécessaire pour adapter et bien cibler leurs interventions aux divers besoins locaux en matière de logement, d'éducation, de soins de santé, etc. C'est ainsi que les municipalités, les régions et les provinces ont commencé à réclamer une plus grande autonomie, comme c'est le cas au Canada et au Québec. De plus, on observe aujourd'hui d'autres tendances qui vont à contre-courant : dans sa recherche d'une plus grande protection, le citoyen se tourne vers les petites communautés, celles de son quartier ou de sa région, par exemple.

Lors de l'apparition de l'État moderne, la fonction première de l'État était de protéger la population contre des invasions et de maintenir l'ordre et la sécurité à l'intérieur de ses frontières. C'est la raison pour laquelle l'État s'est doté de forces militaires et policières. Cependant, deux événements survenus pendant la seconde moitié du XXe siècle et découlant de la Seconde Guerre mondiale ont conduit à remettre en question le monopole de la puissance militaire détenu par l'État. Le premier est l'invention des armes nucléaires. À l'ère atomique, aucun gouvernement ne peut protéger sa population contre une attaque nucléaire. Il peut répliquer, peut-être, mais il ne peut empêcher sa propre destruction. Les armes nucléaires sont tout simplement trop dévastatrices. Le second événement est l'apparition du terrorisme. Des États et des mouvements encouragent ou commandent des actes terroristes et des soulèvements internes. Les techniques militaires traditionnelles qui supposent des combats entre des armées classiques se sont révélées inefficaces pour faire face aux actes de terrorisme, comme c'est le cas en Irak, en Afghanistan et dans de nombreux autres pays.

Sur le plan économique, les États sont maintenant incapables de contrôler les flux monétaires et commerciaux comme lors de la crise financière de 2008-2009. Depuis 30 ans, les marchés financiers transcendent les frontières et échappent ainsi aux contrôles gouvernementaux. Cette situation est due principalement, d'une part, à la mise en œuvre de nouvelles stratégies financières et organisationnelles dans les entreprises et, d'autre part, à l'expansion de l'informatique, qui permet de réaliser des transactions complexes sans égard au temps et à la distance. C'est pour toutes ces raisons que le concept de l'État et, particulièrement, ses capacités d'intervention sont remis en cause par de nombreux économistes et observateurs, et qu'on cherche des solutions de rechange.

Stephen Harper et Enrique Peña Nieto, deux dirigeants de la zone de libre-échange (Canada, Mexique, États-Unis), se rencontrent.

Des solutions de rechange

Plusieurs solutions de rechange ont été proposées et mises en place afin d'accroître les capacités d'intervention des États, mais les résultats sont, pour le moment, plus ou moins efficaces.

L'intégration régionale

De nombreux pays ont tenté de se regrouper en organisations capables, dans une certaine mesure, de diriger et de coordonner les actions des États membres. L'Organisation des États américains (OEA), l'Union africaine (UA), les tentatives sporadiques d'union économique en Amérique centrale et les quelques essais infructueux en vue d'établir une république arabe unie vont tous dans ce sens, mais aucun n'a obtenu un franc succès. L'Union européenne, qui regroupe la plupart des pays d'Europe, demeure l'union économique la plus achevée et semblait, jusqu'à tout récemment, se diriger vers une forme de fédéralisme. Mais la crise de l'euro – la monnaie européenne – en 2011-2012 a suscité de nombreuses questions sur sa capacité de gérer son développement économique; certains observateurs vont même jusqu'à prédire son implosion. De plus, dans plusieurs pays européens, on constate de fortes résistances au transfert de pouvoirs des États à des organismes supranationaux. De nombreux partis de droite et xénophobes remettent en question l'appartenance de leur pays à l'Union européenne.

L'Assemblée générale de l'ONU tient chaque année une session ordinaire intensive de septembre à décembre, qui peut au besoin se prolonger au-delà de cette période.

Les Nations Unies

Il existe déjà une organisation qui regroupe presque tous les États du monde et qui est censée assurer la coordination pacifique de leurs actions : l'Organisation des Nations Unies (ONU). L'ONU n'a pas véritablement les moyens de forcer les États à s'entendre, mais elle possède un pouvoir de persuasion considérable. C'est ainsi qu'elle a contribué, modestement, à dénouer des crises qui auraient pu dégénérer en guerres. Étant donné que la guerre froide – la rivalité américano-soviétique – a pris fin dans les années 1990, on pouvait espérer que les Nations Unies deviendraient une force structurante dans le domaine des relations internationales. Mais si la fin de la guerre froide a permis de mettre un terme à certains blocages, les rivalités entre les grandes puissances demeurent et empêchent l'intervention des Nations Unies, comme ce fut le cas lors de la crise syrienne en 2012.

L'émergence d'un droit pénal international

Depuis la fin des années 1990, on a tenté d'établir des lois qui régiraient la conduite des chefs d'État et des États eux-mêmes. Augusto Pinochet, ancien dictateur militaire du Chili, fut arrêté au cours d'un voyage en Angleterre, en 1998, pour avoir violé la convention internationale relative à la torture, et il a été remis aux autorités chiliennes qui s'étaient engagées à le poursuivre devant les tribunaux. Ce fut la première fois dans l'histoire, exception faite des dirigeants allemands et japonais au lendemain de la Seconde Guerre mondiale, qu'un ancien chef d'État était tenu responsable de crimes commis sous son gouvernement. En 1993, le Conseil de sécurité des Nations Unies institua le Tribunal pénal international pour l'ex-Yougoslavie afin de traduire en justice les dirigeants serbes, et l'ancien président Slobodan Milosevic, soupçonnés de crimes de guerre et de génocide perpétré en particulier contre la population albanaise du Kosovo. En 1994, le Conseil de sécurité créa le Tribunal international pour le Rwanda afin de poursuivre et de juger les responsables du génocide commis dans ce pays. Enfin, un puissant mouvement d'opinion mondial a mené à la création, en 2002, d'une Cour pénale internationale (CPI) chargée de traduire en justice tout individu, y compris les dirigeants des États, pour des crimes commis contre l'humanité (crimes de guerre, tortures, agressions et génocides). À ce jour, la CPI a mis en accusation 16 dirigeants, principalement d'Afrique. Au terme du premier procès tenu par la CPI, l'ancien dirigeant congolais, Thomas Lubanga, a été reconnu coupable de crimes de guerre le 14 mars 2012.

La construction de l'Union européenne

L'Union européenne (UE) est une famille de pays européens démocratiques décidés à œuvrer ensemble pour la paix et la prospérité. Ce n'est pas un État destiné à se substituer aux États existants, mais ce n'est pas non plus uniquement une organisation de coopération internationale. L'UE est, en fait, unique en son genre. Les États qui la composent ont mis en place des institutions communes auxquelles ils délèguent une partie de leur souveraineté afin que les décisions sur des questions précises d'intérêt commun puissent être prises démocratiquement au niveau européen.

Historiquement, l'Union européenne plonge ses racines dans la Seconde Guerre mondiale. Les Européens voulaient se mettre à jamais à l'abri d'une telle folie meurtrière et destructrice. Durant les premières années, la coopération existait entre six pays et portait essentiellement sur le commerce et l'économie. Aujourd'hui, l'UE est composée de 27 pays, regroupe une population de 490 millions d'habitants et s'occupe de toute une série de questions qui concernent directement la vie quotidienne.

L'Europe est un continent qui réunit en son sein de nombreuses traditions et langues différentes, mais aussi des valeurs partagées comme la démocratie, la liberté et la justice sociale. L'UE défend ces valeurs. Elle encourage la coopération entre ses peuples, en promouvant l'unité tout en préservant la diversité, et en faisant en sorte que les décisions soient prises le plus près possible du citoyen.

Dans le monde de plus en plus interdépendant qui est celui du XXIe siècle, il est plus que jamais nécessaire que le citoyen européen coopère avec les peuples d'autres pays dans un esprit de curiosité, d'ouverture et de solidarité.

DIX GRANDES ÉTAPES

1951 : Naissance de la Communauté européenne du charbon et de l'acier (CECA) regroupant les six pays fondateurs.

1957 : Signature du Traité de Rome instituant le Marché commun.

1973 : Les Communautés passent à neuf membres et développent leurs politiques communes.

1979 : Premières élections européennes au suffrage universel direct.

1981 : Premier élargissement méditerranéen.

1993 : Ouverture du grand marché intérieur.

1993 : Le traité de Maastricht institue l'Union européenne (UE).

1995 : L'UE compte 15 membres.

2002 : Création et mise en circulation d'une monnaie commune, l'euro, dans certains pays, dont la France, l'Allemagne, l'Italie, etc.

2004 : Dix nouveaux pays membres entrent dans l'UE.

2007 : L'Union compte 27 membres.

2011-2012 : Crise de l'euro et crise économique en Espagne et en Grèce.

1. Le 9 mai 1950, la déclaration Schuman, instituant une Communauté européenne du charbon et de l'acier (traité de Paris du 18 avril 1951), limite sa première réalisation à l'ouverture du marché commun du charbon et de l'acier entre les six États fondateurs (Belgique, République fédérale d'Allemagne, France, Italie, Luxembourg et Pays-Bas). La Communauté a d'abord été une entreprise de paix, puisqu'elle est parvenue à associer, dans un ensemble institutionnel régi par le principe d'égalité, les vainqueurs et les vaincus de la dernière guerre intraeuropéenne.

2. Le 25 mars 1957, les six États membres décident (traité de Rome) de construire une Communauté économique européenne (CEE) sur la base d'un marché commun plus large, couvrant toute une gamme de biens et de services. Les droits de douane industriels sont totalement éliminés le 1er juillet 1968, et les politiques communes, principalement la politique agricole et la politique commerciale, seront mises en place durant cette décennie.

3. Les succès des Six décident le Danemark, l'Irlande et le Royaume-Uni à se joindre à eux. Le premier élargissement, qui fait passer les Communautés de six à neuf membres, en 1973, s'accompagne aussi de la mise en œuvre de nouvelles politiques sociales, environnementales, régionales – avec la création du Fonds européen de développement régional (FEDER), en 1975.

4. En juin 1979, la première élection au suffrage universel direct du Parlement européen fait franchir à la Communauté européenne un pas décisif. Les élections se tiennent tous les cinq ans.

5. En 1981, l'adhésion de la Grèce et, en 1986, celles de l'Espagne et du Portugal renforcent le flanc sud des Communautés, tout en rendant plus impérative la mise en œuvre de programmes de solidarité régionale.

6. Un certain «europessimisme» sévit au début des années 1980, alimenté par les effets de la crise économique mondiale. Pourtant, à partir de 1985 naît un nouvel espoir de relance de la dynamique européenne. Sur la base d'un livre blanc, présenté en 1985 par la Commission présidée par Jacques Delors, la Communauté décide d'achever la construction du grand marché intérieur pour le 1er janvier 1993. Cet objectif ambitieux et cette date sont consacrés dans l'Acte unique européen, signé en février 1986 et entré en vigueur le 1er juillet 1987.

7. La chute du mur de Berlin, suivie de la réunification allemande en octobre 1990, et la démocratisation des pays d'Europe centrale et orientale, libérés de la tutelle de l'Union soviétique, elle-même dissoute en décembre 1991, transforment profondément la structure politique du continent.

Les États membres négocient un nouveau traité sur l'Union européenne, dont les lignes directrices sont fixées par le Conseil européen (composé des chefs d'État ou de gouvernement des États membres), à Maastricht, en décembre 1991. Le traité entre en vigueur le 1er novembre 1993. En ajoutant au système communautaire un système de coopération intergouvernementale dans certains domaines, le traité crée l'Union européenne (UE).

8. Ce nouvel élan et l'évolution de la géopolitique du continent conduisent trois nouveaux pays à entrer dans l'Union le 1er janvier 1995: l'Autriche, la Finlande et la Suède.

9. Désormais, l'Union des Quinze poursuit sa marche vers le projet le plus spectaculaire qu'elle puisse offrir aux citoyens: le remplacement de leur monnaie nationale par l'euro. Le 1er janvier 2002, la monnaie européenne circule dans les douze pays de la zone euro et prend le statut de grande monnaie de paiement et de réserve à côté du dollar.

Les Européens doivent faire face ensemble aux multiples défis de la mondialisation. L'accélération des progrès technologiques et l'utilisation toujours grandissante de l'Internet participent à la modernisation des économies. Mais les profondes mutations que subit le tissu économique entraînent également des déchirures sociales et des chocs culturels.

La «stratégie de Lisbonne», adoptée par l'Union en mars 2000 s'est fixé pour objectif d'adapter l'économie européenne aux nouvelles conditions de l'économie mondiale. Il faut faire face ensemble à la concurrence des États-Unis et des pays nouvellement industrialisés. Il faut favoriser l'innovation et les investissements dans les entreprises et adapter les systèmes éducatifs à la société de l'information.

Les réformes sont d'autant plus nécessaires que les défis du chômage et du coût croissant des régimes de retraite pèsent de la même manière sur les économies des États membres. L'opinion publique attend de plus en plus des gouvernements qu'ils apportent des solutions pratiques à ces défis.

10. À peine constituée, l'Europe des Quinze entame sa marche vers un nouvel élargissement d'une ampleur sans précédent. Les anciennes «démocraties populaires» du bloc soviétique (la Bulgarie, la Hongrie, la Pologne, la République tchèque, la Roumanie et la Slovaquie), les trois États baltes issus de la décomposition de l'Union soviétique (l'Estonie, la Lettonie et la Lituanie), l'une des Républiques de l'ex-Yougoslavie (la Slovénie) et deux pays méditerranéens (Chypre et Malte) frappent à la porte de l'UE au milieu des années 1990.

Le désir de stabilité du continent et l'aspiration à étendre le bénéfice de l'unification européenne à ces jeunes démocraties favorisent leur démarche. Les négociations d'adhésion sont ouvertes à Luxembourg en décembre 1997. L'Europe des Vingt-cinq devient une réalité le 1er mai 2004. La Bulgarie et la Roumanie suivent le mouvement le 1er janvier 2007. L'Union européenne compte désormais 27 membres. ◄

Source: «12 leçons sur l'Europe», Espace Enseignants, Europa.eu, [En ligne], http://europa.eu/abc/12lessons/lesson_2/index_fr.htm (30 janvier 2008). Mise à jour en 2012, J.-P. Venne.

LES ÉTATS MEMBRES DE L'UNION EUROPÉENNE

FIGURE 2.5

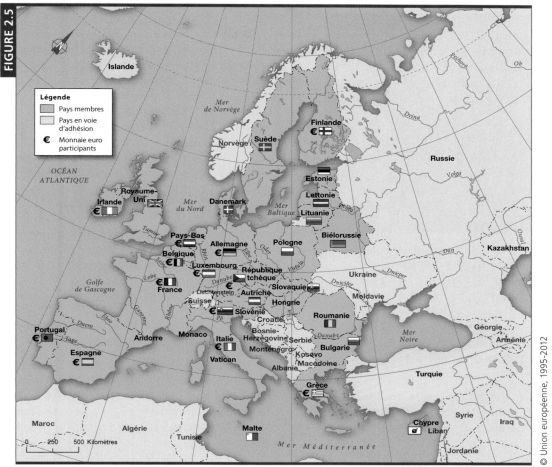

© Union européenne, 1995-2012

Source : Europa.eu. *Union européenne,* [En ligne], http://europa.eu/abc/european_countries/index_fr.htm
(Page consultée le 21 mars 2013).

Canada : la construction de l'identité nationale

ROBERT J. JACKSON ET DOREEN JACKSON

Lorsqu'on aborde le développement du sentiment de l'identité nationale canadienne (*nation building*), on ne peut faire abstraction de ce que J. B. Brebner appelle le « triangle de l'Atlantique Nord », c'est-à-dire la relation entre le Canada, le Royaume-Uni et les États-Unis. En effet, l'émergence d'une identité canadienne distincte supposait un processus de différenciation par rapport à ces deux influences majeures.

À l'époque de la Nouvelle-France, une identité distincte existait déjà au Québec, les Canadiens, de la France métropolitaine. Cependant, pour la majorité

des 13 colonies britanniques, cette réalité n'existait pas, du moins pas avant 1776. Par ailleurs, la Révolution américaine et l'arrivée des Loyalistes dans les colonies restées fidèles à la Grande-Bretagne ont marqué le début du processus de différenciation entre le Canada et les États-Unis, qui était fondé sur la loyauté à la Couronne et à l'Empire britanniques. Ce sentiment identitaire britannique s'accentua au cours des décennies suivantes grâce à l'effort de défense du Canada devant l'invasion américaine de 1812 et à l'immigration massive provenant des îles britanniques. Les recherches sur cette période tendent à confirmer

TEXTE À L'ÉTUDE

▶

TEXTE À L'ÉTUDE

Manifestation pour l'unité nationale lors du référendum de 1995 au Québec. L'absence d'une langue commune est une des raisons qui rend difficile le maintien de l'unité canadienne.

que ces nouveaux immigrants ne percevaient pas leur migration comme un changement d'allégeance. Ils se définissaient comme étant des sujets britanniques habitant dans les colonies.

La Confédération canadienne, créée en 1867, doit beaucoup à cette relation triangulaire. Cette fédération fut formée en réaction à la présence américaine, en guise de stratégie défensive et de solution de rechange.

Redoutant la politique expansionniste américaine, les Pères de la Confédération étaient motivés par la peur d'une « mort lente par absorption » ou d'une « mort rapide par annexion ». À l'époque, cette crainte d'être annexé aux États-Unis dominait le débat constitutionnel. Quant aux autorités britanniques, elles n'avaient pas l'intention d'affecter davantage de ressources à la défense de ces colonies, heureuses qu'elles étaient de donner à leurs habitants un gouvernement responsable qui demeurait loyal à la Couronne et à l'Empire. En fait, pour beaucoup de Canadiens d'origine britannique, il n'y avait pas de contradiction entre la nouvelle nationalité canadienne et le maintien de leur loyauté à l'Empire britannique. Une majorité de Canadiens anglais ont partagé cette double allégeance jusqu'en 1920. Puis, celle-ci a disparu progressivement au profit d'une identité plus centrée sur le Canada. Le sentiment d'être Canadien s'est amplifié grâce à l'adoption de symboles nationaux expressément canadiens : le drapeau unifolié en remplacement de l'Union Jack (1964), l'*Ô Canada* qui a supplanté le *God Save the Queen* et, plus récemment, le rapatriement de la Constitution.

Pour l'avenir, la proximité de la frontière américaine, la présence d'une langue commune, le poids de l'économie américaine, l'influence et l'omniprésence de la culture et des médias américains posent de nombreux défis à l'émergence et au maintien d'une identité canadienne. ◄

Source : Traduit de Jackson, Robert J., et Doreen Jackson (2004). *Politics in Canada*, Scarborough, Prentice-Hall Canada, p. 45 et suiv.

CONCEPTS CLÉS

Absolutisme **p. 27**

Colonialisme **p. 22**

Colonie **p. 22**

Cour pénale internationale **p. 32**

État-nation **p. 28**

Nationalisme **p. 19**

Nationalisme civique **p. 27**

Nationalisme ethnique **p. 27**

Nationalité **p. 18**

National-socialisme **p. 27**

Nations Unies **p. 32**

Révolution **p. 21**

Union européenne **p. 33**

EXERCICES

Questions d'approfondissement

1. La nationalité implique des droits et des obligations envers l'État. De quoi s'agit-il au juste ? Donnez des exemples précis.

2. Commentez la figure 2.1, à la page 22, en donnant des exemples historiques précis qui expliquent l'augmentation du nombre d'États.

3. « Le nationalisme ethnique peut très bien prendre un caractère plus civique alors que le nationalisme civique peut créer des mythes historiques et donner naissance à une culture politique exclusive [...]. » Commentez cette phrase en vous référant :

   a) au nationalisme canadien ;

   b) au nationalisme québécois ;

   c) au nationalisme d'un autre peuple.

4. L'État-nation est-il devenu trop petit pour s'occuper des problèmes mondiaux et trop gros pour s'occuper des problèmes particuliers de ses citoyens ?

5. « L'État peut être considéré comme le plus imposant dispositif de contrôle social inventé par l'homme. » Commentez cette affirmation en vous référant :

   a) à la société canadienne ;

   b) à la société québécoise.

6. L'Organisation des Nations Unies peut-elle vraiment être considérée comme une solution de rechange possible à l'État ? Justifiez votre réponse.

7. En vous référant au texte portant sur l'Union européenne (*page 33*), décrivez les pressions supranationales qui ont mené à la mise en place d'un pouvoir européen.

Sujets de discussion

1. En vous basant sur l'histoire du Québec, commentez la phrase suivante : « Le sentiment identitaire est un concept relatif, c'est-à-dire qu'il varie dans le temps et dans l'espace. »

2. Certains politiciens utilisent à l'occasion, dans leurs discours, la notion de patriotisme. Y a-t-il une différence entre le patriotisme et le nationalisme ? Entre la patrie et la nation ?

3. Si le système international est basé sur les relations entre les États, peut-on affirmer que l'État sera toujours un acteur indispensable sur l'échiquier mondial ? Justifiez votre réponse.

4. On estime que la coïncidence entre nation et État pose problème, notamment sur le continent africain. Devrait-on alors forcer cette coïncidence ? Si oui, quelles solutions pourrait-on envisager ?

WWW

http://mabibliotheque.cheneliere.ca

LECTURES SUGGÉRÉES

BRAUD, Philippe. *Sociologie politique*, Paris, Librairie Générale de Droit et de jurisprudence, 2006.

CHARNY, Israël W. *Le livre noir de l'Humanité. Encyclopédie mondiale des génocides*, Toulouse, Éditions Privat, 2001

GAGNON, Alain-G., et André Lecour (dir.). *Les nationalismes majoritaires contemporains*, Montréal, Québec Amérique, 2007.

GELLNER, Ernest. *Nations et nationalisme*, Paris, Éditions Payot, 1989.

HALPERN, Catherine, et Jean-Claude RUANO-BORBALAN (dir.). *Identité(s)*, Paris, Éditions Sciences humaines, 2004.

KENNEDY, Paul. *Naissance et déclin des grandes puissances*, Paris, Éditions Payot, 2004.

LESSARD, Jean-François. *L'État de la nation*, Montréal, Liber, 2007.

PESTIEAU, Joseph. *Les citoyens au bazar. Mondialisation, nations et minorités*, Sainte-Foy, Presses de l'Université Laval, 1999.

REINHARD, Wolfgang. *Les élites du pouvoir et la construction de l'État en Europe*, Paris, PUF, 1996.

THIESSE, Anne-Marie. *La création des identités nationales en Europe*, Paris, Éditions du Seuil, 2001.

3

Les idéologies modernes

CIBLES D'APPRENTISSAGE

La lecture de ce chapitre vous permettra :

- de définir une idéologie et d'en distinguer les différentes fonctions ;

- de retracer les origines du libéralisme et de définir ses principes fondamentaux ;

- d'expliquer les principes de base du conservatisme et des doctrines socialiste et fasciste ;

- de retracer dans leurs grandes lignes l'évolution des idéologies modernes et celle des nouvelles idéologies ;

- de nommer les principaux auteurs en philosophie politique et de décrire leurs principales contributions ;

- de distinguer les partis politiques sur l'axe idéologique gauche-droite.

Idéologie
Ensemble de valeurs, d'idées et de symboles qui permettent de comprendre et d'interpréter le monde selon une optique définie.

Les idéologies

La plupart des gens abordent la politique par le biais d'une idéologie, c'est-à-dire par un ensemble structuré et préconçu d'idées. Ainsi, on trouve des gens qui croient que tous les êtres humains sont fondamentalement égoïstes, que les politiciens sont des menteurs, qu'un citoyen ne doit rien à l'État, qu'il est permis de frauder le fisc et que le contrôle des armes à feu prive les citoyens du droit de se protéger eux-mêmes, etc. D'autres croient au contraire que les individus sont solidaires et qu'ils doivent participer activement à la vie sociale, que l'on doit prendre des mesures pour lutter contre les inégalités sociales et que, dans ce but, l'État se doit d'être interventionniste. Ces gens ont une idéologie : ils défendent en politique un ensemble structurant d'idées qui leur donnent une vision globale de phénomènes politiques. Ces diverses approches ou visions témoignent des différentes idéologies qui existent et façonnent la vie politique de nos sociétés.

Notons par ailleurs qu'une idéologie n'est pas statique ; elle peut évoluer en fonction des circonstances. Par exemple, si certains catholiques sont convaincus que le gouvernement devrait intervenir le moins possible dans la vie des gens, ils peuvent se trouver déchirés sur la question de la légalisation de l'avortement, donc du libre choix, et être alors tentés de modifier certaines de leurs conceptions du rôle de l'État.

Le rôle des idéologies

Les idéologies ont des fonctions et des rôles positifs. Elles apportent une satisfaction personnelle, facilitent notre intégration à la société et jouent un rôle fondamental dans les débats politiques.

Sur le plan personnel. Une idéologie permet aux individus de mieux comprendre et d'assimiler les diverses questions politiques. Les médias parlent constamment du devoir de l'État de contenir les déficits, d'intégrer les immigrants, de conclure des accommodements raisonnables, de reconnaître aux communautés amérindiennes leurs droits ancestraux sur leurs terres, de remédier aux problèmes des urgences dans les hôpitaux et de la pollution causée par les véhicules automobiles, etc. Si l'on devait aborder chacune de ces questions sans un cadre préconçu d'idées, on aurait beaucoup de difficulté à resituer ces phénomènes dans leur contexte politique. La plupart de ces questions apparaissent alors comme susceptibles d'être rattachées à des principes généraux.

Sur le plan collectif et social. L'idéologie a pour rôle d'assurer l'intégration sociale et de resserrer les liens entre l'individu et la collectivité.

Généralement, les gens adhèrent à une idéologie déjà constituée qui répond à leurs caractéristiques psychologiques et à leur position sociale. Selon son caractère, ses appréhensions et son statut social, l'individu adoptera une conception **interventionniste** ou néolibérale, autoritaire ou démocratique. Selon la classe sociale à laquelle appartient le citoyen, il aura tendance à être socialiste ou non. De même, un Québécois francophone sera plus réceptif au discours souverainiste qu'un Québécois anglophone ou allophone.

Dans les débats politiques. Les idéologies jouent un rôle fondamental, notamment lors des campagnes électorales. On cherche normalement à persuader les autres du bien-fondé des mesures politiques que l'on soutient. On fonde habituellement son opinion sur des intérêts personnels (l'un souhaite une réduction des impôts parce qu'il est riche, l'autre s'oppose au contrôle des armes à feu parce qu'il collectionne des fusils, un autre enfin se prononce en faveur d'un système de santé public et gratuit parce que ses revenus sont modestes). Or, on sait que les motifs intéressés ont très peu de chances de convaincre les autres et constituent de médiocres arguments politiques. On ne se fait pas beaucoup de partisans en invoquant des motifs personnels : l'argument consistant à dire « je suis riche et, par conséquent, je veux qu'on réduise les impôts » ne convaincrait que les riches. Un argument politique vise à gagner le plus de gens possible à une cause ; les idéologies, en revanche, fournissent d'excellents arguments. Le riche qui affirme que les dépenses gouvernementales et les impôts font obstacle à l'initiative individuelle et à la création d'emplois et de richesse ralliera à son opinion bon nombre de gens qui, pour toutes sortes de raisons, valorisent l'initiative individuelle et la croissance économique.

Ainsi, les idéologies permettent aux individus de se faire une opinion personnelle et de débattre publiquement une question. On ne les développe pas de manière consciente ou cynique dans l'intention de mobiliser des individus à une cause déterminée. On admet plutôt le caractère nécessaire des idéologies et on en choisit une qui s'accorde avec ses propres exigences particulières. Les idéologies sont indépendantes de leurs adeptes ; elles possèdent en quelque sorte une existence propre.

Les caractéristiques du discours idéologique

Les idéologies font donc partie de la vie en société. Sur le plan politique, elles impliquent des discours partisans, car elles visent moins à découvrir la vérité qu'à convaincre. Un discours idéologique a pour but de renforcer le sentiment d'identité des groupes sociaux, de les mobiliser et de donner un sens à leur combat. Conséquemment, un discours idéologique présente généralement les caractéristiques suivantes[1] :

> **Interventionnisme**
> En politique et en économie, doctrine selon laquelle l'État doit jouer un rôle très actif dans l'économie et, sur le plan social, protéger les couches sociales défavorisées.

---

1. Étienne, Jean (dir.) (1997). *Dictionnaire de sociologie*, Paris, Hatier, p. 189.

Manichéisme
À l'origine, conception religieuse qui sépare nettement le bien du mal. De nos jours, tout système de pensée dualiste qui oppose deux principes irréductibles et antagonistes. Par exemple, dans la doctrine marxiste, le conflit irréductible entre les capitalistes et la classe ouvrière.

- C'est un discours simplificateur qui tend à tout expliquer au moyen de quelques grands principes et qui retient uniquement les faits qui le corroborent.
- C'est un discours manichéen qui divise le monde en bons et en méchants, qui oppose ceux qui sont favorables au progrès et ceux qui sont partisans du *statu quo*. De manière plus générale, le discours idéologique exige une adhésion totale et se montre intolérant à l'égard de ceux qui ne partagent pas la même opinion.
- C'est enfin un discours dissimulateur parce qu'il se donne pour autre que ce qu'il est en prétendant être scientifique et moral, et parce qu'il défend souvent, malgré les apparences, des intérêts particuliers ou des passions inavouées.

En conclusion, le discours idéologique tente de persuader des individus et met en évidence les faiblesses des autres discours. Pour l'historienne québécoise Fernande Roy, les idéologies[2] représentent un moyen – limité, mais incontournable – de fixer ou de modifier les règles du jeu social. Elles forment des ensembles coordonnés de valeurs, d'idées, de symboles, qui légitiment une situation donnée ou qui présentent un nouveau projet de société. Elles expriment les objectifs et le sens du développement social tout en distribuant les rôles. Facteurs d'intégration et de rassemblement, les idéologies mobilisent en vue de l'action.

La philosophie politique à travers les âges

Avant d'aborder les idéologies modernes et contemporaines, nous allons exposer de façon succincte la contribution des penseurs politiques de l'Antiquité au Moyen Âge, car de tout temps, les philosophes et les penseurs se sont intéressés à l'éthique et à la politique.

La Grèce antique : Platon et Aristote

La Grèce, et plus particulièrement Athènes, a donné à l'Occident ses premiers grands philosophes politiques. Les Grecs se sont interrogés sur la nature de la justice et sur le type de régime politique propre à assurer une communauté politique idéale. Dans *La République*, Platon (428-347 av. J.-C.) décrit une cité utopique dans laquelle les hommes généreux et doués sont recrutés dès le plus jeune âge, puis formés avec soin afin de devenir des autocrates éclairés. La société dépeinte est un monde idéal dont l'avènement est improbable. Les idées de Platon rappellent d'ailleurs d'une certaine façon le conservatisme et l'élitisme modernes.

Platon tend vers l'idéal, tandis qu'Aristote (384-322 av. J.-C.), plus pragmatique, se limite à des observations. Il pense que dans la mesure où le dirigeant fait preuve de désintéressement, l'autocratie (pouvoir absolu d'une personne ou d'un souverain) constitue le meilleur régime. Pour Aristote, le régime aristocratique vient au deuxième rang, et le régime démocratique, au dernier. Conscient du fait que les gens sont égoïstes et que le mieux est l'ennemi du bien, Aristote conclut qu'il vaut mieux être gouverné par plusieurs égoïstes que par un seul.

---

2. Roy, Fernande (1993). *Histoire des idéologies au Québec*, Montréal, Boréal Express, p. 9.

En s'interrogeant ainsi sur le rôle des citoyens, la nature de la justice et le régime politique idéal, les Grecs ont jeté les fondements de la philosophie politique occidentale.

L'époque chrétienne et le conflit entre le pouvoir spirituel et le pouvoir temporel

La naissance du christianisme a marqué le début d'une nouvelle période de réflexion philosophique. L'avènement d'une Église catholique, unique et universelle, soulève toute la question de l'allégeance entre le pouvoir temporel et le pouvoir spirituel. Puisque Dieu règne sur le monde par l'entremise de «son» Église, est-il nécessaire d'obéir au roi? Que faire, par exemple, si le roi ordonne d'accomplir une action condamnée par la morale et l'Église?

Pendant plusieurs siècles, les rapports entre le pouvoir spirituel et le pouvoir temporel sont ainsi au cœur des débats philosophiques et des conflits politiques entre le pape et les rois et empereurs en Occident. Les premiers auteurs chrétiens, conscients de la fragilité de l'Église naissante, attribuent à celle-ci un rôle modeste dans les affaires temporelles. Saint Augustin (354-430) affirme que le gouvernement est essentiel à cause des péchés des hommes, mais que Dieu pourrait régner à la fin de l'humanité. Pour lui, le gouvernement est un mal nécessaire qui a pour avantage de maintenir l'ordre dans l'humanité pécheresse.

Cependant, à mesure que s'accroît le pouvoir de l'Église, les papes cherchent à imposer leur autorité sur le plan temporel. Au Moyen Âge, saint Thomas d'Aquin (1225-1274) affirme que l'Église a pour rôle de veiller au salut des individus et que les dirigeants politiques ont comme tâche d'assurer leur bien-être temporel. Il précise toutefois que le spirituel prime le temporel et que les dirigeants doivent se soumettre aux volontés de l'Église chaque fois que leurs décisions impliquent des questions de morale ou de spiritualité.

Les rois et l'affaiblissement de l'Église

Voulant aider les rois à résister à l'Église, l'Italien Nicolas Machiavel (1469-1527) écrit *Le Prince,* un livre aussi singulier que célèbre, une sorte de «manuel des rois et du pouvoir». Machiavel y affirme qu'un roi doit être impitoyable et pragmatique, et qu'il ne doit s'embarrasser ni de sentiments ni de moralité.

La puissance des États monarchiques augmente et celle de l'Église diminue vers la fin du Moyen Âge. À l'époque de la Réforme et des guerres de religion au XVe siècle, de nombreux monarques remplacent l'Église catholique par des Églises protestantes et nationales dans la majeure partie de l'Europe septentrionale.

La remise en question de l'autorité royale

Les monarques redeviennent ainsi plus puissants que les Églises catholiques et protestantes et, de nouveau, les penseurs politiques tentent de préciser les obligations du peuple envers eux. Cependant, durant la guerre civile anglaise (1647-1649), les révolutionnaires détrônent le roi et instituent une république qui durera une dizaine d'années. Le renversement de l'autorité royale, un événement crucial pour l'époque, attire l'attention des philosophes et penseurs sur les devoirs du souverain envers le peuple et trace la voie au libéralisme.

En effet, la remise en question de l'autorité royale aux XVIIe et XVIIIe siècles, de même que les changements économiques, a créé les conditions propices au développement des idéologies modernes.

L'origine du libéralisme

Trois grandes idéologies sont apparues en Europe aux XVIIIe et XIXe siècles : le libéralisme, le conservatisme et le socialisme. Elles ont défini le contexte des débats politiques qui se sont déroulés par la suite.

La société médiévale et l'apparition du capitalisme marchand

Compagnonnage
Genre de formation professionnelle qui exigeait qu'un compagnon soit sous la tutelle d'un maître afin d'apprendre son métier.

Guilde
Au Moyen Âge, organisation qui groupait des artisans, des commerçants, etc., s'obligeant à observer des règles déterminées. Les individus passés maîtres tendaient à octroyer la maîtrise à leurs seuls enfants ou à leurs seuls gendres.

Pour comprendre d'où viennent ces idéologies, et en particulier le libéralisme, nous devons revenir au Moyen Âge, époque où l'ordre social repose sur des liens de domination, de dépendance et de servitude. Les paysans sont soumis à l'autorité d'un seigneur. Ils sont assujettis à de lourds impôts et doivent donner au seigneur un certain nombre de jours de travail (pour la construction des chemins, la guerre, etc.). Dans une large partie de l'Europe, les paysans ne peuvent quitter leur terre ou changer de domicile sans la permission du seigneur. Ils lui doivent respect et obéissance. En retour, celui-ci est censé protéger et aider les paysans malades ou nécessiteux. Les activités artisanales ou manufacturières sont régies par le **compagnonnage** et le système des **guildes**, des associations d'artisans qui s'étaient pourvues de règles strictes concernant la fabrication, le volume de la production et les prix. Le commerce de nombreux produits est soumis à des règles archaïques. Ainsi, les rois jouissent de monopoles commerciaux, et certaines villes peuvent recevoir toutes les importations d'un produit donné. Les Juifs sont frappés d'ostracisme et d'interdits ; ils n'ont pas accès à la propriété foncière ; de très nombreux métiers et professions leur sont aussi interdits. Le transport des biens à l'intérieur d'un pays est fort complexe, et les transporteurs doivent payer des taxes et des droits en différents endroits.

Stratification sociale
Hiérarchie sociale ou classification des individus et des groupes établie en fonction des richesses, du prestige social et du pouvoir. La stratification sociale évolue en même temps que les rapports économiques et sociaux.

Retenons qu'au Moyen Âge la **stratification sociale** est fort rigide. La société est divisée en trois ordres ou catégories sociales. Chacun de ces ordres remplit un rôle déterminé, est soumis à certaines obligations et jouit ou non de privilèges en matière de justice ou d'impôts : d'abord le clergé, dont la fonction est de répandre et de faire respecter les croyances religieuses ; ensuite la noblesse, constituée par les seigneurs et chevaliers ; et enfin la bourgeoisie, qui regroupe les producteurs (artisans et commerçants). La propriété foncière, les privilèges féodaux, les droits de l'Église, le rôle politique du roi et des nobles ainsi que la puissance des guildes sont jalousement protégés, et la situation est sclérosée et figée dans le temps. Ainsi, l'Église impose sa conception religieuse du monde et de l'univers et limite fortement la recherche et les découvertes scientifiques. En 1616, par exemple, elle contraint le grand astronome Galilée à renier ses convictions et à affirmer que la Terre est au centre de l'univers.

Le commerce et l'industrie modernes font leur apparition aux XVe et XVIe siècles, prennent leur essor aux XVIIe et XVIIIe siècles et transforment la société au XIXe siècle. La nouvelle classe des bourgeois, de plus en plus puissante, étouffe dans le carcan de la société féodale. La société médiévale se prête mal aux activités commerciales et industrielles, qui exigent le transport des produits sur de longues distances, la concentration des ouvriers dans les grandes usines et le développement d'infrastructures de transport et de communication.

Gagnant en puissance, l'élite du monde des affaires et de l'industrie cherche des moyens pour transformer cette structure. C'est alors qu'est instauré l'État moderne (comme nous l'avons vu au chapitre 2) et qu'apparaît le libéralisme.

Les penseurs du libéralisme : Locke et Montesquieu

Le libéralisme comme conception politique et économique est l'œuvre non pas des commerçants et des industriels, mais des penseurs et philosophes, stimulés par l'explosion des mouvements artistiques et des découvertes scientifiques au Siècle des Lumières (XVIIIe siècle). Le contenu politique du libéralisme était conciliable avec les besoins et les intérêts des élites commerçantes et industrielles – les bourgeois – et permettait à ces dernières de justifier les changements apportés à l'ordre social.

John Locke. Un des premiers penseurs du libéralisme est le philosophe anglais John Locke (1632-1704). Ses écrits, et en particulier son second *Traité du gouvernement civil*[3], ont eu une influence considérable au XVIIIe siècle. Dans les conflits qui opposent à l'époque le roi et le Parlement britannique, Locke se range du côté du Parlement. Certains auteurs affirment que l'adoption du *Bill of Rights* par le Parlement britannique, en 1689, est une illustration de ses thèses politiques. Cette victoire du Parlement marque la fin de la monarchie absolue en Angleterre et le début d'une nouvelle époque, celle du pouvoir du Parlement.

John Locke est considéré comme le père du libéralisme.

Ainsi, Locke est considéré comme le père de l'individualisme et du libéralisme politique. Ses principales contributions à la pensée politique moderne peuvent se résumer de la façon suivante :

- Le pouvoir suprême est le pouvoir législatif (Parlement), c'est-à-dire le pouvoir d'édicter des lois. Le pouvoir exécutif, exercé par le roi ou le gouvernement, lui est soumis.
- Le pouvoir législatif n'est pas un pouvoir absolu ; il est limité par les « droits naturels » que constituent la liberté, le bonheur et la propriété. C'est là en quelque sorte une esquisse de la notion des droits de l'homme.
- Lorsque le pouvoir politique porte atteinte aux droits naturels, notamment à la liberté et à la propriété, les gouvernés ont le droit de s'insurger et de lutter contre l'oppression.
- Le pouvoir politique doit prôner la tolérance religieuse.
- Le droit de propriété est un droit fondamental qui ne peut être limité par aucun pouvoir politique. La propriété acquise par le travail est naturelle et elle est un bienfait non seulement pour l'individu, mais aussi pour la société.

En ce qui concerne le développement de la démocratie représentative, les idées de Locke ont eu une influence déterminante.

Montesquieu. Grand admirateur des institutions parlementaires britanniques, l'aristocrate français Montesquieu (1689-1755) a largement contribué à la diffusion du libéralisme. Son ouvrage fondamental, *De l'esprit des lois*, une véritable étude sociologique, a eu un profond retentissement. Il ajoute aux deux pouvoirs reconnus par Locke le pouvoir judiciaire, qui doit être indépendant des deux autres. Pour Montesquieu, la liberté ne peut être assurée que par un gouvernement modéré afin de prévenir les abus de pouvoir. Pour y

Montesquieu, aristocrate français, a écrit l'ouvrage *De l'esprit des lois*.

3. Locke, John (1999). *Traité du gouvernement civil*, trad. de l'anglais par David Mazel, Paris, Garnier-Flammarion.

Constitutionnalisme
Doctrine selon laquelle la constitution d'un État doit être équitable envers les groupes ou les individus et assurer la protection des citoyens contre toute action arbitraire du gouvernement et de l'État.

parvenir, il prône la séparation des trois pouvoirs (pouvoir exécutif, pouvoir législatif, pouvoir judiciaire). Tout comme Locke, Montesquieu a contribué à mettre en place les institutions de la démocratie représentative ainsi que le **constitutionnalisme**.

L'influence de Locke et de Montesquieu sur les révolutions américaine et française. Il ne fait aucun doute, pour la plupart des chercheurs, que les idées de Locke et de Montesquieu ont exercé une influence déterminante sur les grandes révolutions politiques que furent l'Indépendance et la Révolution américaine (1776-1783), et la Révolution française de 1789. Dans leurs écrits, ils posent les fondements des institutions libérales, des régimes parlementaires et présidentiels, et des libertés civiles et politiques. Pour certains, ils ont été les véritables fondateurs du libéralisme.

Locke condamnait l'absolutisme au nom de la protection et de la défense de la personne humaine et de la propriété. Locke et Montesquieu ont procuré à la bourgeoisie les éléments idéologiques dont elle avait besoin pour combattre l'absolutisme royal et exercer le pouvoir. Ils ont tous deux inspiré la Déclaration universelle de droits de l'Homme, promulguée dès le début de la Révolution française, et le *Bill of Rights*, enchâssé dans la Constitution américaine en 1791. Leur influence a été considérable, et de nombreux mouvements politiques se sont réclamés de leurs doctrines.

Le libéralisme moderne

Depuis le XVIIIᵉ siècle, la doctrine libérale s'est modernisée et grandement enrichie sur le plan politique, particulièrement en Occident. Depuis Locke et Montesquieu, de nombreux auteurs, dont Jeremy Bentham (1748-1832), Jean-Jacques Rousseau (1712-1778), Benjamin Constant (1767-1830), Alexis de Tocqueville (1805-1859) et John Stuart Mill (1806-1873), ont contribué à la développer.

Comme d'autres grandes idéologies – le socialisme, par exemple –, le libéralisme peut être défini de multiples façons. Le libéralisme a engendré différents courants politiques et n'est pas homogène. Les partisans de l'État providence, qui se réclament du libéralisme, s'opposent à ceux qui sont hostiles à l'intervention de l'État, lesquels prônent un libéralisme plus pur, le néolibéralisme. Il faut donc faire preuve de prudence lorsqu'on étudie les idéologies, car celles-ci sont complexes.

Les valeurs véhiculées

Il est possible de dégager certaines caractéristiques du libéralisme moderne :

- L'individu : le libéralisme attribue une valeur absolue à l'individu et mise sur le plein développement de ses capacités.

- La responsabilité : la valeur absolue accordée à l'individu suppose que celui-ci est pleinement responsable de ses actes.

POUR ALLER PLUS LOIN

Le néolibéralisme

Le néolibéralisme est une doctrine politique de droite apparue dans les années 1940 et adoptée au milieu des années 1970 par les formations politiques conservatrices. Les économistes américains Friedrich August von Hayek (1899-1992) et Milton Friedman (1912-2006) sont les deux principaux théoriciens de cette doctrine.

Les néolibéraux sont très critiques à l'égard de l'interventionnisme étatique et de l'État providence. Selon eux, la Grande Dépression des années 1930 est due non pas au capitalisme, mais à des interventions de l'État qui auraient perturbé l'économie de marché. Pour les tenants du néolibéralisme, la libre concurrence des agents économiques animés par la recherche du profit constitue le véritable moteur du développement économique national et international. L'État doit par conséquent favoriser la libre concurrence et pratiquer une politique de laisser-faire.

- La liberté : corollaire à l'individu ; celui-ci doit avoir la liberté de choisir ses actes, en fonction de ses intérêts. La société doit lever les obstacles à la liberté de choisir, tels que les barrières sociales et les liens féodaux, et promouvoir l'égalité des chances pour tous.

- La démocratie : dans ses essais intitulés *Du gouvernement représentatif* et *De la liberté*[4], John Stuart Mill fonde son plaidoyer en faveur du gouvernement démocratique sur des prémisses libérales. Il affirme que la politique a pour but ultime d'amener les gens à devenir des citoyens adultes et responsables. Pour y parvenir, les individus doivent prendre part aux décisions qui concernent leur collectivité. Par conséquent, la démocratie constitue la meilleure forme de gouvernement possible.

POUR ALLER PLUS LOIN

John Stuart Mill (1806-1873) et le libéralisme moderne

Le Britannique John Stuart Mill fut l'un des premiers théoriciens du libéralisme moderne. Il étudia sous la direction de son père, James Mill, lui-même un éminent philosophe, et entretint des relations avec de grands auteurs comme Auguste Comte et Alexis de Tocqueville.

Il possédait une culture scientifique et littéraire considérable. Il occupa pendant de longues années une sinécure à la Compagnie des Indes orientales et meubla ses temps libres en écrivant. Sa principale contribution à la pensée libérale fut de concilier de manière systématique et rationnelle la liberté individuelle et le bien général. Chose rare à son époque, John Stuart Mill était un ardent féministe partisan du suffrage féminin. Certains spécialistes attribuent cette conviction à l'influence de sa femme, Harriet Taylor Mill, tandis que d'autres y voient l'aboutissement logique de sa pensée. Mill était d'avis que l'industrialisation n'était pas un bien en soi et qu'elle entraînait des injustices sociales. Selon lui, la société devait offrir à tous la possibilité d'exercer la liberté (principe de l'égalité des chances).

Les principes politiques

Le libéralisme moderne repose sur les cinq principes politiques suivants :

- Les hommes naissent égaux en droit et les privilèges de la naissance doivent être abolis. Les citoyens sont égaux devant la loi.

- Les gouvernants (l'exécutif) doivent se conformer aux volontés de l'assemblée législative ou parlementaire.

- Le pouvoir judiciaire doit être nettement séparé des pouvoirs exécutif et législatif.

- L'État doit veiller à assurer la tolérance religieuse, le respect des consciences et des libertés individuelles, notamment la liberté d'opinion.

- L'État a notamment pour but de protéger la propriété privée, la libre concurrence et l'économie de marché.

L'application du libéralisme dans les pays occidentaux

Le libéralisme moderne est apparu en Grande-Bretagne peut-être en raison du fait que ce pays a été le premier à s'industrialiser. En 1832, le Parti libéral britannique obtient, pour la première fois, la majorité à la Chambre des communes ; pendant le reste du siècle, libéraux et conservateurs exercent en alternance le pouvoir (*voir la description du conservatisme à la page 47*). Aux États-Unis, la Constitution de 1787 consacre l'avènement du libéralisme dans la mesure où elle institutionnalise le principe de la séparation des pouvoirs entre l'exécutif, le législatif et le judiciaire, tout en garantissant diverses libertés individuelles.

---

4. Mills, John S. (1990). *De la liberté*, Paris, Gallimard ; Mills, John S. (1991). « Considerations on Representative Government », dans *On liberty and Other Essays*, Oxford, Oxford University Press, p. 205-467.

Louis-Antoine Dessaulles (1819-1895)

Neveu du chef des patriotes Louis-Joseph Papineau, Dessaulles a contribué par ses écrits à renforcer le libéralisme radical au Québec au XIXᵉ siècle, en tant que rédacteur en chef du journal libéral *Le pays* et président de l'Institut canadien. Après la condamnation et la mise à l'Index de l'annuaire de l'Institut canadien par l'Église catholique, et aussi à cause d'une situation financière précaire, il doit s'expatrier à Paris, où il meurt en 1895.

En France, au cours de la révolution de 1789, on voit apparaître un libéralisme radical d'une rare violence, qui va susciter une vive réaction (*voir la rubrique Pour aller plus loin ci-contre*) et favoriser le conservatisme. S'inspirant de l'Angleterre et de la Révolution française, le libéralisme entraîne, tout au long du XIXᵉ siècle, des poussées révolutionnaires non seulement en Europe, mais aussi en Amérique latine. Le libéralisme réussit à s'imposer à la fin de la Première Guerre mondiale (1914-1918).

Au Canada, et en particulier au Québec[5], le libéralisme rencontre une forte opposition. En 1837-1838, luttant pour obtenir un gouvernement responsable – à savoir un gouvernement soumis à la volonté de l'Assemblée législative élue par le peuple –, les libéraux groupés autour du Parti des patriotes sont écrasés par l'armée britannique. Les élites économiques anglophones, les seigneurs et le clergé catholique, qui contrôlent le gouvernement (l'exécutif), refusent de se conformer aux volontés de l'Assemblée législative élue et veulent maintenir leurs privilèges. À partir de 1840, le mouvement libéral se radicalise sous la pression de jeunes intellectuels comme Louis-Antoine Dessaulles. Il se cristallise autour du Parti « rouge » et d'une lutte contre l'Église catholique, acquise à l'époque à l'**ultramontanisme** et férocement opposée au libéralisme, et en particulier à la liberté de conscience et au principe de la séparation de l'Église et de l'État. Toutefois, en 1865, la disparition de l'Institut canadien – société vouée à la recherche scientifique et lieu de ralliement de toutes les forces anticléricales au Québec –, en raison de la menace d'excommunication par l'Église, marque la fin de ce mouvement et consacre la domination sociale et idéologique de l'Église, qui va se perpétuer jusqu'à la Révolution tranquille, en 1960. Durant cette période au Québec et au Canada, des partis libéraux sont très souvent élus et assument le pouvoir. Cependant, il faut bien retenir qu'ils ne sont pas dans la mouvance du libéralisme radical et de l'anticléricalisme. Il s'agit de partis libéraux, mais modérés, qui ont mis de côté leur anticléricalisme.

Ultramontanisme
Littéralement, « qui est au-delà des montagnes ». Ensemble d'idées et de doctrines qui soutiennent l'autorité et le pouvoir absolu du pape et la soumission des pouvoirs laïques à l'Église. Au Québec, ce courant fut longtemps dominant au sein de l'Église catholique.

La réaction conservatrice

Lorsque le libéralisme remet en cause les fondements de l'ordre social, des défenseurs du *statu quo* et des privilèges aristocratiques se dotent d'une idéologie qui doit servir leurs intérêts.

Le conservatisme traditionnel

Les tenants du *statu quo* en Europe reprochent au libéralisme le rôle déterminant qu'il attribue à l'individu. Les libéraux, en effet, ne voient dans la société que les individus qui la composent. Pour eux, la société est égale à la somme de

---

5. Lamonde, Yvan (2000). *Histoire sociale des idées au Québec*, tome 1, Montréal, Fides, notamment les chapitres consacrés au libéralisme radical de 1830 à 1867, p. 225-358.

ses parties ; le bonheur général est fonction du bonheur individuel. Le postulat libéral est que le développement d'une société dépend de la capacité de ses membres à exploiter tous leurs talents. Pour leur part, les conservateurs proposent d'autres principes qui doivent guider la vie politique et sociale et qui prennent le contre-pied de l'idéologie libérale :

- Ils soutiennent que la société et les groupes en général sont plus que la somme de leurs parties. Ils affirment que le fait d'appartenir à un groupe crée plus de bonheur que les individus pourraient en obtenir seuls.

- Ils pensent qu'il importe que la société soit ordonnée et stable pour que les individus aient une idée claire de la position qu'ils occupent dans la hiérarchie sociale. Ils croient surtout que l'appartenance à un groupe structuré favorise le maintien des valeurs morales et religieuses. On trouve plus facilement le bonheur au sein d'une famille, d'une Église. Les conservateurs veulent maintenir l'ordre et les valeurs traditionnelles de la société.

- Ils jugent que les structures de la société doivent être protégées pour que chacun puisse y occuper la place qui lui revient. Il ne faut pas modifier les structures sociales qui sont l'aboutissement du travail de plusieurs siècles, car ce qui est ancien nous est familier et bénéfique parce qu'il est éprouvé.

Il n'est pas étonnant qu'une doctrine qui prône l'ordre et la stabilité dans la société séduise l'aristocratie, les Églises et les groupes de pression économiques opposés au libéralisme.

Le conservatisme moderne

Il faut bien noter que l'idéologie conservatrice, comme l'idéologie libérale, varie d'un pays à l'autre et d'une époque à l'autre. Un conservateur canadien ne préconisera pas les mêmes mesures politiques qu'un conservateur japonais. De même, le conservateur d'aujourd'hui défend des positions différentes du conservateur du XIXᵉ siècle.

Au Canada, à cette époque, les conservateurs favorisaient l'élitisme et étaient opposés à l'idée d'égalité politique défendue par les libéraux. Ils étaient en outre favorables au maintien de l'Empire britannique. Ce n'est plus le cas aujourd'hui. Sur le plan économique, ils étaient partisans du protectionnisme, car ils voulaient que l'industrie manufacturière canadienne soit capable de faire face à la concurrence américaine. Le premier ministre conservateur John A. Macdonald fait ainsi adopter une politique protectionniste en 1878 dans ce but. De leur côté, les libéraux étaient partisans du libre-échange avec les États-Unis. Une centaine d'années plus tard, en 1988, c'est un gouvernement conservateur qui instaure le libre-échange avec les États-Unis, tandis que le Parti libéral du Canada y est farouchement opposé. Autres temps, autres mœurs.

---

6. Burke, Edmund (1989). *Réflexions sur la Révolution de France*, Paris, Hachette.

POUR ALLER PLUS LOIN

Le conservatisme

Le conservatisme est une doctrine politique souvent défendue par un parti politique. Situé à droite sur l'axe idéologique, le conservatisme est d'abord apparu au Royaume-Uni, pays du penseur Edmund Burke. Les conservateurs défendent l'entreprise privée et un État non interventionniste. Ils soutiennent également des valeurs traditionnelles en matière d'avortement, de famille et d'autorité. Le Parti républicain américain ainsi que les partis conservateurs canadien et britannique comprennent une forte proportion de conservateurs. (*Voir à ce propos le site Internet Perspective monde, de l'École de politique appliquée de l'Université de Sherbrooke.*)

POUR ALLER PLUS LOIN

Edmund Burke (1729-1797) et le conservatisme

Edmund Burke est une figure dominante de la pensée conservatrice au XVIIIᵉ siècle, à l'instar du Français Joseph de Maistre (1753-1821). Fils d'avocat, il naquit et fit ses études à Dublin. Il fit carrière en politique et laissa sa marque à la Chambre des communes pour ses talents d'orateur, mais il était trop indépendant pour briguer un poste important au sein de son parti. En tant que philosophe, il délaissa l'abstraction et les systèmes rationnels au profit d'une démarche pragmatique fondée sur l'expérience. La violence de la Révolution française, dont il fut un témoin, le raffermit dans ses opinions conservatrices. Pour lui, l'égalité est une fiction qui fait naître de fausses espérances et ne fait qu'envenimer les relations entre les riches et les pauvres, car l'inégalité est inscrite dans les faits et constitue le fondement de l'ordre social. L'autorité des gouvernants ne procède pas d'un contrat entre des individus égaux et libres, comme le pensent les tenants du libéralisme ; elle appartient à ceux qui se distinguent par leur naissance, leurs propriétés et leur éducation[6].

Au début des années 1980, sans doute influencé par le néolibéralisme[7] du président américain Ronald Reagan et par le conservatisme de la première ministre britannique Margaret Thatcher, le gouvernement conservateur de Brian Mulroney (1984-1993) amorce un long processus de désengagement de l'État : il réduit les effectifs de la fonction publique fédérale, déréglemente et privatise 13 sociétés d'État, dont Air Canada, Canadair et Téléglobe. À la suite de la fusion en 2003 de l'Alliance canadienne et du Parti progressiste-conservateur, le nouveau Parti conservateur dirigé par Stephen Harper prend le pouvoir en janvier 2006. Par ses prises de position sur l'avortement, le mariage des homosexuels et des lesbiennes et par l'importance qu'il accorde à la famille, le gouvernement conservateur montre qu'il veut protéger les valeurs traditionnelles. Depuis les élections du printemps 2011, qui ont permis au parti de M. Harper d'obtenir une majorité à la Chambre des communes, le gouvernement conservateur a pris une série de mesures afin de poursuivre le désengagement dans de nombreuses sphères d'activités sociales, économiques et environnementales.

Les positions politiques des différents partis conservateurs, du moins en Occident, diffèrent quant aux mesures qu'ils adoptent afin de s'adapter au contexte particulier de leur pays, mais ils partagent les principaux traits idéologiques suivants :

- méfiance à l'égard de toute forme de changement ;
- respect des traditions, des valeurs traditionnelles et des structures sociales ;
- attitude réticente vis-à-vis des politiques de l'État visant à améliorer les conditions économiques et sociales des plus défavorisés ;
- désengagement de l'État dans l'économie afin de favoriser le libre marché ;
- préférence pour les libertés individuelles, mais tendance à limiter celles-ci afin d'assurer la sauvegarde des valeurs morales traditionnelles ;
- antiégalitarisme et méfiance envers la nature humaine.

L'axe idéologique gauche-droite

Avant d'aborder les autres idéologies modernes que sont le socialisme et le communisme, nous devons clarifier les termes « gauche » et « droite », régulièrement employés dans les médias et les discussions politiques. Ainsi vous vous êtes sûrement aperçus que pour désigner les partis ou les idéologies modernes, nous avons employé les termes « gauche », « droite », « extrême gauche » et « extrême droite ». Cette grille de classification est apparue lors de la Révolution française pour désigner les partisans de la Révolution qui siégeaient à gauche du président de l'Assemblée nationale tandis que ceux qui étaient contre ou soulevaient de nombreuses objections siégeaient à droite. Comme l'indique les politologues québécois Alain Noël et Jean-Philippe Thérien, cette classification (*voir la figure* **3.1**) s'est imposée au XXe siècle, et les termes « droite » et « gauche » sont devenus courants partout à travers le monde, à l'exception des États-Unis.

L'AXE IDÉOLOGIQUE GAUCHE-DROITE

FIGURE 3.1

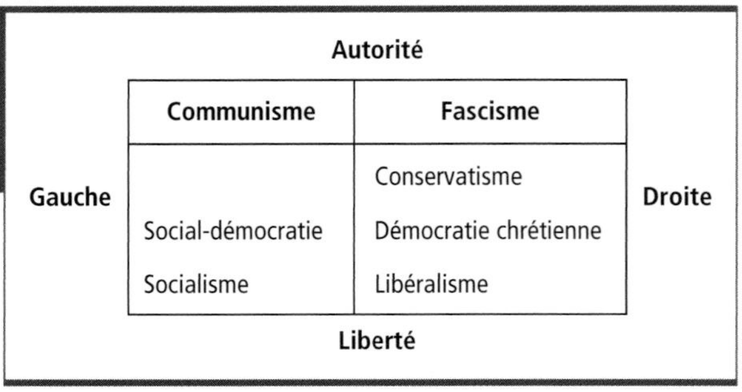

	Autorité	
	Communisme	Fascisme
Gauche		Conservatisme
	Social-démocratie	Démocratie chrétienne
	Socialisme	Libéralisme
	Liberté	

Droite

Source : Noël, Alain, et Jean-Philippe Thérien (2010). *La gauche et la droite*, Les Presses de l'Université de Montréal, p. 45. (Adapté de Eysenck, Hans [1998]. *The Psychology of Polotics*, Londres, Routledge).

---

7. Voir les textes de Jean-Herman Guay, Luc Godbout et Khalid Adnane sur le néolibéralisme à la fin du chapitre.

Le socialisme

Durant la première moitié du XIXe siècle, le libéralisme naissant trouve des appuis importants dans la classe ouvrière, formée des travailleurs qui se sont concentrés dans les villes à la suite de la révolution industrielle. Les travailleurs adhéraient au principe selon lequel les hommes sont tous égaux et à l'idée que chacun doit avoir la possibilité de développer pleinement ses capacités. Ils étaient aussi en faveur du suffrage universel. En 1848, une vague de soulèvements provoquée par les libéraux déferle sur tout le continent européen ; les travailleurs spécialisés y jouent un rôle de premier plan, de même que les petits commerçants. En Grande-Bretagne, jusqu'en 1900, la plupart des chefs syndicaux sont membres du Parti libéral.

POUR ALLER PLUS LOIN

Karl Marx (1818-1883)

Karl Marx était un philosophe allemand. Après ses études universitaires, Marx devint journaliste, comme son ami et collègue Friedrich Engels (1820-1895). En 1848, Marx et Engels écrivirent le *Manifeste du Parti communiste*. L'échec des révolutions en Allemagne et dans d'autres pays d'Europe les força à s'exiler et ils s'installèrent à Londres. Marx ne retourna en Allemagne que quelque temps avant sa mort. À Londres, il devint correspondant du *New York Tribune* et écrivit son œuvre maîtresse, *Le Capital*. Marx a une vision globale de l'Histoire. Puisant dans la philosophie allemande, l'histoire et l'économie, Marx construisit une théorie philosophique et politique qu'il considérait comme scientifique et qu'il voulait mettre au service de l'émancipation du prolétariat et de la classe ouvrière.

Les insuffisances du libéralisme devant les conditions et revendications ouvrières

Au cours de la seconde moitié du XIXe siècle, la classe ouvrière s'éloigne peu à peu du libéralisme. Celui-ci, bien qu'il prône l'égalité politique, s'oppose à toute intervention de l'État sur les plans économique et social. Les conditions d'existence des travailleurs du XIXe siècle étaient particulièrement pénibles. Ceux-ci réclamaient notamment du gouvernement qu'il indemnise les chômeurs, soigne les malades, réglemente les heures de travail, accroisse leur sécurité et interdise le travail des enfants. Toutefois, le libéralisme de l'époque peut difficilement répondre à leurs exigences. Les mouvements ouvriers et de nombreux intellectuels sont ainsi amenés à critiquer les principes du libéralisme économique et à élaborer une nouvelle idéologie en fonction de leurs intérêts : le socialisme.

Le socialisme maintient le principe libéral selon lequel tous les individus doivent être traités également par l'État et avoir des chances égales de se développer. Contrairement au libéralisme, le socialisme n'accorde pas la prépondérance à l'individu et il veut un État fortement interventionniste.

Le socialisme radical : le marxisme

Karl Marx (1818-1883) est le plus grand et sans doute le plus influent des auteurs socialistes à cette époque, à tel point que ses écrits et ses principes engendrent une nouvelle doctrine : le **marxisme**. Selon lui, la société est constituée non pas d'individus, mais de classes, c'est-à-dire de groupes d'individus ayant les mêmes rapports avec les moyens de production et, par conséquent, une même conception du monde. Marx considère que nos rapports avec le travail déterminent en grande partie notre conception du monde et de l'Histoire. Pour lui, la production économique suppose une division du travail[8]. Les biens que les hommes produisent et les moyens utilisés pour les produire déterminent le mode d'existence des individus à une époque donnée. La vie sociale, politique et intellectuelle – la superstructure – dépend étroitement des conditions matérielles de l'existence et du mode de production. Ce n'est pas la conscience qui détermine l'être social ; au contraire, c'est l'être social qui détermine la conscience.

Marx voit dans le concept de classe l'unité fondamentale de la société. Selon lui, la classe ouvrière est forcée de faire usage de sa force de travail pour enrichir la classe capitaliste. Une telle situation est intolérable, car la classe ouvrière est beaucoup plus nombreuse que la classe capitaliste et son exploitation entraîne une misère insoutenable. Marx estime par conséquent que la classe ouvrière doit s'emparer du pouvoir pour s'approprier les moyens de production. Il considère que c'est le seul moyen d'arriver à une véritable égalité sociale et économique entre les hommes.

Les conditions d'existence abominables des ouvriers au XIXe siècle ont été déterminantes dans l'élaboration des principes socialistes. C'est pourquoi le marxisme a eu une grande audience auprès des travailleurs, des déshérités et des intellectuels.

Friedrich Engels, ami et collaborateur de Karl Marx, a écrit entre autres une étude sur les conditions de vie des travailleurs britanniques. Il a emprunté à un ministre de l'Église anglicane d'Angleterre cette description des conditions de vie dans une paroisse en 1844 :

> [La paroisse] compte 1 400 maisons habitées par 2 795 familles, pour une population totale de 12 000 personnes. L'espace dans lequel vivent tous ces gens est inférieur à 400 verges carrées, et il n'est pas rare qu'un homme et sa femme, ainsi que quatre ou cinq enfants et, même, le grand-père et la grand-mère, vivent dans une pièce de 10 à 12 pieds carrés qui leur sert autant de salle à manger que d'atelier. [...] Il n'y a pas un père de famille sur dix dans le quartier qui possède d'autres habits que ses vêtements de travail, lesquels ne sont le plus souvent que des hardes ; et plusieurs n'ont que ces haillons pour se couvrir la nuit, et rien de plus qu'un sac de paille ou de foin pour se coucher[9].

Marx a formulé une conception de l'Histoire selon laquelle le soulèvement de la classe ouvrière était souhaitable autant qu'inévitable. D'après lui, l'Histoire entière fait alterner l'oppression et la révolution : un groupe en domine un autre, celui-ci se révolte contre celui-là, puis domine à son tour jusqu'à ce qu'il soit renversé par une révolution.

---

8. Dans cette section qui porte sur Marx et le marxisme, nous nous sommes largement inspirés de l'ouvrage de Piotte, Jean-Marc (2005). *Les grands penseurs du monde occidental*, Montréal, Fides, p. 459 et suiv.
9. Engels, Friedrich (1976). *La situation de la classe laborieuse en Angleterre*, Paris, La Dispute, p. 448.

Marx pensait que le processus historique allait s'arrêter avec la victoire définitive de la classe ouvrière. Selon lui, les classes intermédiaires qui se situaient entre la bourgeoisie et le prolétariat devaient se fondre dans celui-ci. Cette prédiction s'est révélée fausse. Au contraire, l'industrialisation a amené une spécialisation des tâches et une multiplication des groupes intermédiaires formant une classe moyenne majoritaire, du moins dans les pays développés au XXe siècle. Cependant, au XIXe siècle, les thèses marxistes concernant l'évolution historique répondaient aux intérêts des travailleurs. Elles leur montraient que leur misère n'était pas due à leur incapacité en tant qu'individus, mais qu'elle s'expliquait par un long processus historique d'oppression. Suivant les lois de l'évolution historique, les prolétaires finiraient par l'emporter sur les capitalistes. Selon la théorie marxiste, la révolution conduirait à l'édification d'une nouvelle société – la société communiste – basée sur l'égalité réelle et la liberté, et aussi à la disparition de l'État.

Le socialisme a marqué profondément l'Europe et la vie politique occidentale. En 1850, on ne compte qu'une poignée de socialistes sur le continent. Mais au début du XXe siècle, les socialistes forment le plus grand parti d'Allemagne et ils gagnent sans cesse du terrain. Le socialisme connaît le même essor dans tous les autres pays de l'Europe de l'Ouest.

Les mouvements communistes et le socialisme démocratique

En 1917, un événement déterminant marque l'histoire du socialisme : les bolcheviques prennent le pouvoir en Russie et y édifient un État socialiste qu'ils appellent l'Union des républiques socialistes soviétiques (URSS). Marx et Engels n'avaient jamais précisé la manière dont la classe ouvrière devait prendre le pouvoir. Devait-elle procéder pacifiquement par voie démocratique, en réclamant des réformes, ou violemment au moyen d'une révolution et de la dictature du prolétariat ? De nombreux socialistes prônaient la révolution, tandis que d'autres croyaient qu'il était possible de concilier les idéaux du socialisme et de la démocratie.

Les mouvements communistes

Le succès de la Révolution russe motive les partisans de la première solution et, après 1917, ceux-ci tentent de prendre la tête du mouvement socialiste international. Ils font valoir que le seul État qui a réussi à devenir socialiste, la Russie, doit diriger le mouvement ouvrier international.

La volonté d'imposer le socialisme révolutionnaire entraîne la scission du mouvement socialiste dans les années 1920. Les révolutionnaires forment des partis communistes ou d'**extrême gauche**. Pour leur part, les partisans du socialisme démocratique se constituent en partis socialistes ou sociaux-démocrates, comme le Parti socialiste français, le Parti travailliste du Royaume-Uni, les partis sociaux-démocrates d'Allemagne et des pays scandinaves. La division s'est maintenue jusqu'à nos jours, encore que le communisme ne subsiste plus qu'en de rares pays tels que Cuba, la Corée du Nord, le Viet Nam et la Chine, à la suite de l'écroulement des régimes communistes en Europe de l'Est et dans l'ancienne Union soviétique au début des années 1990. Le communisme fut et est encore assimilé à des régimes totalitaires, comme nous le verrons

Extrême gauche
Idéologie politique qui rejette la démocratie et prône la révolution comme moyen de renverser le système capitaliste, en ayant recours à la violence et au terrorisme, si nécessaire. Cette idéologie constitue une interprétation radicale de la doctrine marxiste. (*Voir le site Perspective monde, Université de Sherbrooke.*)

au chapitre 6, au sens où tous les différents aspects de la vie des individus doivent se conformer à l'orthodoxie de l'idéologie communiste et aux volontés des dirigeants au pouvoir au nom du principe de la dictature du prolétariat. L'expérience des gouvernances communistes dans l'ex-Union soviétique, en Chine, en Corée du Nord et dans les pays de l'Europe de l'Est ont directement causé la mort de millions de personnes et ont engendré la faillite économique de ces pays[10].

Le socialisme démocratique

Social-démocratie et socialisme démocratique
Termes qui désignent une position idéologique de gauche. La social-démocratie vise à apporter des réformes sociales par des moyens démocratiques afin de mieux répartir la richesse.

Les partisans de la social-démocratie ou du socialisme démocratique ont quant à eux assumé le pouvoir dans de nombreux pays d'Europe occidentale depuis 50 ans. À la différence des communistes, qui prônaient des changements radicaux, les socialistes ont procédé à des réformes économiques et sociales qui avaient pour but d'améliorer les conditions des travailleurs et des individus les plus défavorisés. Ils ont notamment été les initiateurs de l'État providence.

Comme toutes les idéologies, la doctrine sociale-démocrate est loin d'être homogène. Depuis les années 1990, et particulièrement depuis l'écroulement du communisme en Europe de l'Est et en Russie, qui marque le triomphe apparent du capitalisme et de l'économie de marché, on voit apparaître une « nouvelle social-démocratie », une « troisième voie » avec, en 1997, l'arrivée au pouvoir au Royaume-Uni de Tony Blair, le chef du New Labour[11]. Les partisans du New Labour jugeaient qu'il est nécessaire de se libérer des contraintes de l'État providence et des aspérités néolibérales, et de s'ancrer dans la tradition du socialisme chrétien. Selon eux, il faut réformer les services publics, quitte à les privatiser en partie (services de santé, écoles, transports), décentraliser l'État, baisser les impôts et valoriser le travail et l'initiative. Cependant, d'autres partis sociaux-démocrates, comme le Parti socialiste français qui assume le pouvoir depuis le printemps 2012, dénoncent cette dérive vers le libéralisme économique.

Au Québec et au Canada, le parti Québec solidaire et le Nouveau Parti démocratique hésitent eux aussi sur la voie à prendre pour établir une société socialiste et démocratique, comme le montre l'ouvrage de Normand Baillargeon et de Jean-Marc Piotte[12].

Le fascisme

Le fascisme est une idéologie politique qui est apparue dans la première moitié du xxe siècle. Les bouleversements provoqués par la Première Guerre mondiale, la crise économique de 1929, l'incapacité des classes dirigeantes à faire face aux changements rapides apportés par l'industrialisation et les inquiétudes des classes moyennes sont les principaux facteurs qui ont favorisé l'apparition des mouvements réactionnaires de type fasciste dans l'entre-deux-guerres. Benito Mussolini, Adolf Hitler et Francisco Franco ont établi des régimes fascistes en Italie en 1922, en Allemagne en 1933 et en Espagne en 1939.

---

10. Courtois, Stéphane (2009). *Communisme et totalitarisme*, Paris, Éditions Perrin.
11. Voir Gallo, Max (2005). *Les clés de l'histoire contemporaine*, Paris, Fayard, en particulier le chapitre sur la troisième voie, p. 862 et suiv.
12. Baillargeon, Normand, et Jean-Marc Piotte (dir.) (2007). *Au bout de l'impasse, à gauche : Récits de vie militante et perspectives d'avenir*, Montréal, Lux.

Le fascisme est un terme galvaudé et sujet à controverses, et il existe des différences importantes entre le fascisme italien, le fascisme espagnol et le national-socialisme allemand. Toutefois, les trois possèdent un certain nombre de caractéristiques communes :

- le rejet de l'État libéral, de la modernité et du principe des libertés individuelles ;
- le rejet de l'égalitarisme politique ;
- le rejet des régimes démocratiques parlementaires ;
- la défense, en règle générale, d'un nationalisme ethnique ;
- la présence d'un leader charismatique.

Dans le fascisme italien et allemand en particulier, l'unité et la grandeur de la nation doivent s'imposer à tous et transcender les classes sociales. Il est donc nécessaire d'instituer un État national totalitaire. « Tout dans l'État, rien en dehors de l'État, rien contre l'État », comme le proclamait Mussolini dans son discours du 26 octobre 1926. Pour faire avancer leur cause et imposer leurs idées, les fascistes ont eu recours à la violence et à la terreur, particulièrement en Allemagne et en Italie.

Benito Mussolini, leader fasciste italien, participe à un rassemblement politique.

Cependant, le fascisme a eu plusieurs visages. Le fascisme allemand, incarné par le Parti nazi, s'en prenait surtout au système social existant, et notamment aux Églises. L'antisémitisme qu'il professait et qui a abouti à l'extermination de millions de Juifs était absent du fascisme italien et espagnol. Le fascisme espagnol était soutenu par les classes conservatrices et le clergé, et prônait un État catholique. De son côté, au nom du corporatisme, le fascisme italien cherchait à réorganiser les groupes de pression économiques en obligeant patrons et salariés à collaborer au sein d'organismes placés sous la surveillance de l'État.

Le fascisme en tant que régime politique disparaît presque complètement à la suite de la défaite des forces de l'Axe (Allemagne et Italie) à la fin de la Seconde Guerre mondiale, en 1945. Cependant, les mouvements d'**extrême droite** sont encore nombreux. Les mouvements opposés à l'immigration, tout particulièrement en Europe, se caractérisent par la présence d'un chef charismatique, la xénophobie et la défense des valeurs nationales traditionnelles.

Extrême droite
Idéologie politique qui s'oppose à la démocratie et vise à établir un régime autoritaire afin de maintenir la loi et l'ordre ainsi qu'à perpétuer les privilèges d'un groupe, d'une classe ou d'une race.

Les grandes idéologies de la fin du xxᵉ siècle et du début du xxıᵉ siècle

Depuis 30 ans, les conflits entre le libéralisme, le socialisme et le conservatisme se sont atténués, du moins en Occident. Pour les tenants de la modernité, les idéologies sont en voie de disparition. Il importe cependant de dire que les idéologies reflètent les changements survenant dans la société et qu'elles sont, comme nous l'avons vu au début du chapitre, un élément essentiel de l'univers politique. Elles font partie intégrante du discours politique et servent à mobiliser les individus et à donner un sens aux luttes politiques. L'expansion du néolibéralisme, de l'islamisme et de l'hindouisme témoigne au contraire de leur pérennité. Il est possible que les idéologies telles que

La modernité

La modernité est une conception évolutionniste du changement social, qui désigne un type idéal d'ordre politique et social vers lequel tendraient les sociétés ayant accompli leur révolution industrielle. Sur le plan politique, les théoriciens de la modernité postulent l'universalité d'une modernité politique qui se traduit par la rationalisation de l'autorité, la généralisation de l'État moderne, la bureaucratie, l'extension de la participation politique (démocratie représentative) et des valeurs sur lesquelles repose la démocratie occidentale, particulièrement la protection des droits et libertés. On leur reproche de vouloir imposer le modèle occidental.

nous les avons connues depuis deux siècles touchent à leur fin, mais il ne faut pas conclure que toutes les idéologies disparaîtront. De nouvelles idéologies ont fait leur apparition à la fin du XXe siècle et ont été qualifiées de « postindustrielles » par Ronald Inglehart[13].

L'écologisme

Devant des menaces environnementales de plus en plus évidentes et les préoccupations croissantes des populations par rapport à celles-ci, l'écologisme constitue une idéologie en plein développement. En Europe, les partis verts ont soulevé des questions auxquelles les gouvernants, inféodés à une conception traditionnelle du développement économique et aux idéologies, ont beaucoup de difficultés à répondre. Les défenseurs de ces causes se retrouvent tantôt au sein de nouveaux partis (comme les partis verts), tantôt dans des partis socialistes ou sociaux-démocrates établis, où ils forment souvent une minorité agissante.

La défense de l'environnement constitue leur but premier : ils s'opposent au nucléaire, aux industries polluantes, aux lourdes infrastructures routières et à la destruction des écosystèmes. Plus fondamentalement, ils veulent mettre fin à la production industrielle à outrance, à la compétition et au développement sauvage, au nom de la qualité de la vie. Notons que ces mouvements ne se contentent pas de défendre l'environnement[14]. Leur programme politique contient aussi des dispositions relatives aux droits des femmes et des minorités culturelles ainsi qu'à la diminution et au partage du temps de travail, dispositions destinées à procurer aux individus une vie plus autonome et créative. Ces mouvements et ces partis sont appuyés surtout par des électeurs de moins de 40 ans ayant un niveau d'instruction élevé et appartenant en majorité aux classes moyennes.

Élisabeth May est la première députée élue du Parti vert au Canada.

Le féminisme

Le féminisme prône l'égalité réelle des hommes et des femmes dans la vie politique comme dans la vie privée[15]. Au sens large, le féminisme s'entend comme l'ensemble des discours qui dénoncent les conditions faites aux femmes dans la société et énoncent des modalités de transformation de ces conditions et conditionnements. Le féminisme est un mouvement hétérogène dont les objectifs et les combats ont varié en fonction des conditions sociales. Revendiquant d'abord le droit de vote pour les femmes (fin du XIXe et début du XXe siècle) en Occident, les féministes ont mené une lutte sur les plans juridique, économique et culturel. Considéré comme l'un des grands mouvements idéologiques du XXe siècle, le féminisme a mis fin à la division traditionnelle des rôles ainsi qu'à la suprématie masculine dans la famille et le travail. Les succès du mouvement féministe sont variables. Dans certains pays, le mouvement fait face à l'opposition des gouvernements, des groupes religieux et des segments les plus traditionnels de la société, comme c'est le cas de l'islamisme que nous aborderons au chapitre 6, où nous traiterons des régimes autoritaires et des dictatures.

13. Inglehart, Ronald (1990). *Culture Shift in Advanced Industrial Society*, Princeton, Princeton University Press.
14. Hermet, Guy, *et al.* (2005). *Dictionnaire de la science politique et des institutions politiques*, Paris, Armand Colin, p. 208-209.
15. Voir le site Web Perspective monde de l'Université de Sherbrooke.

Occupy Wall Street – Un bilan partagé de la mondialisation

KHALID ADNANE, ÉCONOMISTE ET PROFESSEUR À L'ÉCOLE DE POLITIQUE APPLIQUÉE DE L'UNIVERSITÉ DE SHERBROOKE

Si on vous dit que depuis quelques semaines, on assiste à un mouvement de protestation sans précédent, que des milliers de personnes manifestent dans plusieurs grandes villes du pays, que les perturbations sont nombreuses dans les moyens de transport et que des arrestations massives des manifestants ont été effectuées, vous pensez spontanément à la Grèce, l'Espagne ou encore à la France ! Eh bien non, ça se passe juste à nos côtés, chez nos voisins américains. En fait, un mouvement appelé «OCCUPY WALL STREET», relativement marginal à ses débuts, prend de l'ampleur en gagnant de plus en plus de groupes, notamment syndicaux, et tend à se propager à beaucoup de grandes villes américaines. C'est un phénomène inhabituel et surprenant quand on connaît les traditions américaines en cette matière. À première vue, on serait porté à le considérer quand même comme un courant un peu idéaliste, surtout lorsqu'on voit quelques-uns des slogans anticapitalistes affichés par les manifestants. Mais, on ne doit pas s'arrêter là, car il y a lieu d'y voir une sorte d'indignation, l'expression d'un ras-le-bol de nombreuses couches de la société. D'une part, face à la détérioration constante de leur situation économique depuis les années 1980 (malgré les promesses d'une mondialisation heureuse pour tous) et, tout particulièrement, depuis la crise de 2008. D'autre part, face à leurs dirigeants politiques, impuissants à exercer un quelconque contrôle sur les marchés, notamment, les marchés financiers.

LA RÉVOLUTION NÉOLIBÉRALE OU LES TRENTE «PLUS OU MOINS» GLORIEUSES

La phase cruciale est sans aucun doute la fin des années 1970 et le début des années 1980. On assiste alors dans les pays industrialisés à un changement de paradigme important qui consistait à passer d'une vision interventionniste où les États (les pouvoirs publics) devaient agir pour réguler les activités économiques à une vision néolibérale caractérisée par la primauté du marché (jugé capable de s'autoréguler) et du retrait de l'État de la sphère économique. Aussi, cette vision s'est traduite par une vague de déréglementations qui ont touché plusieurs secteurs (notamment le secteur financier), de privatisations d'entreprises publiques, de réformes de programmes sociaux, de baisses d'impôts pour les entreprises, d'ouvertures

commerciales, etc. Ce contexte a permis entre autres à la vague de mondialisation actuelle de se développer de manière extraordinaire, toujours avec la promesse d'être heureuse pour tous. Or, aujourd'hui, force est de constater que ces trente dernières années sont loin d'avoir été «glorieuses» et que si elles l'ont été, ce n'est que pour une partie infime de la population. Plusieurs études tendent d'ailleurs à le démontrer, même au sein d'institutions comme le FMI. En fait, si la lecture des agrégats macroéconomiques, par exemple, la hausse du niveau des exportations, tend à valider l'apport positif de la mondialisation, l'exercice devient rapidement difficile dès qu'on entre dans l'analyse à un niveau micro (sectoriel). Plusieurs observateurs même parmi les libéraux convaincus, comme l'ancien économiste en chef du FMI Kenneth Rogoff, ne se gênent plus pour l'avouer : le bilan de la mondialisation est loin d'être reluisant, les gains de celle-ci ont été surestimés alors que ses coûts et risques ont été sous-estimés.

LES PERDANTS AMÉRICAINS DE LA MONDIALISATION

Il n'est donc pas étonnant de voir ce mouvement de protestation «OCCUPY WALL STREET» susciter autant d'enthousiasme. C'est que plusieurs franges de la population américaine ressentent beaucoup d'amertume face à leur situation économique et surtout, face à l'arrogance des milieux financiers, entre autres Wall Street. En effet, trois ans après l'éclatement de la crise financière de 2008 et après un déluge de milliards de dollars dépensés pour sauver des banques et des multinationales de la déroute ainsi que pour stimuler, soi-disant, l'emploi et la croissance, les résultats ne sont tout simplement pas au rendez-vous. La création d'emploi est anémique et le chômage persistant avec un taux au-dessus de 9 %. Les salaires réels sont en stagnation dans plusieurs secteurs, les conditions de travail sont de plus en plus précaires pour répondre à la nécessaire compétitivité et enfin, les programmes sociaux sont largement insuffisants. Pendant ce temps-là, les banques et multinationales sauvées par les deniers publics au prix d'un endettement considérable (dette publique à environ 100 % du PIB) continuent d'engranger des profits mirobolants trimestre après trimestre. Résultat : les inégalités explosent littéralement comme en fait foi un récent rapport du FMI sous la direction de l'économiste en chef Branko Milanovic (un rapport du Conference Board paru en septembre va dans le même sens). Globalement, si on comparait le revenu des 10 % des ménages les plus riches avec celui des 10 % les plus pauvres, le premier groupe s'accapare 42 % des revenus alors que le second récolte à peine 1 %. Par ailleurs, le coefficient de Gini, mesure se situant entre 0 et 1 pour calculer les inégalités dans une société, a augmenté dans la plupart des pays industrialisés et plus précisément aux États-Unis où il se situe à 0,38, comparativement au Danemark ou la Suède à 0,23. Mais, le plus frappant, est que le niveau de revenu des 20 % les plus riches est deux fois supérieur au revenu médian et surtout, le 1 % le plus riche aux États-Unis va chercher aujourd'hui le quart de la richesse. La directrice des statistiques à l'OCDE, Martine Durand, est catégorique : cette augmentation des inégalités, au-delà des changements au niveau social et démographique (monoparentalité, vieillissement, etc.), est d'abord le fruit des changements imposés sur le marché du travail depuis les années 1980, marché caractérisé par une compétitivité constante qui entraîne une précarité systématique. Enfin, même au Forum économique de Davos de février 2011, on a relevé que les inégalités représentaient le défi majeur pour le monde dans les années à venir.

QUELLE ALTERNATIVE ?

Quelle suite donner alors à ces revendications ? Jean-Maynard Keynes, probablement l'économiste le plus influent du xxe siècle, disait du capitalisme : « Le capitalisme international et cependant individualiste n'est pas une réussite. Il est dénué d'intelligence, de beauté, de justice, de vertu. En bref, il nous déplaît et nous commençons à le mépriser. Mais, quand nous nous demandons par quoi le remplacer, nous sommes extrêmement perplexes. » C'était en 1933, en pleine période de dépression économique, Keynes se rendait à l'évidence qu'à défaut de trouver une alternative au système capitaliste, il fallait travailler à corriger ses contradictions et ses aberrations. Il a fallu plusieurs années de travail intense pour que les États réussissent à établir un cadre leur permettant de mieux contrôler les marchés ainsi que des mécanismes permettant une meilleure redistribution de la richesse dans la société. Malheureusement, ce cadre a été perdu dans le tumulte des réformes néolibérales des années 1980 et 1990. Ce que le mouvement de « OCCUPY WALL STREET » rappelle aujourd'hui aux dirigeants, c'est qu'il faut le retrouver, le plus tôt possible ! ◀

Source : Adnane, Khalid (13 octobre 2011). « Occupy Wall Street – Un bilan partagé de la mondialisation », *Le Devoir*, [En ligne], www.ledevoir.com/economie/actualites-economiques/333435/occupy-wall-street-un-bilan-partage-de-la-mondialisation (Page consultée le 4 décembre 2012).

Du néolibéralisme, vraiment ?

JEAN-HERMAN GUAY ET LUC GODBOUT, RESPECTIVEMENT PROFESSEUR DE SCIENCE POLITIQUE ET PROFESSEUR D'ÉCONOMIE À L'UNIVERSITÉ DE SHERBROOKE

Il s'en trouve plusieurs pour avancer que le Québec s'est enfoncé dans la voie du néolibéralisme. Si oui, l'application de la pensée néolibérale devrait se traduire par une réduction de la taille de l'État et une augmentation des inégalités et de la pauvreté.

Un examen des statistiques montre que l'État québécois est plus présent qu'il y a 10 ans. En 2009, les dépenses de l'ensemble des administrations publiques (fédérale exceptée) s'élevaient à 34,5 % du PIB alors qu'elles étaient de 30,0 % en 1999.

Si la recette néolibérale avait été appliquée, les emplois dans le secteur public auraient dû chuter. Or, en 2011, on comptait quelque 783 000 emplois dans le secteur public (fédéral excepté). C'est 86 400 de plus qu'en

2002. Cette croissance des effectifs est largement supérieure à la croissance de la population au cours de la même période. Elle est également repérable dans tous les grands secteurs : de la santé et des services sociaux aux institutions d'enseignement (primaire, secondaire, collégial et universitaire).

Cela dit, l'État a-t-il abdiqué son rôle, les citoyens sont-ils laissés à eux-mêmes ?

En matière de distribution des revenus, les ratios entre les « classes » sont demeurés à peu près identiques. Si on considère les revenus après impôts et transferts de l'ensemble des unités familiales, les 20 % les plus riches gagnaient en 2001 5,0 fois plus que les 20 % les plus pauvres. En 2009, ce ratio a même chuté à

▶

4,7 fois. En comparant le revenu de chaque quintile avant et après impôts et transferts, on remarque que l'État continue de jouer son rôle de Robin des bois. Ainsi, les 20 % les plus pauvres voient le revenu qu'ils gagnent personnellement plus que doubler grâce aux différents transferts sociaux (de 6 000 $ à 14 800 $). Inversement, le groupe le plus fortuné voit ses revenus amputés après le passage de l'impôt (de 86 000 $ à 69 200 $).

En ce qui concerne la lutte contre la pauvreté, il est même possible d'observer que l'État s'y attarde plus qu'avant.

Qui sait qu'en 2010, une famille avec deux jeunes enfants n'ayant aucun revenu de travail reçoit 25 400 $ en transfert de l'État ? C'est beaucoup plus qu'avant, car cette même famille aurait reçu 16 400 $ dix ans plus tôt. Même en tenant compte de l'inflation, son pouvoir d'achat s'est accru considérablement.

Les familles, plus que les personnes seules, font l'objet d'un soutien significatif de l'État. Ainsi, lorsqu'on évalue l'incidence de la pauvreté par la mesure du panier de consommation, rien n'a bougé pour les personnes seules ; il y a toujours une personne sur quatre en situation de pauvreté en 2009 comme c'était le cas en 2000. Par contre, l'incidence de la pauvreté a fortement chuté d'une famille biparentale sur 14 à une sur 22, alors que ce ratio est passé d'une famille sur trois à une sur cinq dans le cas des monoparentales.

L'État ne se désengage donc pas, loin de là. On a donc affaire à un terrible problème de perception. À ce titre, un sondage non scientifique, mais réalisé auprès de plus de 10 000 personnes, révélait par exemple qu'un grand nombre de répondants (42 %) estiment que les libéraux ont opté pour le néolibéralisme. C'est d'ailleurs le discours de la CLASSE et de bien des porte-parole de gauche : l'État providence aurait été complètement sabordé.

Les faits les plus simples n'attestent cependant rien de tel : si certaines politiques ont des effets opposés, la place qu'occupe globalement l'État québécois dans l'économie s'est accrue. Plus important encore : l'inégalité des revenus est même en léger repli alors que l'incidence de la pauvreté a même significativement diminué pour les ménages avec enfants.

Même s'il ne fait aucun doute que les libéraux voulaient au départ réduire la taille de l'État, on aurait cependant tort de confondre leurs intentions premières avec la réalité qu'imposent les faits.

Ces chiffres devraient interpeller bon nombre de Québécois. D'abord, ils devraient rassurer ceux qui crient au loup devant le « vent néolibéral » soufflant sur le Québec. Pour ceux qui souhaitent que l'État intervienne davantage, ils devront reconnaître qu'il n'intervient pas moins qu'avant. À l'inverse, ceux qui attendaient une réduction massive de l'État confirmeront l'impression qu'ils avaient d'être restés sur leur appétit. ◀

Source : Guay, Jean-Herman, et Luc Godbout (13 août 2012). « Du néolibéralisme, vraiment ? », *La Presse*, [En ligne], www.lapresse.ca/debats/votre-opinion/201208/13/01-4564595-du-neoliberalisme-vraiment.php (Page consultée le 4 décembre 2012).

CONCEPTS CLÉS

Absolutisme **p. 44**

Compagnonnage **p. 42**

Conservatisme **p. 47**

Constitutionnalisme **p. 44**

Droite **p. 48**

Extrême droite **p. 53**

Extrême gauche **p. 51**

Fascisme **p. 52**

Féminisme **p. 54**

Gauche **p. 48**

Guilde **p. 42**

Idéologie **p. 38**

Interventionnisme **p. 39**

Libéralisme **p. 44**

Manichéisme **p. 40**

Marxisme **p. 50**

Modernité **p. 54**

Néolibéralisme **p. 44**

Parti vert **p. 54**

Social-démocratie **p. 52**

Socialisme **p. 49**

Socialisme démocratique **p. 52**

Stratification sociale **p. 42**

Ultramontanisme **p. 46**

EXERCICES

Questions d'approfondissement

1. Illustrez par un exemple concret tiré de l'actualité politique nationale (Québec-Canada) la phrase suivante : « Une idéologie est un discours simplificateur. »

2. Illustrez par un exemple concret tiré de l'actualité politique nationale (Québec-Canada) la phrase suivante : « Une idéologie est un discours manichéen. »

3. A-t-on raison d'affirmer que l'idéologie fasciste définit sa position politique en s'opposant à d'autres idéologies ? Pourquoi ?

4. Peut-on affirmer que la théorie marxiste permet de faire une analyse pertinente du fonctionnement actuel de nos sociétés ? Pourquoi ?

5. L'influence de l'écologisme, apparu à la fin du xxᵉ siècle, a-t-elle été notable ? Pourquoi ?

WWW

http://mabibliotheque.cheneliere.ca

Sujets de discussion

1. Discutez de la philosophie politique du premier ministre canadien actuel en rattachant les politiques suivies au libéralisme, au conservatisme ou au socialisme.

2. Discutez de la philosophie politique du premier ministre québécois actuel en rattachant les politiques suivies au libéralisme, au conservatisme ou au socialisme.

3. Classez les différents partis politiques canadiens en fonction de leur appartenance idéologique (libéralisme, conservatisme, socialisme, etc.) et de leur position sur l'axe idéologique gauche-droite.

4. Classez les différents partis politiques québécois en fonction de leur appartenance idéologique (libéralisme, conservatisme, socialisme, etc.) et de leur position sur l'axe idéologique gauche-droite.

LECTURES SUGGÉRÉES

BAILLARGEON, Normand, et Jean-Marc PIOTTE (dir.). *Au bout de l'impasse, à gauche. Récits de vie militante et perspectives d'avenir,* Montréal, Lux, 2007.

CHATELET, François, Olivier DUHAMEL et Évelyne PISIER-KOUCHNER. *Dictionnaire des idées politiques,* Paris, PUF, 2001.

CHEVALIER, Jean-Jacques, et Yves GUCHER. *Les grandes œuvres politiques de Machiavel à nos jours,* Paris, Armand Colin, 2001.

JUDT, Tony. *Retour sur le xxᵉ siècle. Une histoire de la pensée contemporaine,* Paris, Éditions Héloise d'Ormesson, 2010.

LAMONDE, Yvan. *Histoire sociale des idées au Québec,* tome 1, Montréal, Fides, 2000, et tome 2, Montréal, Fides, 2004.

MANENT, Pierre. *Cours familier de philosophie politique,* Paris, Gallimard, 2001.

MONIÈRE, Denis. *Le développement des idéologies au Québec, des origines à nos jours,* Montréal, Québec Amérique, 2006.

MUHLMANN, Géraldine, Évelyne PISIER, François CHÂTELET et Olivier DUHAMEL. *Histoire des idées politiques,* Paris, PUF, 2012.

NOËL, Alain, et Jean-Philippe THÉRIEN. *La gauche et la droite,* Montréal, Les Presses de l'Université de Montréal, 2010.

PIOTTE, Jean-Marc. *Les grands penseurs du monde occidental,* Montréal, Fides, 2005.

PIOTTE, Jean-Marc. *Les neuf clés de la modernité,* Montréal, Québec Amérique, 2007.

SOWELL, Thomas. *Intellectuals and society,* New York, Baic Books, 2011.

VACHET, André. *L'idéologie libérale,* Ottawa, Presses de l'Université d'Ottawa, 1999.

LE CITOYEN ET LE RÉGIME

L'autorité et la légitimité : l'État et le citoyen

Gouvernement
Groupe de personnes qui, dans une société, a l'autorité d'agir au nom de l'État.

Dans les chapitres précédents, nous avons traité de l'apparition de l'État ainsi que de ses rôles et fonctions, du nationalisme et des grandes idéologies politiques. Pour ce faire, nous avons inscrit notre propos dans une perspective universelle par des exemples provenant de plusieurs continents. Les décisions des États sont largement déterminées par leur organisation et le type d'institutions politiques qu'ils ont. Dans le présent chapitre, nous étudierons les relations entre les citoyens et l'État ; dans les chapitres ultérieurs, nous concentrerons notre attention sur les systèmes et les régimes politiques.

L'autorité de l'État et des gouvernements

Toute société possède un gouvernement qui prend des décisions au nom de la communauté et qui définit les politiques. En un certain sens, un gouvernement est unique, car il est la seule entité qui peut prendre des décisions au nom de la collectivité. De son côté, le citoyen a pour devoir de respecter, et donc d'accepter les décisions du gouvernement. D'autres groupes ont la capacité d'imposer leurs volontés ; par conséquent, ils exercent aussi un pouvoir. Par exemple, l'entreprise Bombardier Produits Récréatifs (BPR) de Valcourt peut faire pression sur les gouvernements canadien et québécois afin d'obtenir des avantages fiscaux en échange de l'ouverture ou du maintien d'une usine au Canada ; de même, un syndicat peut forcer un employeur à augmenter les salaires, sous peine de déclencher une grève coûteuse. Dans ces cas, les acteurs en cause exercent diverses formes de pouvoir (*voir le chapitre 1*), soit l'influence-incitation pour Bombardier (en raison des retombées politiques du maintien ou de l'ouverture de l'usine), soit l'injonction-coercition pour le syndicat (en raison de la menace de grève). Par contre, le gouvernement, lui, possède un pouvoir différent : l'autorité.

L'autorité

L'autorité est un pouvoir qui découle de l'acceptation générale des deux principes suivants :

- Une personne ou un groupe ont le droit de dicter certains types d'ordres.
- Ces ordres doivent être observés. Si une personne ne se soumet pas à l'autorité, sa conduite est socialement et politiquement inacceptable.

Dans une société, des individus ou des groupes exercent une autorité dans des sphères d'activité déterminées, mais limitées. Ainsi, les parents ont l'autorité nécessaire pour imposer une heure de coucher à leur jeune enfant et pour accepter ou rejeter ses compagnons de jeu. Toutefois, à mesure que l'enfant grandit, l'autorité parentale s'amenuise jusqu'à devenir nulle. Un professeur possède l'autorité nécessaire pour imposer des travaux aux étudiants, mais il ne peut décider avec qui ils sortiront ou pour quel candidat ils voteront.

Un gouvernement est une entité unique dans la société en ce que son pouvoir repose entièrement sur l'autorité et que l'étendue de celle-ci est illimitée, théoriquement du moins. À ce sujet, nous devons distinguer deux types d'État.

La plupart des sociétés fixent des limites à l'autorité des États et des gouvernements. Par exemple, la *Charte canadienne des droits et libertés* et la *Charte des droits et libertés de la personne* interdisent à l'État de s'ingérer dans les pratiques religieuses et la vie privée des individus, d'adopter des lois discriminantes, etc. Ce sont des États dont les pouvoirs sont limités par la Constitution.

Pourtant, dans bien des pays, les gouvernements se sont un jour ou l'autre arrogé une autorité pour imposer une religion aux gens, pour dicter quoi dire et ne pas dire, pour interdire certaines pratiques sexuelles, etc. Ces gouvernements ont tenté de contrôler la majeure partie des activités humaines, ce qui a engendré des États et des régimes totalitaires.

Les gouvernements ou les États tentent ou ont tenté dans le passé d'assujettir à leur autorité toutes les formes d'activité humaine. Cependant, dans beaucoup de sociétés, ces pouvoirs ont été balisés par des mécanismes institutionnels. Le gouvernement est donc une entité à part dans la société, du fait que son pouvoir s'appuie entièrement sur l'autorité et que, potentiellement du moins, il peut exercer celle-ci dans toutes les sphères d'activité.

La diminution du recours à la contrainte

L'autorité est une forme de pouvoir particulièrement efficace. Elle peut reposer sur la contrainte physique (répression militaire ou policière) et l'utilisation du pouvoir d'injonction-coercition, comme nous l'avons vu au chapitre 1. En revanche, si les individus font ce que le gouvernement leur demande, sans qu'il faille les contraindre ni les persuader, la gestion de la société en est facilitée et simplifiée. C'est pourquoi l'autorité est un des facteurs qui font de l'État

---

POUR ALLER PLUS LOIN

L'autorité politique

Sous une perspective plus générale, l'autorité permet d'obtenir de l'individu une certaine obéissance sans qu'il soit nécessaire de faire appel à la violence ou à la contrainte physique. Dans une société, le concept d'autorité désigne le fait, pour un détenteur de pouvoir, de conduire tant les individus que les groupes à lui reconnaître une supériorité dans ses fonctions de commandement. C'est en vertu de l'autorité dont ils sont investis qu'un chef et un gouvernement réussissent à obtenir l'obéissance des citoyens. En science politique, le concept d'autorité désigne une forme de pouvoir d'influence-incitation fondée sur le statut, la compétence ou encore le charisme de la personne.

Lorsque des individus, pour faire valoir leur point de vue, manifestent illégalement ou encore usent de la violence, ils défient l'autorité de l'État. S'ils sont tolérés, de tels actes fragilisent l'autorité du gouvernement et de l'État, comme lors des manifestations d'une rare violence en Grèce contre les coupes budgétaires draconiennes imposées par le gouvernement à l'été 2012.

moderne une organisation politique très efficace : elle permet à l'État d'obtenir obéissance sans avoir à recourir régulièrement à ces moyens coûteux – en temps et en argent – que sont la contrainte et la persuasion.

Le principe d'obéissance à l'autorité

Les individus se soumettent à l'autorité de l'État. La désobéissance à cette autorité constitue par définition un acte illégal et, par conséquent, exceptionnel. Le plus étonnant, somme toute, c'est de constater que peu d'individus commettent des vols, excèdent les limites de vitesse ou se soustraient à l'impôt.

C'est l'autorité qui permet la bonne marche du système de commandement et d'obéissance, tant et si bien que l'État moderne nous apparaît comme la forme la plus naturelle d'organisation politique. Or, l'autorité n'est pas une chose acquise et immuable ; elle comporte des degrés et dépend d'un consensus. Il n'y aura probablement jamais d'État où tous, sans exception, accepteront l'existence et l'étendue de l'autorité de l'État. Il arrive souvent qu'une partie de la population nie que l'État ait le droit de prendre certaines décisions et qu'il ait l'autorité suffisante pour le faire. Si l'opposition devient trop forte, l'État se fragilise. En 1920, le gouvernement américain a interdit la consommation d'alcool (prohibition). Tellement de gens ont alors bravé l'autorité de l'État qu'il est devenu impossible de faire respecter la loi et qu'il a fallu l'annuler. Au Québec, au printemps 2012, le gouvernement a eu recours à une loi spéciale – la *Loi permettant aux étudiants de recevoir l'enseignement dispensé par les établissements de niveau postsecondaire qu'ils fréquentent* – afin de limiter les manifestations contre sa décision d'augmenter les frais de scolarité. Cette loi limitait entre autres le droit de manifester en ce qu'elle obligeait les organisateurs à transmettre aux corps policiers le lieu, la date et l'itinéraire de la manifestation au moins huit heures avant l'événement. Cette loi a été abrogée par le nouveau gouvernement du Parti québécois, le 20 septembre 2012. Cela a soulevé l'épineuse question du droit à la désobéissance civile vis-à-vis de l'État (*voir le texte à l'étude du philosophe et professeur Guy Durand, page 78*).

La révolution des Œillets à Lisbonne, au Portugal, le 1er mai 1974. Les soldats ont provoqué un coup d'État pacifique avec un oeillet sur leur fusil.

La légitimité et l'autorité

Comme nous venons de le voir, l'élément moteur de l'État – et de son bon fonctionnement – est l'autorité qu'exerce le gouvernement sur les citoyens. Paradoxalement, cette autorité n'existe que parce que la population en général croit à son existence et en son bien-fondé. Si l'autorité ne suffisait plus, un gouvernement pourrait recourir à la contrainte, mais à un prix tel qu'il devrait à la longue renoncer à l'employer. Soulignons aussi que même un régime autoritaire ou une dictature qui ne détient pas une certaine portion d'autorité ne peut se maintenir longtemps au pouvoir.

Il est donc essentiel pour les gouvernants politiques qu'un grand nombre de citoyens croient qu'ils disposent de l'autorité et qu'ils la possèdent légitimement. Cette croyance, dans la mesure où elle existe, détermine la légitimité d'un gouvernement. Il n'y a cependant pas de pays où l'ensemble de la population considère l'État comme totalement légitime. La légitimité, comme l'autorité, est une question de degré. Retenons que la légitimité est une croyance et qu'elle se fonde sur la conviction que les autorités du pays sont investies du pouvoir de prendre des décisions et que les citoyens doivent ensuite les respecter. Il se trouvera toujours quelqu'un, quelque part, pour contester la légitimité du gouvernement ou de ses actes. Cependant, lorsque la contestation prend de l'ampleur et que de très nombreux groupes sociaux se mobilisent, il se produit une crise de légitimité qui peut aboutir à une révolution, c'est-à-dire à un changement brusque de régime politique. En 1989 et 1991, des crises de légitimité ont entraîné la disparition des régimes communistes partout en Europe de l'Est ainsi que l'éclatement et la disparition de l'Union des républiques socialistes soviétiques (URSS), qui était pourtant, à l'époque, la deuxième puissance militaire au monde. Plus récemment, lors des manifestations du printemps arabe en 2011, les régimes autoritaires de l'Égypte et de la Tunisie ont été renversés.

La légitimité est le caractère d'un pouvoir qui repose non pas sur la coercition, mais sur le consentement libre des citoyens. Plus généralement, est légitime dans nos sociétés ce qui est fondé en droit, en justice et en équité, et qui reflète des valeurs, des croyances et des convictions largement partagées (*voir le texte à l'étude sur la typologie du concept de légitimité du sociologue allemand Max Weber, page 80*). Il y a crise de légitimité lorsqu'une grande partie des citoyens met en cause les valeurs de base du régime politique et, par la suite, conteste l'autorité des gouvernants. En résumé, voici les principales fonctions de l'autorité et de la légitimité dans un système politique :

- L'autorité réduit le recours à la contrainte physique.
- L'autorité permet à l'État et au gouvernement d'obtenir plus facilement le consentement de ses citoyens et le règlement des conflits.
- La légitimité permet le maintien d'un régime politique.

Les facteurs de la légitimité

Comment un gouvernement obtient-il un degré suffisant de légitimité ? L'allégeance des citoyens au gouvernement dépend de quatre facteurs : les résultats, l'habitude, la personnalisation du pouvoir et les procédures de désignation.

POUR ALLER PLUS LOIN

Coup d'État : synonyme de putsch

Le coup d'État est une tentative, réussie ou non, visant la prise du pouvoir politique par des moyens inconstitutionnels ou illégaux, ou par l'utilisation de la force et de la violence. Dans la plupart des cas, les coups d'État sont exécutés par un groupe d'officiers militaires (révolution des Œillets de 1974, au Portugal) ou l'armée (coup d'État de l'armée chilienne en 1973). Les pays de l'Amérique latine ont été particulièrement touchés par des coups d'État fomentés par des militaires. En deux siècles d'existence, la Bolivie a connu 200 putschs réussis ou avortés. En Afrique, de très nombreux coups d'État ont eu lieu. De 2005 à 2012, quatre putschs ont été réalisés en Mauritanie, à Madagascar, au Mali et en Guinée-Bissau. Les coups d'État peuvent aussi être perpétrés par des civils extérieurs à l'État, tels que des membres d'un mouvement révolutionnaire (coup d'État de Lénine en Russie, en octobre 1917 ; coup d'État de Prague, en 1947, exécuté par le Parti communiste).

Les résultats en tant que source de légitimité

D'abord et avant tout, un gouvernement obtient et conserve sa légitimité s'il est en mesure d'assurer l'ordre et la sécurité physique des individus, la protection contre les invasions, la croissance économique, etc. S'il est incapable de le faire, il risque de faire face rapidement à une contestation.

À la suite de l'invasion de l'Irak, en 2003, par les États-Unis et une coalition d'autres pays, Saddam Hussein est arrêté en décembre 2003 et exécuté par pendaison en 2006.

Le régime d'Adolf Hitler fournit un exemple classique de légitimité fondée sur les résultats. En 1933, Hitler a accédé au pouvoir de façon légale, mais au moyen de manœuvres suspectes et avec l'appui d'une faible majorité de l'électorat. Le Parti nazi n'a jamais récolté plus de 37 % des voix aux élections libres. Même si ce pourcentage suffisait à en faire le plus important parti du pays, cela ne lui donnait certainement pas le mandat d'établir une dictature et d'imposer un régime totalitaire. À son arrivée au pouvoir, Hitler pouvait compter sur l'appui d'un tiers des Allemands seulement ; les forces vives du pays – c'est-à-dire les syndicats, les intellectuels, les autorités religieuses et l'état-major de l'armée allemande – étaient liguées contre lui. Cependant, ses premières actions politiques lui ont permis de raffermir son emprise et d'obtenir une certaine légitimité à la fin des années 1930. Hitler a ainsi réduit le chômage, remis en question les clauses humiliantes des traités de Versailles, rendu à l'Allemagne son statut de grande puissance et construit un réseau d'autoroutes ; il a même eu l'idée de la Volkswagen, la «voiture du peuple». Ces réalisations lui ont valu l'appui massif des Allemands, en dépit de la suppression des droits et libertés, de la persécution des Juifs et de la brutalité des membres du Parti nazi. À la fin des années 1930, il aurait probablement été impossible de renverser Hitler.

L'habitude en tant que source de légitimité

Lorsqu'un gouvernement est au pouvoir depuis un certain temps, les citoyens ont pris l'habitude d'obéir aux lois et aux mesures adoptées. Ils s'attendent à être dirigés par un gouvernement ou un autre et sont donc enclins à reconnaître la légitimité de celui qui est en place (à moins qu'une crise survienne ou qu'une force étrangère, tel un autre État, menace le pays). Autrement dit, un gouvernement qui existe depuis longtemps et auquel les gens sont accoutumés d'obéir n'a plus à justifier constamment son existence et son autorité. Le fardeau de la preuve incombe plutôt à quiconque propose un autre genre de gouvernement. Le gouvernement existant demeure légitime tant qu'une solution de rechange plus attrayante n'apparaît pas. Il ne faut pas sous-estimer l'importance de l'habitude comme facteur de maintien des pouvoirs politiques.

Personnalisation du pouvoir
Mise en vedette et prééminence d'un chef politique. Les techniques de communication de masse contribuent à mettre en évidence les «personnalités exceptionnelles» en insistant sur la compétence et les qualités hors du commun de ces dernières.

La personnalisation du pouvoir en tant que source de légitimité

De nombreux gouvernants affermissent et renforcent leur légitimité en entretenant des liens personnels et affectifs avec les citoyens. Ces liens peuvent être de nature historique, religieuse et ethnique. On dit alors qu'il y a **personnalisation du pouvoir**.

Ce phénomène est particulièrement marqué lors de la formation d'un nouvel État[1], car à ce moment, la population ne s'est pas encore habituée à considérer le gouvernement comme légitime. De plus, les problèmes sociaux, économiques et administratifs – création d'une toute nouvelle fonction publique – sont alors si nombreux que le gouvernement ne peut compter sur les résultats pour établir sa légitimité.

Dans de nombreux nouveaux États, le gouvernement et les nouveaux dirigeants parviennent à se ménager un délai grâce au prestige qu'ils ont acquis en réalisant l'indépendance. Ainsi, lors de la guerre d'Indépendance américaine (1775-1783), les citoyens ont surnommé George Washington le «père de la nation» après sa victoire comme commandant de l'armée révolutionnaire. Portés par cette vague, Washington et ses hommes ont dirigé le gouvernement des États-Unis pendant une vingtaine d'années. Au cours de cette période, ils ont eu les coudées franches pour rédiger la Constitution et habituer la population à s'y conformer.

Durant la période de la décolonisation (1947-1960), le Parti du Congrès en Inde, le parti de Julius Nyerere en Tanzanie, le Front de libération nationale en Algérie et l'ANC (Congrès national africain) de Nelson Mandela, qui avait lutté contre l'apartheid en Afrique du Sud, ont bénéficié d'une «lune de miel» pendant laquelle ils ont fait accepter leur autorité. Leurs dirigeants étaient perçus comme les pères de l'indépendance de leur nation. Toutefois, dans des cas extrêmes, cette personnalisation du pouvoir peut aboutir à un **culte de la personnalité**. Le culte de la personnalité s'est développé entre autres en Italie sous Mussolini (1883-1945), en Allemagne sous Hitler (1889-1945), en Chine sous Mao Tsé-toung (1893-1976) et en Corée du Nord sous Kim Il-sung, son fils et son petit-fils, Kim Jong-un, qui succède à son père en 2012. Les régimes dictatoriaux imposés par Saddam Hussein en Irak, de 1979 à 2003, et Kadhafi en Libye, de 1971 à 2011, ont aussi donné lieu à des cultes de la personnalité.

Culte de la personnalité
Personnalisation du pouvoir poussée à l'extrême. La propagande d'État fait du leader une figure surnaturelle et mystique. On l'observe dans les régimes autoritaires et totalitaires.

Les procédures de désignation en tant que source de légitimité

Les gouvernements peuvent faire reposer leur légitimité sur les procédures de désignation qui les ont portés au pouvoir. Ils jouissent, dès le début, d'un capital de légitimité.

La démocratie électorale comme source de légitimité. Le mode de désignation des dirigeants dans les démocraties est à la base de la légitimité. Les démocraties sont des États où tous les citoyens choisissent les gouvernants et prennent part, dans une certaine mesure, à l'élaboration des politiques. Les gouvernements démocratiques se forment le plus souvent à la suite d'une élection libre et multipartite : tous les citoyens en âge de le faire peuvent voter pour choisir l'équipe qui les dirigera. Le gouvernement élu est celui qui a gagné le plus d'appuis et qui, par conséquent, a obtenu la légitimité de diriger. Il devient le gouvernement du peuple, conformément à l'étymologie du mot «démocratie».

POUR ALLER PLUS LOIN

L'apartheid

L'apartheid est une politique de ségrégation raciale mise en place en Afrique du Sud par la minorité blanche, de 1948 à 1991. Cette politique était basée sur le principe de la séparation entre la minorité blanche et la majorité noire, et avait pour but de maintenir le pouvoir ainsi que la pureté morale et raciale des Afrikaners (d'origine européenne). De nombreuses lois ont été édictées afin de séparer racialement les différents secteurs de la vie sociale (éducation, logement, sports et loisirs). Dépourvue de droits politiques, la majorité noire était confinée dans des zones de résidence et de travail, et était contrainte de porter en permanence un passeport intérieur.

---

1. Ce fut notamment le cas lors de la période de décolonisation (1947-1960), qui permit aux pays d'Afrique et d'Asie d'obtenir leur indépendance et de créer de nouveaux États.

C'est le large consensus autour du processus électoral qui est à la base de la légitimité dans une démocratie. On peut détester tel ou tel dirigeant, ou encore critiquer ses politiques, mais on ne peut guère lui contester le droit de gouverner puisqu'il a été choisi selon la procédure acceptée et reconnue par tous les partis politiques.

Une procédure retenue et pratiquée même dans les régimes autoritaires. Rien, aujourd'hui, ne répond mieux que le gouvernement démocratique à l'idée qu'on se fait d'une légitimité fondée sur des procédures de désignation. Cela est tellement vrai, d'ailleurs, que de nombreuses dictatures procèdent à des élections truquées pour raffermir leur autorité.

Les quatre dirigeants arabes déchus lors du 2e Sommet afro-arabe, en octobre 2010. À cette époque, rien ne laissait présager la révolte arabe du printemps 2011.

Par contre, le caractère frauduleux de ces élections remet en cause la légitimité des dirigeants ainsi désignés. À l'époque où les communications électroniques et les téléphones cellulaires facilitent la mobilisation des contestataires, ces régimes autoritaires perdent le contrôle de l'information, ce qui accroît les crises de légitimité. Les événements du printemps arabe de 2011 nous en ont donné une bonne illustration. À ce moment, quatre dirigeants ont été destitués : Ben Ali de la Tunisie, le président yéménite Ali Abdullah Saleh, le leader libyen Mouammar Kadhafi et le président de l'Égypte, Hosni Moubarak.

Les autres types de désignation. D'autres procédures de désignation peuvent servir de fondement à la légitimité ; la seule chose qui importe, c'est que la méthode soit considérée comme appropriée et qu'elle soit acceptée par une très large majorité de la population. Il y a quelques siècles, il était généralement admis que l'hérédité constituait la meilleure méthode de transmission du pouvoir : c'était la monarchie de droit divin. À la mort d'un roi, son héritier montait sur le trône. Si un roi mourait sans laisser d'héritier reconnu, le pays était parfois plongé dans une guerre de succession. Encore aujourd'hui, dans certains royaumes comme le Maroc, l'Arabie Saoudite ou la Jordanie, la légitimité repose sur le principe monarchique.

À l'époque des régimes communistes en Europe de l'Est et en Russie (1945-1990), on estimait que seul le parti communiste représentait les intérêts de l'ensemble de la population. Les dirigeants étaient choisis par une petite élite de membres du parti que l'on considérait comme des citoyens consciemment supérieurs.

Comme nous venons de le constater, les notions d'autorité et de légitimité reposent essentiellement sur les relations entre l'État et les citoyens. À cet égard, les démocraties modernes soulèvent une question intéressante : pour qu'un régime démocratique puisse fonctionner convenablement, quel type de rapports et de liens doit-il exister entre l'État et ses citoyens ?

Le citoyen démocrate

La démocratie exige plus que la seule obéissance : elle requiert la participation des citoyens. Nous avons vu précédemment que la légitimité suffit, à des degrés divers, à garantir l'autorité, c'est-à-dire l'obéissance aux lois.

Toutefois, certains États non démocratiques exigent eux aussi plus que l'obéissance des citoyens. Ils veulent que les citoyens se mobilisent pour manifester leur appui et leur approbation constante au régime politique en place. Hitler a créé un cérémonial et un rituel spectaculaires autour des dignitaires, organisé d'immenses rassemblements et embrigadé la jeunesse allemande dans des réseaux de clubs sportifs afin de les inféoder au régime nazi. De même, l'ex-URSS et les autres pays communistes se sont toujours appliqués à susciter l'enthousiasme de la population au moyen de rassemblements, de groupes de discussion, de défilés et de propagande, même si tous les candidats aux élections appartenaient au même parti. Le contrôle et la mobilisation de tous les segments de la population caractérisent ces régimes. Comme le souligne le politologue québécois Jacques Lévesque[2], spécialiste des pays communistes et de la Russie, dans ce type de régime politique, le parti est le pivot du pouvoir charismatique, l'instigateur du développement et l'auteur des miracles économiques. Les plans quinquennaux et la collectivisation de l'agriculture sous Staline en URSS (1879-1953), le Grand Bond en avant en Chine et la Grande Zafra de Fidel Castro à Cuba illustrent très bien ce phénomène.

Par contre, dans un État démocratique, le citoyen n'est pas au service du régime politique. Non seulement on souhaite que le citoyen obéisse aux lois, mais on veut en plus qu'il soit critique. On lui demande, d'une part, de se soumettre à l'autorité légitime et démocratique des gouvernants et, d'autre part, de faire preuve à leur égard d'un esprit critique, de participer activement à la vie politique et, à la limite, de manifester une forte opposition afin de créer un système d'alternance, c'est-à-dire de changer régulièrement de gouvernement. Concilier ces attentes n'a rien de simple et exige une connaissance éclairée des phénomènes politiques.

Quelles qualités ou quels comportements le « citoyen démocrate » doit-il avoir ? Les éléments ci-après vont nous permettre d'évaluer le degré et le niveau de la démocratie atteint dans certaines sociétés.

La tolérance

Pour que les différents groupes puissent faire valoir leurs opinions, il faut que la majorité de la population admette la diversité. Une démocratie n'est pas viable si l'on empêche les gens de formuler des demandes ou des opinions impopulaires. Les citoyens doivent donc manifester un minimum de tolérance envers les différentes communautés ethniques, et aussi envers les comportements sociaux, les religions et croyances politiques qui diffèrent des leurs. La majorité des citoyens d'une démocratie doit à tout le moins accepter que les divers groupes minoritaires s'expriment librement. Sinon, le choix entre différentes options politiques n'est pas respecté.

La participation active

La démocratie exige du citoyen qu'il fasse plus qu'obéir aux lois votées par le gouvernement. Puisque, dans une démocratie, l'autorité est une lame à deux tranchants, le citoyen doit exécuter des actions politiques concrètes pour exercer son autorité sur le gouvernement. Il doit au moins voter aux élections. En outre, il importe qu'il tâche d'influencer le gouvernement, qu'il manifeste son opposition, qu'il fasse partie de groupes de pression, etc. Si le citoyen néglige ces devoirs, la démocratie est menacée. Le gouvernement aura de l'autorité sur les citoyens, mais pas l'inverse, comme dans les régimes autoritaires.

---

2. Lévesque, Jacques (1995). *1989 : la fin d'un Empire*, Paris, Presses de Science Po.

L'intérêt et l'information

Pour que les citoyens participent activement à la vie politique, ils doivent s'informer de façon à pouvoir mieux influencer les gouvernants et, surtout, savoir comment et sur qui exercer des pressions.

La confiance envers l'État et ses institutions

Les trois caractéristiques précédentes permettent aux citoyens d'exercer leur autorité sur les gouvernements. Or, la démocratie exige aussi que le gouvernement conserve son autorité sur les citoyens, malgré leurs réticences ou leur opposition. Pour que l'équilibre se maintienne, les citoyens doivent non seulement accorder leur confiance et leur appui à l'État (au régime politique, à ses institutions et aux procédures de désignation), mais aussi demeurer critiques. Le niveau de confiance dans les institutions politiques ne doit pas être confondu avec la proportion de gens qui approuvent ou désapprouvent les politiques des gouvernements ou les façons dont les dirigeants résolvent les nombreux problèmes sociaux (logement, chômage, santé, éducation, etc.).

Le citoyen démocrate : de l'idéal aux réalités

Comme nous pouvons le constater, le citoyen d'une société démocratique doit faire preuve de tolérance, participer activement à la vie politique, s'informer et avoir confiance dans les institutions politiques ; mais dans les faits, qu'en est-il ?

La tolérance

Les citoyens de la plupart des démocraties se disent spontanément d'accord avec des principes tels que celui du droit des minorités à la libre expression. Cependant, pour ce qui est d'appliquer ce principe dans les faits, c'est une autre histoire.

Ainsi, bon nombre de personnes pensent qu'il faudrait interdire à ceux qu'ils jugent inaptes ou dangereux le droit de participer au processus électoral. À l'occasion d'une étude réalisée en 1987 aux États-Unis[3], des chercheurs ont demandé aux gens de désigner le groupe politique qu'ils aimaient le moins parmi une liste comprenant par exemple les *skinheads*, les homosexuels militants, les humanistes agnostiques, l'American Civil Liberties Union et le Ku Klux Klan. Les chercheurs ont ensuite posé aux répondants quelques questions à propos des droits du groupe choisi en matière de participation politique. Vingt-sept pour cent seulement des répondants jugeaient que les membres du groupe qu'ils détestaient devraient avoir le droit de devenir président des États-Unis. Par ailleurs, seulement 18 % des répondants estimaient que les membres de ce groupe devraient avoir le droit d'enseigner dans les écoles publiques. Enfin, 32 % jugeaient que le groupe ne devrait pas être proscrit. Une étude analogue réalisée en Israël en 1985 a montré que les Israéliens étaient encore moins tolérants que les Américains en regard des mêmes questions.

---

3. Sullivan, John L., Pat Walsh, Michal Shamir, David G. Barnum et James L. Gibson (janvier 1993). « Why Politicians Are More Tolerant : Selective Recruitment and Socialization Among Political Elite in Britain, Israel, New Zealand and the United States », *British Journal of Political Science*, n° 23, p. 60.

Au Québec, une enquête internationale[4] du Groupe de recherche sur le racisme de l'Université de Sherbrooke (GRRUS), dirigée par les politologues québécois Pierre Binette et Jean Herman Guay et portant sur la discrimination raciale, la xénophobie et l'intolérance chez les jeunes de 12 à 15 ans provenant d'une vingtaine de pays, indique qu'une majorité (67 %) de jeunes affirment être tolérants. Toutefois, cette étude révèle que pas moins de 33 % des jeunes interrogés éprouvent de la réticence à admettre dans leur entourage une personne d'une autre race ou ethnie. De plus, cette enquête indique que les filles acceptent plus volontiers que les garçons l'intégration, dans leur milieu de vie, de gens d'une autre couleur de peau, d'une autre religion ou d'une autre langue maternelle.

Lors des audiences de la commission Bouchard-Taylor, à l'automne 2007, les Québécois ont pu exprimer leurs points de vue à propos des pratiques d'accommodement raisonnable.

À l'occasion d'un vaste sondage[5] sur les accommodements raisonnables mené à l'automne 2007 au Québec, les chercheurs ont constaté que 65 % des personnes sondées estimaient que les accommodements consentis aux minorités religieuses étaient trop importants. Chez les Québécois francophones, cette proportion atteignait 72 %. Par contre, 68 % des personnes sondées étaient opposées à ce qu'on retire le crucifix de l'enceinte de l'Assemblée nationale du Québec. Il est intéressant de noter que, dans ce sondage, un véritable fossé existe entre les générations. Ainsi, 57 % des jeunes (18-24 ans) trouvaient qu'on avait accordé juste assez d'accommodements ou trop peu. De plus, 72 % de ce groupe acceptait le port du hidjab à l'école et dans les services publics, et 51 % d'entre eux approuvaient le port du turban dans la Gendarmerie royale du Canada. Chez les plus âgés, l'opposition au port du hidjab et du turban atteignait plus de 85 %.

La participation active

Les citoyens d'une démocratie devraient à tout le moins voter aux élections. Il faut aussi, pour que la démocratie fonctionne bien, que non seulement un nombre important de citoyens votent, mais aussi qu'ils soient politiquement actifs en faisant partie de groupes de pression ou de groupes communautaires, en accomplissant des tâches exigeantes comme écrire des lettres d'opinion, en s'engageant dans des partis politiques et en prenant part aux campagnes électorales.

Le tableau **4.1**, à la page suivante, présente les résultats d'un sondage réalisé aux États-Unis au sujet de la participation à la vie politique. Gardez à l'esprit, en considérant ce tableau, qu'un nombre notable des personnes interrogées exagèrent leur participation. Ainsi, 70 %

Manifestation étudiante de 2012 (Carrés rouges). Les étudiants universitaires et collégiaux revendiquent la gratuité scolaire.

---

4. Binette, Pierre (21 mars 2002). *Racisme, xénophobie et intolérance : des données encourageantes, mais aussi des attitudes persistantes chez les jeunes aux quatre coins du monde*, conférence présentée dans le cadre de la table ronde « Les jeunes contre le racisme : sur la voie de Durban », organisée par le Haut-Commissariat aux droits de l'homme des Nations Unies, Palais des Nations, Genève.
5. Sondage SOM pour le journal *La Presse*, 9 octobre 2007.

des répondants ont affirmé avoir voté à l'élection présidentielle de 1992 alors que le taux réel de participation au scrutin a été de seulement 50,2 %. Ces chiffres donnent tout de même une idée de la fréquence relative à laquelle les gens ont participé.

TABLEAU 4.1 | LE POURCENTAGE D'AMÉRICAINS AYANT DIT AVOIR PARTICIPÉ À SEPT FORMES D'ACTION POLITIQUE

Action politique	Pourcentage
1. Ont voté à la dernière élection présidentielle.	70
2. Ont participé à la dernière campagne électorale.	8
3. Ont contribué au financement d'un parti au cours de la dernière campagne électorale.	24
4. Ont communiqué avec un membre du gouvernement au cours de la dernière année.	34
5. Ont assisté à une manifestation au cours des deux dernières années.	6
6. Ont travaillé à titre officieux avec des concitoyens à résoudre un problème communautaire au cours de la dernière année.	17
7. Ont siégé à titre bénévole à un conseil d'administration local ou assisté régulièrement à des réunions d'un conseil d'administration au cours des deux dernières années.	3

Source : Verba, Sidney Kay, Lehman Schlozman et Henry E. Brady (1995). *Voice and Equality : Civic Voluntarism in American Politics*, Cambridge, MA, Harvard University Press, p. 51.

La participation des personnes interrogées doit-elle être jugée faible ou forte ? Si l'on considère ce que la démocratie devrait être, ces personnes font mauvaise figure. Seulement 17 % d'entre elles (ou moins, étant donné l'exagération) se sont occupées de résoudre un problème local avec l'aide d'autres citoyens. En revanche, si l'on tient compte de ce qu'on peut raisonnablement demander, les chiffres témoignent d'une participation importante.

Le tableau **4.2** met en parallèle les démocraties avancées (États-Unis, Canada et France) et les jeunes démocraties (Mexique, Inde et Ghana) à l'égard de la participation politique. Nous retenons de ces données que dans les démocraties avancées, les citoyens ont beaucoup plus tendance à accomplir des actes politiques individuels, comme signer des pétitions, se joindre à un boycott ou participer à une manifestation pacifique. Ces différences font voir que globalement, la participation politique est plus faible dans les États où la démocratie est dépourvue de racines profondes. De plus, les tensions et les conflits sont beaucoup plus intenses dans ces pays, ce qui explique que la participation politique a tendance à prendre des formes plus agressives et violentes, comme l'occupation de bâtiments ou d'usines.

TABLEAU 4.2 | LE POURCENTAGE DE PERSONNES AYANT PARTICIPÉ À DES ACTIVITÉS POLITIQUES AUTRES QUE LE SEUL EXERCICE DU DROIT DE VOTE

Activité politique	États-Unis	Canada	France	Mexique	Inde	Ghana
Signer une pétition	70	73	67	21	29	4
Participer à un boycott	20	24	14	3	15	2
Participer à une manifestation pacifique	15	26	38	16	19	9

Source : World values survey, Fifth wave (janvier 2009). [En ligne], www.worldvaluessurvey.org (Page consultée le 28 février 2013).

Le tableau **4.3** présente les taux de participation électorale moyens depuis 1945, dans un certain nombre de pays. La participation moyenne au Canada depuis 1945 se situe autour de 76,7 %, comparativement à 47,4 % aux États-Unis. Cependant, il faut souligner que dans des pays comme l'Australie, la Belgique et l'Italie, les taux de participation électorale atteignent des niveaux impressionnants de plus de 90 %, lesquels s'expliquent en bonne partie par l'obligation qu'ont les citoyens de voter.

Le tableau **4.4** indique les taux de participation aux élections québécoises de 1900 à 2012. Le taux de participation électorale au Québec se situe dans la moyenne canadienne, à l'exception de la période de 1970 à 1981, période marquée par de vifs débats politiques sur la question nationale, où les taux dépassent 80 %. Au Québec comme au Canada, le taux de participation aux élections a diminué continuellement depuis 15 ans pour atteindre un creux (57,4 %) aux élections de 2008 et pour connaître une remontée aux élections du 4 septembre 2012. De plus, les électeurs plus jeunes sont beaucoup moins susceptibles de voter que leurs aînés, comme nous l'avons constaté au chapitre 1. Faut-il s'en désoler ? Certains analystes, tels ceux qui ont conduit l'Enquête sociale générale citée précédemment, affirment que le déclin des taux de participation électorale ne signifie pas une baisse de la participation civique, mais qu'il indique plutôt une transformation de la participation politique se traduisant par un éloignement des formes traditionnelles d'engagement telles que le vote au profit d'activités moins traditionnelles comme la participation à des projets communautaires, à des pétitions, à des boycotts et à des manifestations publiques.

L'intérêt et l'information

On pourrait certainement trouver des gens qui votent aux élections, mais qui connaissent très peu de choses au sujet des candidats. Ces citoyens ne contribuent pas forcément au bon fonctionnement de la démocratie. Dans quelle mesure les citoyens des démocraties s'intéressent-ils à

TABLEAU 4.3 | LES TAUX DE PARTICIPATION ÉLECTORALE MOYENS DEPUIS 1945 POUR CERTAINS PAYS

Pays	Vote obligatoire	Taux
Australie	Oui	95,1
Belgique	Oui	92,5
Canada	Non	76,7
Danemark	Non	85,5
France	Non	78,7
Israël	Non	81,1
Italie	Oui	92,4
Japon	Non	73,0
Luxembourg	Oui	91,0
Nigeria	Non	41,0
Royaume-Uni	Non	77,3
États-Unis	Non	47,4

Source : Guy, James John (2001). *People, Politics and Government: A Canadian Perspective*, 5e éd., Toronto, Prentice Hall, p. 353.

TABLEAU 4.4 | LES TAUX DE PARTICIPATION AUX ÉLECTIONS QUÉBÉCOISES DE 1900 À 2012

Année d'élections générales	Taux	Année d'élections générales	Taux
1900	29,77	1956	78,32
1904	29,97	1960	81,66
1908	59,65	1966	73,56
1912	61,45	1970	84,23
1916	43,46	1973	80,38
1919	27,30	1976	85,27
1923	57,36	1981	82,49
1927	56,38	1985	75,64
1931	77,01	1989	74,95
1935	75,91	1994	81,58
1936	78,23	1998	78,32
1939	75,74	2003	70,42
1944	72,13	2007	71,23
1948	75,21	2008	57,4
1952	75,86	2012	74,6

Source : Adapté de Le Directeur général des élections du Québec (2012). *Tableau synthèse des élections générales : élections générales de 1867 à 2012*, [En ligne], www.electionsquebec.qc.ca/documents/pdf/chapitre_7_1-tableau-synoptique-des-resultats-des-electi.pdf (Page consultée le 23 novembre 2012).

- Les femmes québécoises ont obtenu le droit de vote et d'éligibilité par une loi sanctionnée le 25 avril 1940. Elles se sont prévalues de leur droit de vote pour la première fois aux élections partielles du 6 octobre 1941 et à l'élection générale du 8 août 1944.
- Le droit de vote a été accordé aux personnes de 18 ans et plus par une loi sanctionnée le 10 juillet 1963. Ces personnes ont pu exercer leur droit de vote pour la première fois aux élections partielles du 5 octobre 1964 et à l'élection générale du 5 juin 1966.

la chose politique? Sont-ils bien informés? La plupart des études laissent croire que les électeurs américains s'intéressent à la politique. Selon un sondage[6] mené en 2008, 26% des Américains suivent les affaires publiques et gouvernementales assidûment, 37% les suivent quelquefois, 25% les suivent rarement et 12% ne les suivent jamais.

En comparant des données provenant des pays de l'Europe du Nord (Scandinavie, Allemagne, Pays-Bas) et des pays anglo-saxons (États-Unis, Canada, Angleterre et Nouvelle-Zélande), le politologue québécois Henry Milner a montré[7] qu'il y a une corrélation entre le niveau de connaissance politique et le taux de participation électorale. De plus, il a constaté que les pays qui utilisent le mode de scrutin proportionnel ont un taux de participation électorale plus élevé que les pays qui, comme le Canada et les États-Unis, ont recours au mode de scrutin majoritaire uninominal (*voir le chapitre 8*).

La confiance envers l'État

Nous avons dit que les citoyens d'une démocratie doivent accorder leur appui au système politique et à ses institutions, et que cet appui est conciliable avec l'esprit critique et l'opposition aux gouvernants. De nombreuses démocraties concilient les deux.

La confiance envers le processus démocratique. Au Canada, un sondage[8] effectué en 2000 auprès de 1 278 citoyens et dirigé par l'Institut de recherche en politiques publiques (IRPP) montre que 63% des Canadiens ont le sentiment de n'avoir aucune influence sur l'activité gouvernementale. Selon les chercheurs, on constate depuis les années 1960 une augmentation significative du nombre de gens qui estiment n'avoir aucune influence sur le gouvernement. De plus, le sondage de l'IRPP indique qu'il y a de plus en plus de Canadiens qui, relativement à la question du mode de scrutin, trouvent inacceptable qu'un parti politique puisse obtenir une majorité de sièges sans avoir la majorité des voix. La proportion des gens qui étaient de cet avis est passée de 39% en 1990 à 49% en 2000.

La confiance envers les partis politiques, les dirigeants et les institutions. Nous notons que la confiance à l'égard des chefs et des partis politiques s'érode plus facilement que celle qui est accordée aux institutions politiques. En fait, la confiance envers les dirigeants et les partis varie au gré des événements politiques. C'est ce qui explique les apparentes contradictions entre certaines études parues à ce sujet au Canada et au Québec. Le tableau **4.5** résume les attitudes de la population canadienne envers les institutions politiques fédérales et les politiciens. Selon certains sondages, la proportion des adultes au Canada qui ne font pas confiance aux partis politiques est en baisse. Et cette perte de confiance semble se poursuivre.

Une étude récente des politologues québécois Réjean Pelletier et Jérôme Couture (*voir le tableau* **4.6**) montre que la confiance envers les partis politiques fédéraux est passée de 34,3% en 2005 à 26,1% en 2010. La perte de confiance envers les partis provinciaux est encore plus accentuée, passant de 43,1% en 2005 à 28,6% en 2010. Le tableau **4.6** est intéressant parce qu'il indique aussi une perte de

---

6. National Election Studies (2008). *The ANES Guide to Public Opinion and Electoral Behavior*, [En ligne], www.electionstudies.org/nesguide/nesguide.htm (Page consultée le 3 janvier 2013).

7. Milner, Henry (2002). *Civic Literacy*, Medford, MA, Tufts University Press, p. 6, 27 et 38.

8. Enquête menée par les chercheurs Paul Howe et David Northrup de l'Institut de recherche en politiques publiques, le 26 juillet 2000.

confiance envers des institutions comme les gouvernements, le Parlement canadien, l'Assemblée législative des provinces, les fonctions publiques, la police et la Cour suprême. La seule institution qui a connu une augmentation de confiance est l'armée. Notons qu'il ne faut pas tirer de conclusions hâtives, car cette étude est très limitée dans le temps : cinq ans. De plus, la confiance dépend de la conjoncture politique. Cependant, d'autres études plus anciennes corroborent cette tendance à la perte de confiance.

Ainsi, dans un sondage[9] mené au cours de la campagne électorale fédérale de 1997, près de 90 % des répondants se disaient d'accord avec l'énoncé selon lequel « les politiciens sont prêts à mentir pour se faire élire ». Plus préoccupant, comme le soulignaient les auteurs de ce sondage, est le fait que plus de 50 % des répondants se sont dits formellement d'accord avec cet énoncé. Comme le montre la figure **4.1**, à la page suivante, la proportion de répondants qui sont d'accord varie d'une province à l'autre (le Québec ayant le plus fort pourcentage) et en fonction du niveau de scolarité, du revenu et de l'âge.

Plus récemment, un sondage portant sur la confiance à l'égard de différents métiers et professions montrait que seulement 11 % des répondants faisaient confiance aux politiciens. En ce qui concerne la confiance accordée, les politiciens se situent à l'avant-dernier rang de 60 métiers et professions, juste devant les lobbyistes (10 %) et les vendeurs d'automobiles d'occasion. Les professions les plus respectées sont celles des pompiers (95 %), des infirmières (92 %), des agriculteurs (84 %), des enseignants (85 %), des médecins (90 %) et

TABLEAU 4.5 | L'ATTITUDE DES CANADIENS À L'ÉGARD DES INSTITUTIONS POLITIQUES FÉDÉRALES ET LEURS ACTEURS, SELON LES SONDAGES (1965-1992)

Années	Pourcentage	Attitude
1990	64%	• Ont peu ou très peu de confiance et de respect à l'égard de la Chambre des communes.
1990	80%	• Ont peu ou très peu de confiance et de respect à l'égard du gouvernement fédéral.
1990	79%	• Ont peu ou très peu de respect et de confiance à l'égard des partis politiques.
1974 1990	42% 27%	• Ont beaucoup de respect pour la Chambre des communes.
1966 1990	36% 65%	• Jugent que le favoritisme et la corruption augmentent au palier fédéral.
1990	55%	• Ont moins de respect qu'auparavant pour le Parlement.
1965 1990	60% 76%	• Jugent que les députés et députées perdent contact avec le peuple.
1974 1988	19% 5%	• Jugent que leur député les a aidés à régler un problème.
1984 1992	63% 15%	• Donnent leur approbation au premier ministre Mulroney.

Source : Clarke *et al.* (1991), Dobell et Berry (1992), cités dans Tremblay, Manon, et Marcel R. Pelletier (dir.) (1996). *Le système parlementaire canadien*, Sainte-Foy, Les Presses de l'Université Laval, p. 253.

TABLEAU 4.6 | LA CONFIANCE DANS LES INSTITUTIONS ET LES PARTIS POLITIQUES FÉDÉRAUX ET PROVINCIAUX (2005 ET 2010)

	2005	2010		2005	2010
Confiance partis politiques fédéraux	34,3	26,1	Gouvernement fédéral	44,4	37,7
			Parlement fédéral	46,4	35,0
			Fonction publique fédérale	53,9	50,9
			Armée	69,7	83,1
			Cour suprême	71,1	66,6
Confiance partis politiques provinciaux	43,1	28,6	Gouvernement provincial	48,3	35,1
			Assemblée législative	49,0	38,2
			Fonction publique provinciale	60,2	52,3
			Police	82,2	77,7
			École	73,9	–

Source : Pelletier, Réjean (dir.) (2012). *Les partis politiques québécois dans la tourmente : mieux comprendre et évaluer leur rôle*, Québec, Les Presses de l'Université Laval, p. 253.

---

9. Gidengil, Élisabeth, Richard Nadeau, Neil Nevitte et André Blais (9 mars 1998). « Les politiciens et le syndrome de Pinocchio », *La Presse*, p. B2.

LE POURCENTAGE DE RÉPONDANTS CANADIENS FORTEMENT
D'ACCORD AVEC L'AFFIRMATION SUIVANTE :
« LES POLITICIENS SONT PRÊTS À MENTIR POUR SE FAIRE ÉLIRE. »

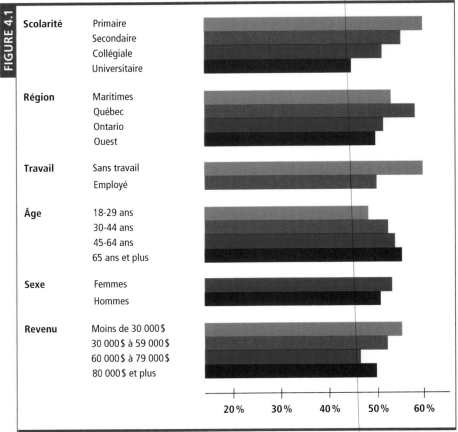

FIGURE 4.1

Scolarité	Primaire
	Secondaire
	Collégiale
	Universitaire
Région	Maritimes
	Québec
	Ontario
	Ouest
Travail	Sans travail
	Employé
Âge	18-29 ans
	30-44 ans
	45-64 ans
	65 ans et plus
Sexe	Femmes
	Hommes
Revenu	Moins de 30 000 $
	30 000 $ à 59 000 $
	60 000 $ à 79 000 $
	80 000 $ et plus

Source : Gidengil, Élisabeth, Richard Nadeau, Neil Nevitte et André Blais, *loc. cit.*, p. B2.

des ambulanciers, comme l'indique le tableau **4.7** . Ce sondage montre aussi
les variations positives et négatives sur 20 ans. Ce sont les gens d'affaires, les
banquiers, les syndicalistes et les prêtres et pasteurs qui ont connu une perte de
confiance depuis 20 ans.

La confiance envers les personnes. De plus, l'Enquête sociale générale de
2003 sur l'engagement social des Canadiens constate, en comparant les provinces,
qu'une proportion relativement faible de résidents du Québec (35 %) estiment
pouvoir faire confiance aux gens. Il en va autrement dans toutes les autres provinces
canadiennes, puisque plus de 60 % des répondants jugent pouvoir faire confiance
aux gens. Fait intéressant à noter, selon cette enquête, les Québécois ont par contre
plus tendance à faire confiance aux institutions que les autres Canadiens.

La culture politique

Nous venons de traiter des phénomènes politiques qui se rattachent à la culture
politique. La culture politique d'une société est constituée des attitudes et des
croyances qui ont cours dans une population et qui déterminent son comportement politique. Les politologues ont emprunté le terme « culture » à
l'anthropologie, où il est considéré comme un concept fondamental et désigne
un réseau de croyances ainsi que les façons de penser d'une communauté.

TABLEAU 4.7 | LE BAROMÈTRE DES PROFESSIONS EN 2012

Confiance des Québécois à l'égard de différentes professions					
Pourcentage en 2012 et variation par rapport à 2011					
1. Pompiers	95 %	−2 %	31. Psychothérapeutes	59 %	−4 %
2. Ambulanciers	93 %	0 %	32. Chauffeurs de camion	58 %	2 %
3. Infirmiers et infirmières	92 %	1 %	33. Sondeurs	55 %	1 %
4. Chirurgiens	90 %	1 %	34. Athlètes professionnels	54 %	−5 %
5. Médecins	90 %	5 %	35. Restaurateurs	54 %	−1 %
6. Facteurs	87 %	0 %	36. Économistes	49 %	7 %
7. Optométristes	87 %	2 %	37. Journalistes	48 %	9 %
8. Enseignants	85 %	−1 %	38. Chiropraticiens	47 %	5 %
9. Fermiers	84 %	−4 %	39. Chauffeurs de taxi	46 %	−9 %
10. Dentistes	82 %	−4 %	40. Banquiers	42 %	−5 %
11. Opticiens	80 %	−2 %	41. Chefs d'entreprises	42 %	0 %
12. Scientifiques	80 %	1 %	42. Acupuncteurs	40 %	−2 %
13. Notaires	79 %	4 %	43. Conseillers financiers	40 %	8 %
14. Vétérinaires	79 %	1 %	44. Avocats	39 %	9 %
15. Électriciens	78 %	−1 %	45. Chirurgiens plastiques	39 %	0 %
16. Éducatrices en garderie	76 %	0 %	46. Prêtres et pasteurs	39 %	−1 %
17. Architectes	75 %	−1 %	47. Gens d'affaires	36 %	−1 %
18. Travailleurs sociaux	73 %	−3 %	48. Cols bleus	33 %	−2 %
19. Plombiers	72 %	4 %	49. Maires	31 %	4 %
20. Directeurs d'école	70 %	−3 %	50. Courtiers d'assurance	30 %	0 %
21. Policiers	70 %	3 %	51. Vendeurs en magasin	30 %	0 %
22. Informaticiens	69 %	−3 %	52. Vendeurs d'automobiles neuves	25 %	−1 %
23. Diététistes	68 %	−6 %	53. Hauts fonctionnaires	24 %	−1 %
24. Psychologues	68 %	2 %	54. Agents d'immeuble	23 %	−1 %
25. Comptables	67 %	3 %	55. Syndicalistes	20 %	−4 %
26. Écrivains	67 %	−9 %	56. Entrepreneurs en construction	19 %	−5 %
27. Militaires	65 %	−2 %	57. Publicitaires	19 %	1 %
28. Ingénieurs	64 %	−2 %	58. Politiciens	11 %	3 %
29. Juges	63 %	0 %	59. Lobbyistes	10 %	1 %
30. Artistes	60 %	−8 %	60. Vendeurs d'automobiles usagées	6 %	−1 %
Variation positive sur 20 ans			**Variation négative sur 20 ans**		
Médecins	+11 %		Gens d'affaires	−29 %	
Enseignants	+10 %		Banquiers	−24 %	
Fermiers	+7 %		Agents d'immeuble	−23 %	
Juges	+6 %		Syndicalistes	−22 %	
Policiers	+4 %		Prêtres et pasteurs	−21 %	

Source : Sondage Léger Marketing pour le compte du *Journal de Montréal*, 2 octobre 2012.

Il est clair que la culture politique varie considérablement d'un État à l'autre et qu'elle explique les grandes différences entre les diverses façons de faire et de percevoir la politique.

La culture politique

La culture politique est l'ensemble des attitudes et des croyances qui déterminent le comportement politique d'un peuple. Il existe différents types de culture politique. Ainsi, la culture parochiale renvoie à un système de perceptions, de savoirs et d'identifications politiques circonscrit à un horizon limité (la paroisse, l'espace local et tribal). Selon les politologues André-J. Bélanger et Vincent Lemieux, « la culture parochiale ou traditionnelle se caractérise par une vision non spécialisée des rôles où les fonctions religieuses, économiques et politiques se confondent ». Selon Almond et Verba, ce serait là le caractère distinctif des sociétés tribales. La culture politique de sujétion réfère à un système politique différencié où les rôles sont distincts, mais où les gouvernants et les gouvernés sont unis seulement par un lien de subordination qui place ces derniers dans un rôle passif de sujet. La culture politique de participation réfère également à un système différencié, mais elle implique une participation active aux processus collectifs de décision.

Source : Bélanger, André-J., et Vincent Lemieux (2002). *Introduction à l'analyse politique*, Montréal, Les Presses de l'Université de Montréal, p. 83.

La culture politique est importante, mais il est difficile de la mesurer avec précision. C'est un concept un peu vague qui prête à des généralisations abusives. Il est très facile de tomber dans le stéréotype : les Allemands sont disciplinés, obéissants et efficaces ; les Britanniques sont flegmatiques ; les Américains sont joviaux et pragmatiques ; les Latins ont le sang chaud. Ces clichés contiennent sans doute une part de vérité, mais ils demeurent simplistes. Le concept de culture politique est un concept difficile et peut être biaisé par la subjectivité. Dans le meilleur ouvrage[10] publié sur le sujet au cours des dernières décennies – et qui est devenu un ouvrage incontournable –, Gabriel Almond et Sidney Verba ont décrit la culture qui convenait le mieux à la démocratie. Les critiques leur ont à juste titre reproché d'avoir donné à cette culture des traits qui ressemblaient étrangement (faut-il s'en étonner ?) à ceux de la culture nord-américaine.

Malgré tout, la culture politique est trop importante pour qu'on en fasse abstraction. Dans *Culture Shift in Advanced Industrial Society*, Ronald Inglehart insiste sur le rôle important que peut jouer l'analyse culturelle. Il affirme que les sociétés industrielles avancées subissent une mutation culturelle et que le besoin de sécurité matérielle et physique cède la place au besoin d'expression de soi. Selon l'auteur, cela expliquerait les changements de comportements qui se produisent dans les sociétés modernes.

Notons aussi que la culture politique a ceci de particulier qu'elle évolue lentement. Alexis de Tocqueville (1805-1859) nous en fournit une preuve dans *De la démocratie en Amérique*[11]. Celui-ci s'est rendu aux États-Unis vers 1830 pour y étudier les rouages de la démocratie américaine ; sa description du système politique américain est encore d'actualité. Tocqueville a noté l'importance accordée à l'individualité et à la liberté, à la politique locale et aux organisations bénévoles, ainsi que le dynamisme du progrès. Pourtant, les États-Unis que Tocqueville a parcourus constituaient une société presque exclusivement agricole, dépourvue de moyens de communication ; le pays n'avait pas encore le rôle quasi impérial qu'il s'est donné dans le monde depuis la Seconde Guerre mondiale. La société et l'État américains ont changé considérablement depuis l'époque de Tocqueville, mais les éléments essentiels de la culture politique ont peu évolué.

La socialisation politique

Socialisation politique
Processus par lequel les valeurs culturelles sont transmises et intériorisées par une population donnée. La famille, l'école, les pairs, les médias de masse et les acteurs politiques sont les principaux agents de transmission.

Les valeurs et les présupposés que les gens partagent au sujet de la politique s'acquièrent au cours d'un processus appelé socialisation politique. L'apprentissage des valeurs et des présupposés relatifs au système et aux

---

10. Almond, Gabriel, et Sidney Verba (dir.) (1980). *The Civic Culture Revisited : An analytic study*, Boston, MA, Little Brown.
11. Tocqueville, Alexis de (1986). *De la démocratie en Amérique*, Paris, Gallimard.

phénomènes politiques peut en principe se faire à n'importe quel âge et dans n'importe quelles circonstances, mais il s'effectue surtout durant l'enfance.

Le processus de socialisation politique

Au cours du processus de socialisation politique, les enfants et les nouveaux citoyens d'un État se familiarisent avec la culture politique et les institutions, et adoptent des valeurs et des attitudes politiques déterminées.

L'enfance est la période la plus propice à la socialisation politique, comme pour la plupart des autres apprentissages. Les enfants de moins de 12 ans ne sont pas réceptifs aux questions et à l'actualité politiques. Toutefois, ils apprennent au sein de leur famille de nombreuses attitudes sociales de base, comme la confiance envers les autres et le respect ou pas de l'autorité, lesquelles influeront sur leurs perceptions de la politique et leurs comportements comme citoyens. Ils développent leurs connaissances à l'adolescence et au début de l'âge adulte et, bien entendu, tout au long de leur vie.

Les agents de socialisation

Les spécialistes de la socialisation politique s'attachent en particulier à étudier les rôles des différents agents de socialisation. Les principaux agents de socialisation sont la famille, l'école, le groupe de référence (les pairs), les médias et les acteurs politiques.

La figure **4.2** décrit l'influence des différents agents de socialisation en fonction de l'âge. Jusqu'à l'âge de 15 ans, l'école et la famille jouent un rôle déterminant. Par la suite, les pairs et, dans une moindre mesure, les médias prennent la relève. Quant aux acteurs politiques (gouvernement, partis politiques, groupes de pression), leur influence est variable.

Les parents. Les parents transmettent à leurs enfants un certain nombre de valeurs politiques. Les spécialistes pensent que l'enfant construit ses valeurs politiques en observant la manière dont s'exerce l'autorité dans sa famille. Une famille autoritaire et rigide prépare l'enfant à accepter plus facilement les comportements autoritaires des gouvernants politiques, tandis qu'une famille consensuelle le conduit à vouloir un État démocratique. Notons à ce propos que les chercheurs sont loin d'être unanimes. Ainsi, pour certains chercheurs, les convictions et les présupposés politiques plus précis ne sont pas transmis par la famille. Ils s'acquièrent en général à l'adolescence, période pendant

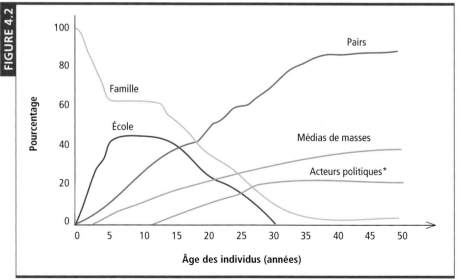

FIGURE 4.2

L'APPRÉCIATION DE L'INFLUENCE DES DIFFÉRENTS AGENTS DE SOCIALISATION POLITIQUE

* Gouvernement, partis politiques, groupes de pression.
Source : Guy, James John (2001). *People, Politics and Government : A Canadian Perspective*, Toronto, Prentice Hall, p. 32.

Lors de la cérémonie d'assermentation, des personnes obtiennent leur citoyenneté par l'intermédiaire de représentants du gouvernement canadien. La prononciation du serment de citoyenneté est un des moments clés de la socialisation politique.

laquelle l'individu se constitue une identité propre. Les études sur l'influence des parents doivent être analysées avec beaucoup de précautions, car elles font appel à d'autres domaines que la science politique, comme la psychologie et la psychiatrie.

L'école. L'école intéresse beaucoup les chercheurs qui étudient la socialisation politique, car elle est un agent de socialisation qui dépend en partie de l'État. Dans tous les pays, l'éducation relève de l'État. Au Québec et au Canada, les gouvernements définissent les programmes concernant l'éducation civique, l'histoire, la littérature et la science politique. Les États ayant un régime totalitaire, tels que l'ex-URSS, la Chine de Mao et l'Allemagne nazie, se sont amplement servis de l'école pour endoctriner les citoyens.

Le groupe des pairs. Le groupe des pairs (groupe de référence) joue un rôle extrêmement important dans l'acquisition des attitudes générales et d'une manière de concevoir le monde, mais son influence sur le plan politique varie grandement à l'adolescence. En règle générale, la politique ne fait pas partie des sujets qui intéressent les groupes d'adolescents. Le groupe de référence influence fortement les choix de vêtements ou de comportements sociaux, mais il laisse ses membres construire eux-mêmes leur identité politique. Toutefois, les jeunes qui ont déjà un certain goût pour la politique sont susceptibles de se rassembler, et le groupe peut alors avoir une influence sur les conceptions politiques de ses membres. Par contre, à l'âge adulte, le groupe de référence joue un rôle très important, comme l'indique la figure **4.2**, à la page précédente. Les policiers, les artistes, les comptables, les avocats, etc., ont nettement tendance à partager les attitudes et les visions politiques de leur groupe d'appartenance.

TEXTE À L'ÉTUDE

La désobéissance civile

GUY DURAND, PHILOSOPHE ET PROFESSEUR À L'UNIVERSITÉ DE MONTRÉAL

ENTRETIEN AVEC LE PROFESSEUR GUY DURAND SUR L'HISTOIRE ET LE SENS DE CETTE NOTION

Le Devoir: La notion de désobéissance civile a beaucoup été utilisée récemment dans le conflit étudiant. Comment la définissez-vous ?

Guy Durand: Je partirais d'une courte définition, celle qu'a formulée en 1982 le juriste québécois Yves de Montigny: «On qualifie généralement de désobéissance civile tout acte de défi à la loi ou, pour être plus précis, toute transgression d'un texte législatif ou réglementaire basée sur des motifs moraux, religieux, politiques ou philosophiques.»

Une définition plus complète pourrait s'énoncer ainsi: la désobéissance civile désigne une violation publique, pacifique et conséquente d'une loi, d'un ordre de cour, d'une règle institutionnelle ou d'un ordre d'une personne en autorité, violation qui heurte des convictions profondes d'ordre religieux, éthique ou politique de la personne, dans le but de respecter la priorité de sa conscience et éventuellement de contribuer à changer la loi, la règle ou l'ordre social.

Le Devoir: Il y a là quelques critères importants.

Guy Durand: Oui, trois caractéristiques, en fait, qu'il faut selon moi retenir: publique et non pas secrète ; pacifique, soit non violente, et conséquente, c'est-à-dire

▶

que la personne qui l'invoque est prête à accepter les conséquences de sa désobéissance (prison, amende). Elle est une forme d'objection de conscience.

D'ailleurs, l'exemple classique de la désobéissance civile concerne le service militaire : on peut s'y opposer en général par objection de conscience et faire le service civil prévu pour les objecteurs.

Mais là où le service militaire est obligatoire, le refus de répondre à l'avis de convocation peut constituer une désobéissance civile.

Celle-ci consiste à retourner l'avis reçu ou à le brûler en public, sans violence, en étant prêt à accepter la peine de prison éventuelle.

Le Devoir : Quand, aux États-Unis, entre 1964 et 1973, les opposants à la guerre au Vietnam ont brûlé en public leur avis de convocation au service militaire, on a parlé de désobéissance civile ; lorsque certains ont saccagé les bureaux de recrutement, ce terme ne convenait plus.

Vous avez évoqué le critère de la non-violence. Dans le débat sur la désobéissance civile au cours du printemps érable, la Coalition large de l'Association pour une solidarité syndicale étudiante (CLASSE) a tenu à faire une distinction entre la violence à l'endroit des personnes et la violence envers les biens. Qu'en pensez-vous ?

Guy Durand : Depuis quelque temps, en effet, particulièrement depuis que le militant écologiste français José Bové a détruit un champ de maïs génétiquement modifié (OGM), on a fait cette distinction entre la violence envers les personnes et les dommages faits aux biens.

Le Devoir : Selon certains, les dommages faits aux biens entreraient dans la définition de la désobéissance civile et seraient justifiés. Pour moi, c'est contraire à toute la tradition éthique sur la désobéissance civile. Celle-ci doit être non violente, tout court.

Un autre qui a invoqué la notion de désobéissance civile est le député de Mercier, Amir Khadir. Dans son fameux point de presse de mercredi, au lendemain de son arrestation, a-t-il bien argumenté son utilisation de la désobéissance civile, selon vous ?

Guy Durand : Avant de répondre, laissez-moi revenir à la définition. Comme il s'agit d'un acte potentiellement dérangeant, perturbateur, les auteurs formulent généralement trois conditions à respecter pour que l'acte de désobéissance soit éthique et légitime. D'abord, il faut démontrer qu'il y a atteinte importante aux convictions personnelles.

Ensuite, il doit exister une certaine proportionnalité entre les conséquences de la désobéissance et celles du respect de la loi ou de l'ordre.

Enfin, il doit s'agir d'une mesure de dernier recours, c'est-à-dire qu'il faut avoir épuisé les autres moyens de faire respecter ses convictions.

Le Devoir : Bien, mais revenons à M. Khadir. D'après vous, son argumentation respecte-t-elle ces critères ?

Guy Durand : Globalement, oui, mais on doit apporter certaines précisions. Les trois caractéristiques de la définition (publique, pacifique, conséquente) me semblent être là. Les trois conditions ne sont pas évoquées dans les termes que j'ai utilisés, mais elles sont implicitement présentes.

À propos des justifications éthiques, il a insisté sur la désobéissance au service du bien commun. Il refuse, avec raison selon moi, une désobéissance qui répondrait seulement à un intérêt purement individuel, comme de ne pas payer ses impôts tout simplement parce qu'on n'aime pas ça.

Mais il semble exclure le motif personnel de respect de la conscience et exige que le mouvement soit massif pour être légitime. J'avoue que cela ne fait pas partie de la doctrine reconnue.

Le Devoir : Une question, au fond, demeure : est-ce que l'augmentation des droits de scolarité et l'adoption de la loi 78 sont vraiment des raisons suffisantes pour justifier la désobéissance civile ?

Guy Durand : Je répondrais que c'est à chacun d'en juger, en conscience, tenant compte des éléments énumérés précédemment. Prenons Henry David Thoreau. On sait qu'il fut arrêté et emprisonné, en 1846, pour refus de payer l'impôt à l'État du Massachusetts, auquel il reprochait de commercer avec les États esclavagistes du Sud.

Dans son célèbre *Discours de la désobéissance civile* (1849), il a exposé clairement le débat et a justifié sa conduite en ces termes : « La soumission aux lois iniques peut constituer un crime ; la désobéissance devient alors un devoir envers soi-même, en même temps qu'un devoir civique. Le citoyen doit-il un seul instant, dans quelque mesure que ce soit, abandonner sa conscience au législateur ? Pourquoi alors chacun aurait-il une conscience ? Je pense que nous devons d'abord être des hommes, et sujets ensuite. Le respect de la loi vient après celui du droit. »

Ainsi, plusieurs auteurs fondent la désobéissance civile sur la « primauté de la conscience sur la loi ». Gandhi et Luther King – et j'ajouterais Tolstoï – ont justifié leurs actes de cette façon.

▶

Le Devoir : Justement, on a reproché à Khadir de se comparer trop facilement à ces héros.

Guy Durand : À mon avis, le reproche est injustifié. Il ne s'agit pas de se comparer à eux – Kadhir s'en défend bien –, mais de profiter de leurs exemples et de leurs réflexions.

Le Devoir : Peut-être, mais lorsqu'on entre dans cette logique, comment tracer une ligne ? N'y a-t-il pas une « pente savonneuse » qui peut conduire à légitimer toute violation de la loi ?

Guy Durand : Il y a effectivement lieu de tenir compte de cet élément. Il entre dans les trois conditions d'éthicité dont j'ai parlé. Mais il n'est pas concluant en lui-même.

Nous sommes devant une sorte de dilemme moral, de conflit de devoirs (éthiques) : d'un côté, respect de la conscience et souci de justice sociale ou de réforme sociale ; de l'autre, respect des lois et de la démocratie.

La désobéissance civile s'avère un exemple paradigmatique du respect de la conscience personnelle. Elle constitue indéniablement un hommage rendu à cette conscience, éventuellement un éloge de l'héroïsme.

Le Devoir : Conscience, conscience, comment juger qu'un tel la suit et qu'un autre n'y obéit pas authentiquement ?

Guy Durand : C'est vrai, le jugement de conscience n'est pas toujours facile. La situation comporte souvent du bien et du mal. Il est difficile d'évaluer ce qui doit prédominer.

La conscience peut alors admettre des dérogations face à ses convictions propres, à savoir des compromis. En somme, la désobéissance civile n'est pas une solution de facilité.

On ne fait pas un tel choix en cachette, sans témoigner dans l'ensemble de sa vie de l'attachement aux principes en jeu. Par exemple, on ne s'oppose pas au service militaire sans témoigner globalement du respect de la vie, du refus de la violence.

En son fond, l'objection de conscience n'est pas négative : elle n'est ni abstention, ni passivité ; elle doit, par sa force d'interpellation, témoigner des valeurs mêmes qui sont à sa source.

D'ailleurs, les témoins les plus typiques de la désobéissance civile, Gandhi et Luther King, ont précisément eu des vies d'un grand héroïsme, marquées par le souci de la paix, de la justice, de l'égalité et de la dignité.

J'irais même jusqu'à dire qu'une société et un État démocratique (gouvernement, tribunaux et police) devraient reconnaître explicitement la légitimité de la désobéissance civile. Même si l'application en serait complexe et dérangeante pour les autorités. Et la pratique, délicate et exigeante pour l'objecteur. ◄

Source : Durand, Guy (9 et 10 juin 2012). « Le Devoir de philo – À propos de la désobéissance civile : entretien avec le professeur Guy Durand sur l'histoire et le sens de cette notion », *Le Devoir*, [En ligne], www.ledevoir.com/societe/le-devoir-de-philo/352031/a-propos-de-la-desobeissance-civile (Page consultée le 1er février 2013).

La légitimité : la typologie de Max Weber

ANDRÉ-J. BÉLANGER ET VINCENT LEMIEUX

L'idée d'autorité renvoie à un droit d'imposer un certain ordre de contrôles. Comme tout droit, celui-là doit être reconnu ou, en d'autres mots, légitimé. Lorsque cette autorité s'impose à toute une société, elle trouve sa légitimité dans des valeurs qui relèvent de la culture ou encore de l'idéologie.

[...]

La notion de légitimité fait appel à la reconnaissance par les gouvernés du droit qu'ont les gouvernants d'exercer sur eux une autorité. Max Weber a conçu une typologie qui sert encore aujourd'hui de référence. Suivant le mode d'identification propre à sa sociologie compréhensive,

Weber essaie d'imaginer les motivations qui peuvent conduire un acteur à se soumettre au commandement d'un autre. À cette fin, il recourt, comme on peut s'y attendre, à l'idéal type. C'est ainsi qu'il dégage trois types de légitimité ou, si l'on préfère, d'autorité : traditionnelle, charismatique et rationnelle-légale. Comme tous les idéaux types, ce sont des constructions qui ont pour objet de nous faire comprendre les raisons sous-jacentes à la soumission dans l'abstrait, mais non d'expliquer un cas concret déterminé.

L'autorité de type traditionnel, comme son nom l'indique, repose sur la tradition. Le chef est désigné selon des règles transmises par la coutume. Cette légitimité relève

▶

d'une croyance en un ordre sacré, intangible, qui a toujours existé. L'oubli a fait son œuvre, il a effacé les origines réelles de l'autorité. Il n'en reste plus que les règles de désignation et les rites d'initiation. L'autorité est alors exercée par un titulaire bien concret, le chef en chair et en os. Il ne représente pas l'autorité, il est l'autorité. Les dirigés, à leur tour, ne sont pas membres d'une collectivité, ils sont sujets du chef. Ils doivent obéissance et loyauté à sa personne. Lorsque, par exemple, Louis XVI, de « roi de France » qu'il était, devient avec la Constitution de 1791 « roi des Français », c'est-à-dire roi du peuple français, le rapport avec ses sujets est aboli et, en même temps, la légitimité traditionnelle… Selon le mode traditionnel, la sphère de compétence est également déterminée par la coutume, tout en demeurant fort imprécise. Elle laisse place à toute une marge discrétionnaire et parfois arbitraire.

Le second type d'autorité, l'autorité charismatique, tire son origine sémantique du langage théologique. Le charisme est techniquement un don venu de la grâce divine. Ce type de légitimité se fonde sur le caractère exceptionnel du chef, doué d'une capacité supernaturelle ou surhumaine propre à le démarquer de tous. Il peut être comparé à la déférence dont le prophète ou l'oracle pouvait autrefois être l'objet. Les gouvernés s'inclinent et se soumettent totalement, subjugués en quelque sorte par ce personnage qui s'impose par sa sainteté, son héroïsme, sa force ou d'autres qualités exemplaires. Ils lui accordent une confiance aveugle et sont portés vers lui par un pouvoir d'attraction hors du commun. Ce mouvement d'abandon tout à fait irrationnel enlève toute limite à l'action que peut entreprendre le personnage charismatique. Il s'agit pour lui d'une mission qu'il se voit confier dans une relation d'autorité qui sort de l'ordinaire. Pour cette raison, son commandement rompt avec la tradition et toute autre forme d'institution ou de règle de jeu. Ce rapport entre le chef et les gouvernés lève, en principe, toutes les contraintes morales ou juridiques qui pourraient le gêner. Seuls comptent l'unanimité ou le consensus autour du chef.

L'histoire offre plusieurs exemples de personnages qui, surtout à l'occasion de situations troublées, se sont imposés de la sorte : Churchill, de Gaulle et d'autres, plus autoritaires.

Puisque, de par sa nature, le charisme sort de l'ordinaire, il ne peut se maintenir indéfiniment comme tel. Le problème se pose souvent au moment crucial de la succession, soit après le décès, soit après le retrait du personnage charismatique. Les disciples ou les continuateurs sont alors appelés à administrer le charisme ou, plus précisément, ce qu'il fut, comme dans le cas du gaullisme. Ce faisant, ils engagent le processus que Weber appelle la routinisation du charisme. À cette occasion, l'autorité se traditionalise ou se rationalise ; elle se rabat sur le premier ou sur le troisième idéal type.

Ce troisième type, rationnel-légal, sert à désigner une légitimité qui repose sur l'accord réfléchi des gouvernés. L'autorité s'exprime en fonction de règles générales, abstraites et impersonnelles, s'opposant par le fait même aux règles plutôt spécifiques, concrètes et personnelles de l'autorité traditionnelle. Ces règles définissent les conditions d'accession des dirigeants, la durée de leurs mandats et l'étendue de leurs compétences. L'autorité rationnelle-légale prévoit, en somme, des postes précis auxquels sont attachées des fonctions précises. Elle se prolonge dans l'établissement de bureaucraties où toutes les compétences sont bien hiérarchisées et circonscrites.

Ces trois types de légitimité servent à identifier, dans l'abstrait, des cas purs de croyances. Car il s'agit bien de croyances, c'est-à-dire de formes d'adhésion de la part des gouvernés aux gouvernants. Elles illustrent les intentions qui peuvent amener des personnes à consentir à un type ou un autre d'autorité. La légitimité revient, chez Max Weber, à exprimer la part d'adhésion qui ne relève ni de la force ni de la crainte. Weber admet volontiers l'effet de socialisation qui assure la pérennité de certains types d'autorité. Tout comme il est bien entendu que ces idéaux types ne se trouvent jamais à l'identique dans la réalité. ◀

Source : Bélanger, André-J., et Vincent Lemieux (2003). *Introduction à l'analyse politique*, Montréal, Gaëtan Morin, p. 149 à 152.

CONCEPTS CLÉS

EXERCICES

Questions d'approfondissement

1. Est-il juste d'affirmer que le maintien de l'autorité requiert un large consensus dans une société donnée ? Justifiez votre réponse.

2. Illustrez, par des exemples concrets, la phrase suivante : « Les gouvernements démocratiques fixent eux-mêmes des limites à leur autorité. »

3. Est-il juste d'affirmer que la personnalisation du pouvoir est nécessaire dans les États nouvellement formés ? Justifiez votre réponse.

4. Pour assurer la vie démocratique, il est nécessaire que le citoyen soit critique à l'égard de l'État. Pourquoi ?

5. Vrai ou faux ? La culture politique est facile à mesurer et elle évolue rapidement. Justifiez votre réponse.

6. Peut-on établir un lien entre le niveau de connaissance politique et le taux de participation électorale dans une démocratie ? Pourquoi ?

7. Concernant la perte de confiance envers les institutions et les partis politiques (*voir le tableau 4.6, page 73*), expliquez pourquoi l'armée a connu une progression de confiance entre 2005 et 2010.

Sujets de discussion

1. Indiquez des éléments qui sont susceptibles de faire partie de la culture politique des Québécois.

2. Comment envisagez-vous votre propre processus de socialisation politique ?

3. Analysez le cas ci-dessous en faisant appel à la notion de légitimité.
« Après une année au pouvoir, un premier ministre élu annonce sa démission en invoquant des raisons de santé. Son remplaçant est le vice-premier ministre, qui agira donc comme premier ministre pendant 18 mois sans déclencher d'élection. »

4. En vous référant au tableau 4.3, à la page 71, discutez de la pratique du vote obligatoire dans certaines démocraties.

5. Comment un État peut-il enrayer la perte de confiance envers les institutions politiques ? Quelles mesures l'État devrait-il prendre ?

www
http://mabibliotheque.cheneliere.ca

LECTURES SUGGÉRÉES

BÉLANGER, André-J., et Vincent LEMIEUX. *Introduction à l'analyse politique*, Montréal, Gaëtan Morin, 2002.

BRAUD, Philippe. *Sociologie politique*, Librairie de droit et de jurisprudence, Paris, 2006.

INGLEHART, Ronald. *La transition culturelle dans les sociétés industrielles avancées*, Economica, Paris, 1993.

MAYER, Nonna. *Sociologie des comportements politiques*, Armand Colin, Paris, 2010.

MILNER, Henry. *La compétence civique*, Sainte-Foy, Les Presses de l'Université Laval, 2004.

MINTZ, Eric, Livianna TOSSUTTI et Christopher DUNN. *Democracy, Diversity, and Good Government*, Pearson Education Canada, Don Mills, 2010.

STATISTIQUE CANADA. *Enquête sociale générale de 2003 sur l'engagement social*. Voir le site Internet de cet organisme : www.statcan.gc.ca/pub/89-598-x/2003001/4067781-fra.htm

TOCQUEVILLE, Alexis de. *De la démocratie en Amérique*, Paris, Flammarion, 2011.

5

Le mouvement de démocratisation dans le monde

La démocratie

Une démocratie est un système politique dans lequel tous les citoyens ayant qualité d'électeurs votent à intervalles réguliers afin de choisir parmi les candidats en lice ceux qui décideront des politiques de l'État. Puisque dans une démocratie, la souveraineté est attribuée à l'ensemble des citoyens, ce système suppose que tous participent activement, entre les élections, aux débats publics et à l'élaboration des politiques. Comme nous l'avons vu au chapitre précédent, l'engagement des citoyens varie d'une démocratie à l'autre ; quant à ce qui constitue un degré suffisant de participation, la question reste ouverte.

Les règles de la compétition démocratique

Nous savons à peu près tous par expérience ce qu'est un régime démocratique. Pourtant, les démocraties stables sont relativement peu nombreuses, quoique des progrès aient été accomplis depuis le début des années 1990, particulièrement en Europe de l'Est. La démocratie suppose que les groupes antagonistes dans une société acceptent que l'application d'une politique déterminée ait un résultat contraire à leurs intérêts. Autrement dit, les syndicats, les entreprises, les associations de producteurs agricoles, le patronat, les environnementalistes et tous les autres groupes s'efforcent de faire pencher la balance en leur faveur, en sachant toutefois que le dernier mot appartient à l'ensemble de la population. Les groupes d'intérêt admettent qu'ils doivent accepter le verdict électoral, tout en espérant que les pressions qu'ils ont exercées donneront les résultats escomptés. Telles sont les règles de la compétition démocratique.

Des démocraties fragiles et peu nombreuses

Tenant compte de ces règles, on ne doit ainsi pas s'étonner de la fragilité de la démocratie. Il suffit qu'un groupe rejette le résultat de cette compétition pacifique et dispose de suffisamment de pouvoir et de ressources politiques pour déstabiliser le système démocratique et, éventuellement, le renverser. Dans certaines parties du monde, la pauvreté et la surpopulation sont si aiguës, et les ressources économiques si rares, qu'il est pratiquement impossible de créer un climat de saine compétition pour une résolution pacifique des conflits. Comme les biens disponibles ne suffisent pas à répondre aux besoins vitaux et que les inégalités sociales sont criantes, les individus et les groupes vivent dans un climat d'hostilité et de peur. Il s'ensuit une lutte implacable pour l'appropriation des ressources existantes ainsi que des tensions très vives entre une minorité vivant dans l'abondance et le reste de la population, forcé d'endurer de multiples privations.

C'est pourquoi, comme l'indique la politologue québécoise Diane Éthier, il doit exister des conditions internes décisives concernant la démocratie, notamment un niveau de développement économique et social relativement avancé, la détermination des dirigeants de procéder à des réformes afin d'assurer une distribution plus juste et plus équitable de la richesse, et la volonté de ces mêmes dirigeants de mettre en place des institutions démocratiques[1].

Voici pourquoi il ne faut pas s'étonner que les pays qui vivent sous des régimes démocratiques depuis longtemps soient peu nombreux. Sur les 104 États qui sont indépendants depuis 1960, seuls 29 ont été dirigés sans interruption, de 1960 à 2000, par des gouvernements démocratiques[2]. Comme ces pays bénéficient d'un niveau de vie élevé, les groupes d'intérêt acceptent les résultats de la compétition démocratique. Précisons toutefois que certains pays en voie de développement ou en émergence tels que la Jamaïque, Malte, le Costa Rica et l'Inde, la plus populeuse des démocraties, vivent depuis leur indépendance sous un régime démocratique, mais ce sont des exceptions.

La démocratie et la prospérité économique

C'est un fait prévisible et facilement observable en politique comparée : les pays économiquement prospères sont beaucoup plus susceptibles d'être des démocraties que les pays pauvres. En 2010, le revenu moyen par habitant des démocraties était de 17 686 $ US tandis que celui des pays non démocratiques était de 10 173 $ US[3]. Pourtant, les citoyens des pays pauvres, tout autant que ceux des pays riches, veulent qu'on les respecte et qu'on les protège contre toutes sortes d'abus. Alors, pourquoi la majorité des pays pauvres n'ont-ils pas de gouvernement démocratique ?

On pourrait répondre que cela est dû à la croissance économique des régimes démocratiques, qui est beaucoup plus forte que celle des pays non démocratiques, mais cette raison ne résiste pas à l'examen. Depuis les années 1980, la Chine communiste connaît un taux de croissance économique qui est nettement plus élevé – une moyenne de 10 % par année – que celui de l'Inde démocratique – une moyenne de 5 % par année. Il faut donc trouver une autre explication. La figure **5.1** montre que plus un État est prospère, moins son régime politique est susceptible d'être renversé.

Entre les années 1951 et 1999, dans un pays démocratique, si le revenu moyen par habitant était inférieur à 1 000 $ (en tenant compte de la parité du pouvoir d'achat), la probabilité que la démocratie soit renversée était très élevée. Cette

1. Éthier, Diane (septembre 2001). « La conditionnalité démocratique des agences d'aide et de l'Union européenne », *Études internationales*, vol. 32, n° 3, p. 495-523.
2. Przeworski, Adam, *et al.* (2000). *Democracy and Development*, Cambridge, Cambridge University Press, annexe 1.2.
3. Calcul fait à partir des données de la CIA World Factbook, [En ligne], www.cia.gov/library/publications/the-world-factbook/rankorder/rankorderguide.html, et des données et indicateurs de Freedom House, *Freedom in the World 2011*, [En ligne], www.freedomhouse.org/report/freedom-world/freedom-world-2011 (Pages consultées le 13 février 2013).

probabilité a diminué constamment à mesure que le revenu a augmenté, pour devenir nulle dans les pays où celui-ci excédait 7 000 $. Par contre, la probabilité qu'un régime autoritaire soit renversé et remplacé par une démocratie ne dépend pas de la prospérité économique du pays.

Le niveau de vie et la stabilité politique

Des pays peuvent choisir la démocratie pour toutes sortes de raisons. Toutefois, la probabilité qu'ils demeurent démocratiques est beaucoup plus grande s'ils connaissent une croissance économique. Pourquoi? Rappelons-nous les règles de la compétition démocratique décrites au début du chapitre : en vertu d'une entente implicite ou explicite entre les différents groupes sociaux et patronaux, les perdants acceptent les résultats électoraux parce qu'ils croient qu'aux prochaines élections ils pourront faire des gains et, éventuellement, que le parti politique qui défend leurs intérêts accédera au pouvoir. Cependant, pour que ces règles soient observées, il faut encore que les conditions économiques soient minimalement acceptables, ce qui n'est pas le cas dans les nombreux pays qui souffrent de pénuries chroniques, comme nous l'avons vu précédemment. Supposons qu'un paysan du Nigeria et un cadre d'un pays quelconque de l'Europe de l'Ouest perdent tous les deux un quart de leurs revenus, et que le premier soit alors forcé de vendre ses trois vaches. La famille du paysan ressentira beaucoup plus les effets de la perte que celle du cadre occidental qui devra, lui, couper sur les repas au restaurant et son voyage annuel dans le Sud.

L'augmentation de la richesse et la stabilité politique

La raison qui explique pourquoi la croissance et la prospérité économiques favorisent la stabilité des démocraties est liée à la création et à l'augmentation de la richesse. Rien n'est plus difficile pour un gouvernement que de prélever une

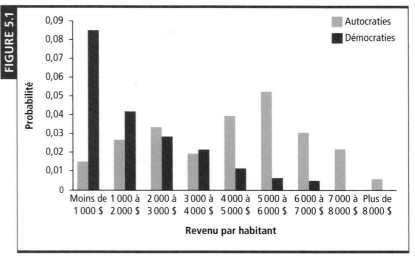

LA PROBABILITÉ DE RENVERSEMENT D'UNE DÉMOCRATIE EN FONCTION DU REVENU PAR HABITANT

FIGURE 5.1

Source : Adaptée de Przeworski, Adam (2004). «Political regimes and economic development », dans Richard Sisson et Edward Mansfield (dir.), *The evolution of political knowledge*, Ohio State University Press, tableau 1, p. 336.

POUR ALLER PLUS LOIN

La Chine et l'Inde : deux conceptions du développement

Dans son ouvrage *La démocratie des autres : pourquoi la liberté n'est pas une invention de l'Occident*[4], Amartya Sen, économiste indien et prix Nobel d'économie en 1998, fait une étude comparative du développement économique et social de l'Inde et de la Chine. Il note que depuis 1950, les pays pauvres qui sont démocratiques ne connaissent plus la famine. Depuis son accession à l'indépendance en 1947, l'Inde a toujours échappé à ce fléau, ce qui n'était pas le cas lorsqu'elle était une colonie britannique ; la dernière famine, en 1943, a fait plus de trois millions de morts. Pour sa part, la Chine communiste a connu la plus grande famine de l'histoire : entre 1958 et 1961, on a dénombré de 23 à 30 millions de victimes. D'autres pays communistes ont aussi été aux prises avec la famine : l'ex-URSS, le Cambodge et, plus récemment, la Corée du Nord. Au cours des dernières décennies, des famines ont également ravagé des pays dirigés par des dictatures militaires tels que l'Éthiopie, le Soudan et la Somalie.

Selon Amartya Sen, les pays pauvres démocratiques n'ont pas connu ce genre de fléau, parce que la démocratie permet de reconnaître les signes avant-coureurs d'une catastrophe alimentaire ou sanitaire, qu'un débat public et non censuré est ouvert, que le gouvernement ainsi que la communauté internationale sont interpellés et que des mesures sont prises.

---

4. Sen, Amartya (2005). *La démocratie des autres : pourquoi la liberté n'est pas une invention de l'Occident*, Paris, Payot.

La démocratisation

La démocratisation désigne l'approfondissement de la qualité démocratique d'une communauté. Elle désigne également les processus qui permettent la conversion à la démocratie d'un pays vivant sous un régime autoritaire ou totalitaire. De nos jours, le terme réfère au processus de transition menant à l'établissement d'un régime politique démocratique. En ce qui concerne les études portant sur les processus de démocratisation, deux champs de recherche se sont développés depuis quelques années en science politique : la transitologie et la consolidologie. La transitologie (étude des transitions démocratiques) s'intéresse aux raisons et aux processus qui ont déterminé la libéralisation d'un régime autoritaire (Pologne, Argentine, Chili, Ukraine, Haïti, par exemple). La consolidologie (étude des processus de consolidation de la démocratie) considère quant à elle le degré d'institutionnalisation des règles démocratiques et le développement d'une culture démocratique endogène, à savoir la consolidation démocratique des régimes politiques.

partie des revenus d'un groupe et de la transférer à un autre. Ce type de politique de ponction suscite toujours une mobilisation massive d'une large partie de la population et des réactions explosives. Rappelons une décision politique qui est devenue un cas classique : les réactions très violentes qu'avait provoquées la décision du gouvernement de René Lévesque, en 1982 et 1983, de réduire de 5 % les salaires dans la fonction publique et parapublique, décision qui avait pour but d'augmenter les ressources destinées aux citoyens les plus démunis. Plus récemment, on a aussi pu observer la crise économique et financière qui secoue la Grèce et le Portugal depuis 2012, notamment en raison des restrictions budgétaires très sévères imposées par l'Union européenne. Par contre, une croissance économique soutenue permet d'éviter de recourir à ce genre de politique qui risque d'entraîner une crise de légitimité, comme nous l'avons vu au chapitre 4. Le gouvernement peut ainsi consacrer une large partie de la croissance de la richesse, par le biais de l'augmentation des revenus de l'État, à ces groupes temporairement défavorisés. Autrement dit, pas de stabilité politique sans création de richesse.

Les vagues de démocratisation

En 1989, le mur de Berlin tombe sous le regard étonné du monde entier. La plupart des États communistes d'Europe de l'Est se sont débarrassés presque en même temps de leur système et l'ont remplacé par une démocratie. En 1991, une tentative de coup d'État communiste s'est soldée par la victoire des forces démocratiques en Union soviétique. Ces revirements spectaculaires, que l'on a désignés comme « la troisième vague »[5], ont surpris tous les observateurs, mais le mouvement de démocratisation avait été amorcé 15 ans plus tôt.

La première et la deuxième vague de démocratisation

La première vague de démocratisation est survenue après la Première Guerre mondiale, à l'époque où l'Allemagne ainsi qu'un certain nombre de pays d'Europe de l'Est et d'Amérique latine se sont dotés d'un régime démocratique. Beaucoup de ces nouvelles démocraties ont cependant disparu à la suite de la crise économique de 1929 et de la Seconde Guerre mondiale.

Le mur de Berlin, construit en 1961, a séparé Berlin-Ouest (sous contrôle occidental) et Berlin-Est (sous contrôle soviétique) pendant près de 30 ans. Sa démolition, amorcée en 1989, a ouvert le chemin à la démocratisation de l'Europe de l'Est.

5. Huntington, Samuel P. (1991). *The Third Wave: Democratization in the Late Twentieth Century*, Norman, University of Oklahoma Press, p. 21-26.

La deuxième vague de démocratisation s'est produite après la Seconde Guerre mondiale : l'Allemagne et l'Italie ont alors rétabli la démocratie. Pendant la période de la décolonisation (1947-1960), un grand nombre d'anciennes colonies européennes se sont donné des régimes démocratiques en accédant à l'indépendance. Cependant, bon nombre de ces nouvelles démocraties ont disparu à la suite de coups d'État militaires (*voir le chapitre 4*).

La troisième vague de démocratisation

Au cours des années 1970, trois pays de l'Europe méridionale sont devenus démocratiques après de longues années de dictature. Il s'agit de la Grèce (1974), du Portugal (1974) et de l'Espagne (1978). Un peu plus tard, le mouvement s'est étendu à l'Amérique latine, où plusieurs États ont rétabli la démocratie après une période de dictature militaire (de droite, le plus souvent) : l'Équateur et le Pérou en 1978, la Bolivie en 1982, l'Argentine en 1983, l'Uruguay en 1984, le Brésil en 1985 et le Chili en 1989.

En 1989 et 1990, enfin, la démocratie s'est imposée dans la plupart des pays d'Europe de l'Est tels que l'Allemagne de l'Est (réunie depuis à l'Allemagne de l'Ouest), la Pologne, la Tchécoslovaquie (maintenant scindée en deux États, la République tchèque et la Slovaquie) et la Hongrie. À l'extérieur de l'Europe, la démocratie s'est imposée aux Philippines (1986), en Corée du Sud (1987), au Pakistan (1988-1999), au Nicaragua (1990), à Haïti (1990), en Afrique du Sud (1994) et au Guatemala (1995). Toutefois, l'établissement de la démocratie ne se fait pas toujours facilement et il y a parfois des régressions. Ainsi, après avoir institué la démocratie en Algérie en 1989, l'armée a annulé les élections de 1991 de peur que le Parti islamiste fondamentaliste en sorte victorieux. À Haïti, en 1991, l'armée a fomenté un coup d'État pour destituer le président nouvellement élu, Jean-Bertrand Aristide. Celui-ci n'a été réinstallé dans ses fonctions qu'en 1994, à la suite de pressions intenses des États-Unis, du Canada et des pays membres de l'Organisation des États américains (OEA). Au Pakistan, en 1999, un coup d'État militaire a installé le général Pervez Mucharraf au pouvoir. Enfin, la démocratie demeure très fragile dans la plupart des anciennes républiques soviétiques. Cependant, malgré un certain nombre d'échecs, il est évident qu'il y a eu, depuis 40 ans, un mouvement significatif vers la démocratie.

Pendant une quinzaine d'années, Aung San Suu Kyi a été assignée à résidence par le régime militaire du Myanmar. Tout au long de ces années de détention, elle s'adresse régulièrement à la foule de partisans venue l'entendre devant sa résidence. Libérée depuis novembre 2010, Aung San Suu Kyi a été élue présidente du principal partie d'opposition du pays.

POUR ALLER PLUS LOIN

Vladimir Poutine, président de la Russie

Ancien membre du KGB (services secrets de l'ex-URSS), Vladimir Poutine a été élu président pour la deuxième fois, le 5 mars 2012. Ses opposants ont dénoncé des entraves à la transparence et des fraudes massives. Les difficultés qu'éprouve la démocratie en Russie s'expliquent par la persistance de structures étatiques verticales et clientélistes héritées des époques soviétique et tsariste. Pour ses partisans, le président Poutine est considéré comme l'homme fort et le visionnaire qui va moderniser l'économie et redonner à la Russie son prestige sur la scène internationale. Une modification constitutionnelle récente fixe le mandat de la présidence à six ans et autorise deux mandats successifs, ce qui permettrait à Vladimir Poutine d'assumer la présidence jusqu'en 2024.

Les différentes qualités de la démocratie

Depuis les 40 dernières années, la démocratie a largement gagné du terrain. Toutefois, comme le souligne l'organisme Freedom House (*voir la rubrique Pour aller plus loin ci-dessous*), qui publie chaque année un rapport sur l'état des libertés dans le monde, la question est complexe, car les critères servant à évaluer le niveau et la qualité de la démocratie sont nombreux. Parmi ces critères figurent les libertés politiques, les droits légaux ainsi que les libertés civiles et individuelles. Certaines libertés reconnues peuvent même coexister avec des violations des droits fondamentaux. Ainsi, on pourrait classer les pays de la façon suivante : les pays libres, les pays partiellement libres et les pays répressifs ou non libres. Selon cet organisme, depuis les années 1970, la liberté et la démocratie ont fait d'incontestables progrès. Ainsi, comme le montre le tableau 5.1, durant la période 1972-2012, le nombre de pays que Freedom House considère comme libres ou partiellement libres est passé de 82 à 148. En 2000, 45 % de la population mondiale vivait sous des régimes politiques considérés comme libres, 30 % de cette population habitait des pays partiellement libres, et 25 % était dirigée par des gouvernements autoritaires. Par contre, dans son rapport de 2011, Freedom House signale que depuis 2000, le nombre de pays libres est demeuré sensiblement le même et qu'il n'y a pas eu de progrès significatifs durant la dernière décennie.

POUR ALLER PLUS LOIN

La fondation Freedom House

Freedom House est une fondation américaine sans but lucratif qui a pour but de promouvoir la liberté et la démocratie dans le monde. Fondée il y a 60 ans par Eleanor Roosevelt (épouse du président des États-Unis F. D. Roosevelt [1882-1945]), cet organisme s'est fait le défenseur, entre autres, des droits civils des Noirs américains dans les années 1950, est venu en aide aux *Boat People* du Viet Nam à la fin des années 1970, a pris fait et cause pour le mouvement Solidarité en Pologne au début des années 1980 et, plus récemment, a fait fortement pression sur le gouvernement militaire du Myanmar (Birmanie) afin qu'il libère l'opposante et prix Nobel de la paix, Aung San Suu Kyi. Depuis 1978, Freedom House publie annuellement un rapport sur la situation des libertés politiques et des libertés civiles à travers le monde.

Les causes possibles de la démocratisation

Comment expliquer cet étonnant mouvement de démocratisation ? Quatre raisons peuvent être mises en avant : l'usure de certains régimes autoritaires, les pressions internationales, le désir de sécurité et l'aspiration à la dignité ainsi que le besoin de développement économique.

TABLEAU 5.1 | LA PROGRESSION DE LA DÉMOCRATIE DANS LE MONDE (1972-2012)

Année	États libres et démocratiques	États partiellement libres et démocratiques	États non libres et non démocratiques	États (total)
1972	44	38	69	151
1982	54	47	64	165
1995	76	62	53	191
2000	86	58	48	192
2007	89	58	45	192
2012	90	58	47	195

Source : Données de Freedom House, adaptées par Jules-Pascal Venne, [En ligne], www.freedomhouse.org

L'usure du pouvoir

Certains systèmes autoritaires ont subi l'usure du pouvoir et ont perdu l'appui de la population. Certains dictateurs sont morts alors qu'ils étaient au pouvoir, comme cela a été le cas en Espagne et au Portugal, laissant derrière eux des régimes exsangues. Le gouvernement militaire de l'Argentine a perdu toute crédibilité auprès de sa population à la suite d'une guerre menée et perdue contre le Royaume-Uni pour récupérer l'archipel des Malouines en 1982. L'Union soviétique, pour sa part, parvenait de plus en plus difficilement à maintenir son contrôle sur les pays de l'Europe de l'Est. De plus, le délabrement de son économie a été un facteur déterminant de la démocratisation de cette partie de l'Europe en 1989. La corruption et le vieillissement du Parti communiste ont entraîné la victoire de la démocratie en Union soviétique même. L'échec du coup d'État tenté en 1991 témoigne également de la faiblesse des communistes.

Les pressions de la communauté internationale

Les régimes non démocratiques ont par ailleurs subi de fortes pressions de la part de la communauté internationale. L'Europe de l'Ouest a fortement poussé l'Espagne, le Portugal et la Grèce à se démocratiser et a fait de leur démocratisation la condition explicite de leur adhésion à l'Union européenne (*voir le chapitre 2*). La communauté internationale a imposé à l'Afrique du Sud des sanctions économiques afin de la forcer à reconnaître les droits démocratiques de la majorité noire. Les mesures appliquées ont abouti à la formation d'un gouvernement démocratique en 1994. La Chine résiste aux pressions internationales qui s'exercent depuis le massacre de la place Tiananmen, en 1989, mais elle est restée sensible aux réactions provenant de l'étranger et poursuit une répression moins brutale vis-à-vis du mouvement démocratique. Par contre, la puissance économique et financière de la Chine la rend moins perméable aux pressions.

De plus, depuis 30 ans, de nombreux pays et de nombreuses organisations internationales telles la Banque mondiale et l'OCDE (Organisation de coopération et de développement économiques) ont fixé de nouvelles conditions

POUR ALLER PLUS LOIN

Nelson Mandela et la démocratisation de l'Afrique du Sud

Né en Afrique du Sud, Nelson Mandela a été le chef du Congrès national africain (ANC), une organisation politique qui avait pour but de mettre fin à la politique de ségrégation raciale envers la majorité noire imposée par la minorité blanche. Cette politique, dite de l'apartheid, qui fut appliquée en Afrique du Sud de 1948 à 1991, consistait à restreindre les droits politiques de la majorité noire, à interdire les relations sexuelles interraciales et à maintenir la domination économique et politique de la minorité blanche (3 millions) sur la majorité noire (35 millions). Malgré son emprisonnement pendant 28 ans (de 1962 à 1990), Mandela a réussi à diriger un vaste mouvement national et international qui est parvenu à faire abolir les lois de l'apartheid en 1991. Nommé président de l'Afrique du Sud en 1994, à la suite d'élections multiraciales, il a quitté volontairement le pouvoir en 1999 afin d'assurer une alternance démocratique. Figure emblématique de la lutte pour l'égalité et la justice, il a obtenu le prix Nobel de la paix en 1993.

pour l'octroi d'une aide économique, comme le respect des droits de la personne et des minorités, et la démocratisation du système politique. L'Union européenne, en particulier, a établi des règles très contraignantes pour les pays qui veulent y adhérer[6].

Le respect des droits de l'homme

Lorsqu'il est question d'expliquer l'expansion de la démocratie dans le monde, le respect des droits de l'homme a peut-être plus d'importance que les deux raisons évoquées précédemment. Il est certain que le désir de protéger les droits de la personne ou l'absence de droits ont été des facteurs déterminants de la démocratisation en Amérique du Sud, étant donné que plusieurs régimes militaires y avaient réprimé brutalement toute opposition. Des milliers d'Argentins et de Chiliens ont disparu pendant ces dictatures, et on présume qu'ils ont été torturés et assassinés. En 1986, aux Philippines, le meurtre du leader emblématique de l'opposition, Benigno Aquino, a déclenché le processus de démocratisation. Après l'écroulement du régime communiste en Allemagne de l'Est, on a appris que la police secrète avait fiché 6 millions de personnes sur une population de 16 millions et qu'elle avait utilisé des centaines de milliers d'informateurs. L'aspiration à la dignité humaine et le désir de sécurité ont toujours joué un rôle prépondérant dans la formation des démocraties. Le désir de jouir de la liberté et de droits est d'ailleurs à l'origine des premières démocraties en Europe et en Amérique du Nord au XIXe siècle ; le besoin de respect et l'aspiration à la dignité sont universels et transcendent toutes les cultures.

La prospérité économique

Le besoin de prospérité économique, la quatrième raison qui explique le mouvement de démocratisation, a été lui aussi déterminant. L'économie de nombreux États dirigés par des gouvernements autoritaires était loin d'être aussi prospère que celle de pays démocratiques comme le Japon et l'Allemagne de l'Ouest. Le besoin de prospérité économique a surtout joué un rôle clé dans le démantèlement des régimes communistes en Europe de l'Est. L'arrivée de la démocratie a coïncidé avec le démantèlement des économies socialistes inefficaces et la création d'économies de marché. Nous avons vu qu'il faut se garder de lier trop étroitement économie de marché, démocratie et prospérité, mais il n'en demeure pas moins que la démocratisation s'est amorcée dans bien des cas à la suite d'un constat d'échec économique. Les populations se rendaient compte que leur économie piétinait et que la démocratie libérale, du moins en Europe de l'Ouest, s'accompagnait d'une forte prospérité économique.

En Afrique, les facteurs à l'origine de la démocratisation sont quelque peu différents. La vague de libéralisation apparue vers 1990 a surtout entraîné un retour au multipartisme. Les deux premières raisons sont liées aux bouleversements qui ont mené à la disparition des régimes communistes d'Europe centrale et à la fin de la guerre froide. L'effondrement du communisme en Europe et la facilité avec laquelle les peuples d'Europe de l'Est ont mis fin aux régimes de parti unique ont accéléré le processus de démocratisation. De nombreux régimes autoritaires africains monnayaient leur soutien à l'un ou l'autre camp. La fin

---

6. Éthier, Diane, *op. cit.*, p. 496-497.

de la guerre froide a remis en cause leur raison d'être, et l'aide qu'ils recevaient des pays occidentaux ou de l'Union soviétique cessait d'être justifiée. Les deux dernières raisons sont d'ordre économique. La situation économique de la majorité des pays africains au début des années 1990 était en effet dramatique, voire catastrophique. Les indicateurs sociaux et économiques étaient tous à la baisse. C'est ce qui explique pourquoi les régimes autoritaires ont perdu leur légitimité et tout appui extérieur, et pourquoi ils ont dû amorcer un processus de libéralisation dans un premier temps et un processus de démocratisation dans un second temps. Depuis 10 ans, de nombreux pays africains connaissent une bonne performance économique, ce qui devrait venir renforcer la démocratisation.

La démocratie : la fin de l'histoire ?

Les changements dont nous venons de faire état revêtent certes une importance considérable, mais il ne faut pas exagérer leur signification et leur portée, comme l'a fait Francis Fukuyama. Dans son ouvrage[7], qui a connu un fort succès dès sa publication, l'auteur écrit que la démocratie capitaliste est sortie victorieuse de la grande lutte idéologique des XIXe et XXe siècles, qu'il ne restait plus de sujets de conflits et que, par conséquent, l'histoire telle que nous la connaissons était terminée. Mais l'histoire ne s'arrête pas. Nous devrions voir, dans les prochaines décennies, des mouvements vers la démocratie comme vers l'autoritarisme.

Les risques de renversement de la démocratie

Cependant, malgré un certain nombre d'échecs, il est évident qu'il y a eu, depuis 40 ans, un mouvement significatif de démocratisation. Mais le XXe siècle a aussi connu des vagues d'autoritarisme. Dans les années 1920, par exemple, l'Allemagne, l'Italie, l'Espagne et divers États d'Europe de l'Est ont vécu sous des régimes dictatoriaux. Cela a aussi été le cas de l'Afrique et de l'Amérique du Sud depuis le début des années 1950 jusque dans les années 1980. Le contexte international a changé, depuis la fin des années 1980, avec l'effondrement des pays communistes en Europe. Comme la rivalité entre les deux superpuissances – les États-Unis et l'ex-URSS – a disparu, les régimes dictatoriaux ne reçoivent plus le soutien de ces deux pays. Les changements qui y sont survenus ont des chances d'être durables, mais une crise économique mondiale comme celle de 1929, une crise financière comme celle de 2008 ou une crise budgétaire et financière comme en Europe en 2012 peuvent toujours perturber et même faire régresser la démocratie.

Dans de nombreux États (notamment l'Espagne, le Portugal, la Grèce, l'Argentine, le Brésil, la Pologne, la Tchécoslovaquie et la Hongrie), le processus de démocratisation a donné lieu à un consensus sur les règles de la compétition démocratique. Dans d'autres pays, les dictatures ont été renversées et des régimes multipartistes ont été mis en place alors même qu'il n'y avait pas de culture

Une statue de Lénine est renversée après le coup d'État raté d'août 1991, en Union soviétique.

---

7. Fukuyama, Francis (été 1989). « The End of History ? », *National Interest*, n° 16, p. 3-19. Pour la traduction française, voir Fukuyama, Francis (1994). *La fin de l'histoire*, Paris, Flammarion, p. 11.

politique enracinée défendant des valeurs démocratiques, comme nous l'avons indiqué au chapitre 4. Comme nous l'avons vu aussi, la situation économique précaire de certains pays a eu pour effet d'exacerber les tensions et de rendre très difficile tout règlement pacifique des conflits. Cela devrait nous inciter à faire preuve de prudence dans nos conclusions. À Haïti, par exemple, un mouvement démocratique a mis fin à la dictature de la famille Duvalier en 1986, mais comme les Duvalier avaient écrasé la majeure partie des forces d'opposition, la démocratie n'est pas parvenue à s'implanter durablement. Ce pays était encore aux prises avec la violence, les grèves, voire l'anarchie, sans compter les catastrophes naturelles comme celle de 2011.

Il faut donc s'attendre à ce que les comportements et les valeurs démocratiques mettent un certain temps à prendre racine dans les pays qui n'ont jamais connu la démocratie.

La démocratisation et l'explosion des tensions réprimées par les anciennes dictatures

L'instauration d'un régime démocratique doit non seulement s'accompagner d'une promotion des valeurs démocratiques, mais aussi libérer les forces et les tensions entre les différentes communautés nationales et religieuses que les régimes oppressifs avaient réussi à contenir. De nombreux États multinationaux risquent souvent l'éclatement.

La démocratie espagnole, par exemple, a été menacée dès son instauration par le mouvement terroriste basque, et encore aujourd'hui par la montée du mouvement nationaliste de la Catalogne. De même, en Yougoslavie, le mouvement de démocratisation a été affecté en 1990 par la sécession des deux provinces les plus prospères, la Slovénie et la Croatie ; une guerre sanglante a suivi en Bosnie. L'Union soviétique, enfin, s'est libéralisée graduellement depuis 1989, mais de violents conflits ont opposé les Arméniens et les Azéris, ainsi que les Ouzbeks et les Turcs. De plus, la Géorgie, l'Estonie, la Lettonie, la Lituanie et l'Ukraine ont réclamé leur indépendance. La démocratie est sortie victorieuse du coup d'État de 1991, mais la victoire a entraîné la désintégration de l'Union soviétique et la création d'États indépendants. Aujourd'hui, en Russie, la question de la Tchétchénie demeure entière.

POUR ALLER PLUS LOIN

La Tchétchénie

Des guerres en Tchétchénie (1996 et 1999) ont suivi le processus de démocratisation en Russie. À la suite de la dissolution de l'URSS en 1991, le président Eltsine a affirmé que les régions de la Russie pouvaient obtenir l'autonomie qu'elles voulaient. Profitant de cette déclaration, la Tchétchénie a proclamé son indépendance, provoquant deux interventions militaires russes. À la suite de ces interventions, la Russie a imposé à la Tchétchénie des dirigeants sous ses ordres.

Les phases du processus de démocratisation

Ces mises au point ne doivent nullement conduire à minimiser l'importance des événements survenus au cours des 30 dernières années. Elles montrent que la démocratisation politique est un phénomène complexe qui comporte différentes phases. Dans *La politique comparée*[8], les politologues canadiens Mamoudou Gazibo et Jane Jenson distinguent trois phases dans le processus de démocratisation.

---

8. Gazibo, Mamoudou, et Jane Jenson (2004). *La politique comparée*, Montréal, Québec, Presses de l'Université de Montréal, p. 173 et suiv.

1. Dans la première phase, dite «phase de libéralisation», la transition vers la démocratie commence à s'opérer : le régime autoritaire se voit forcé de desserrer son emprise sur la société. Au cours de cette première phase, le règne du parti unique et la censure des médias cessent progressivement, les prisonniers politiques sont libérés, les autres partis politiques sont autorisés, le droit d'association est reconnu et un système politique compétitif est institué.

2. La deuxième phase, la phase de la transition démocratique, est marquée par les premières élections libres, transparentes et concurrentielles, élections dites «de fondation».

3. Enfin, la troisième phase dite «de la consolidation de la démocratie» débute après les élections fondatrices. Cette étape est plus difficile à franchir que celle de la transition. Les conditions et les processus qu'entraîne la phase de transition ne sont pas nécessairement les mêmes que ceux qui se rapportent à la phase de consolidation. Une démocratie est consolidée lorsque, dans des conditions politiques et économiques déterminées, l'ordre constitutionnel s'impose comme le seul moyen d'assurer la compétition politique, et que les principales forces politiques, même lorsqu'elles ont perdu une élection, acceptent d'insérer leurs actions dans le cadre institutionnel démocratique.

Les leçons de l'histoire récente

Les politologues n'ont pas encore élaboré une théorie générale permettant d'expliquer le mouvement de démocratisation, et en particulier les facteurs qui déterminent la phase de libéralisation.

Il ne faut pas s'en étonner. Les mouvements de démocratisation et les transitions démocratiques désignent en effet des ensembles de phénomènes qui se sont produits dans différentes parties du monde et qui ont de multiples causes socioéconomiques. Il est cependant possible de faire un certain nombre de constats.

L'importance des «pactes»

O'Donnell, Schmitter et Whitehead ont fait une excellente analyse du mouvement de démocratisation. Ils ont étudié le phénomène de démocratisation jusqu'en 1986, principalement en Amérique latine et en Europe méridionale[9]. Ils n'ont pas construit une théorie à proprement parler, mais ont défini les caractéristiques et les processus communs aux divers mouvements de démocratisation.

Ces auteurs affirment qu'il est capital que les partisans de la démocratie concluent des «pactes» avec les dirigeants autoritaires afin de faciliter la transition et d'obtenir l'appui populaire. Ces pactes peuvent par exemple consister à accorder une amnistie pour des crimes perpétrés sous une dictature (comme celle du général Pinochet au Chili ou celle des colonels argentins), à reconnaître de façon symbolique l'ancien régime par le maintien d'une monarchie faible ou constitutionnelle ou à garantir le financement de l'armée. Nous verrons plus loin que ce genre de pacte a grandement favorisé la démocratisation en Espagne et qu'il a permis l'instauration d'un gouvernement démocratique en Argentine et au Chili.

---

9. O'Donnell, Guillermo, et Philippe C. Schmitter (1986). *Transitions from Authoritarian Rule : Tentative Conclusions about Uncertain Democracies*, Baltimore, Johns Hopkins University Press.

Les changements soudains

Bon nombre de transitions démocratiques ont surpris les observateurs. En 1988, par exemple, personne n'avait prévu que plusieurs États d'Europe de l'Est accéderaient à la démocratie à la fin de 1989. Voici comment l'expert américain Adam Przeworski explique ces changements imprévus[10].

Dans un régime autoritaire, les individus qui se prononcent en faveur de la démocratie sont sévèrement punis et peu récompensés, c'est-à-dire qu'ils en tirent très peu de profits. C'est là une variable qui détermine la probabilité d'instauration de la démocratie. Si la démocratie finit par s'établir, ceux qui l'avaient réclamée seront fortement récompensés et ne seront pas punis. Le facteur clé est que les profits nets résultant d'une prise de position pour la démocratie augmentent tout à coup lorsque les probabilités de succès franchissent le seuil des 50 %. Quand les probabilités de succès passent de 0 à 0,2, 0,3 ou 0,4, les profits nets d'une prise de position pour la démocratie n'augmentent pas beaucoup. En fait, les régimes dictatoriaux peuvent même réprimer davantage l'opposition à mesure qu'ils se fragilisent. Puis, soudain, le danger diminue pour les tenants de la démocratie. Les citoyens qui descendent dans la rue s'aperçoivent que des milliers d'autres manifestants s'y trouvent déjà et que le gouvernement ne pourra pas les faire taire. C'est le débordement ; la contestation prend une ampleur irrésistible. Tout à coup, l'engagement pour la démocratie n'est plus une entreprise téméraire réservée aux purs et durs ; il est plutôt susceptible d'être récompensé du fait qu'il est assuré par une majorité. Comme l'ancien secrétaire d'État américain Henry Kissinger[11]

POUR ALLER PLUS LOIN

Le printemps arabe et la démocratie

Les révoltes populaires qui ont entraîné en 2011 la chute de plusieurs régimes dans les pays arabes ont surpris pratiquement tous les observateurs et ont été fortement médiatisées. Quelles en sont les causes ? Les révoltes arabes sont largement demeurées endogènes. [...] Les raisons économiques et sociales semblent dominantes. Le manque d'emplois, la pression de jeunes générations éduquées mais laissées de côté ont libéré des frustrations accumulées. Elles ont éclaté avec une sorte de « mouvement des indignés » qui a réussi. La revendication politique a suivi, mais la fureur initiale était dirigée contre des pouvoirs prédateurs qui affichaient une prospérité insolente face à la misère générale. [...] S'agit-il de la montée des classes moyennes, d'une poussée islamique, de revendications démocratiques ? Face à un mouvement diversifié et toujours en cours, toute réponse est prématurée. Les révoltes arabes sont trop composites pour être réduites à une origine unique. C'est ainsi qu'il semble plus juste de parler de révoltes que de révolutions, parce que leur sort ultime demeure incertain. Rien n'assure que les démocraties en gestation pourront se maintenir. [...]

Source : La Documentation française (janvier-février 2012). « Printemps arabe et démocratie », *Questions internationales*, n° 53, p. 4-5.

---

10. Traduit de Przeworski, Adam (1986). « Some Problems in the Study of Transition to Democracy », dans Guillermo O'Donnell, Philippe C. Schmitter et Laurence Whitehead (dir.), *Transitions from Authoritarian Rule : Comparative Perspectives*, Baltimore, Johns Hopkins University Press, p. 47-63.
11. Extraits de Kissinger, Henry. (1982). *Les années orageuses*, Paris, Fayard, dans *L'Express*, 12 mars 1982, p. 47-63.

le soulignait : « À un certain degré de désintégration de l'autorité politique, il ne reste pas assez de force pour réprimer ni suffisamment de légitimité pour tirer le moindre profit des concessions. La répression aussi bien que la conciliation accélèrent l'effondrement du régime politique : la force, parce qu'elle se révélera peu concluante, et les concessions, parce qu'elles seront attribuées non pas à une politique de générosité, mais à la puissance de l'opposition démocratique. »

La démocratie et la liberté

L'analyse du mouvement de démocratisation nous rappelle que le lien entre la démocratie et la liberté individuelle est étroit, mais qu'il n'a rien d'absolu. Si l'on obtient généralement la seconde en instituant la première, il n'y a pas nécessairement de corrélation directe entre les deux.

Le lien entre la démocratie et la liberté individuelle devrait se passer d'explication. La démocratie et les différentes libertés individuelles découlent des mêmes principes libéraux (*voir le chapitre 3*). Pour des raisons strictement pratiques, la compétition pacifique qui constitue l'essence même de la démocratie ne peut avoir lieu sans un degré minimal de liberté de parole, de liberté d'association et de développement économique. Certaines autres libertés, comme la liberté de religion, la liberté de commerce et la liberté de circulation, n'accompagnent pas toujours la démocratie.

L'exemple de Hong Kong montre bien que liberté et démocratie ne vont pas toujours de pair. Hong Kong a été une colonie britannique jusqu'au 1er janvier 1998 et elle n'a jamais eu de gouvernement démocratique. Pourtant, la société y était très ouverte : la liberté de presse, de religion, de parole et d'association n'a jamais été limitée. Les États-Unis, d'un autre côté, forment une démocratie depuis plus de deux siècles, mais le degré de liberté y a varié. L'internement des citoyens d'origine japonaise pendant la Seconde Guerre mondiale, la ségrégation raciale qui a eu cours jusqu'en 1960 et le maccarthysme des années 1950 sont autant de faits qui démontrent qu'il n'y a pas de correspondance automatique entre la démocratie et certaines libertés.

Il est arrivé fréquemment qu'un régime autoritaire se libéralise graduellement (phase de libéralisation) sans pour autant aboutir à un régime démocratique. On serait tenté de conclure que la démocratisation a de meilleures chances de succès si elle est précédée par une longue phase de libéralisation endogène pendant laquelle l'opposition, les organismes représentatifs et les groupes de pression se forment, et les relations entre l'ancien régime et les forces du changement se normalisent. Ainsi, pendant l'*abertura* (« ouverture ») amorcée au Brésil par le régime militaire en 1974, le débat s'est élargi à l'ensemble des citoyens, les gouvernements locaux ont gagné en autonomie et les partis politiques se sont formés. La démocratie a finalement été établie en 1985. C'est la raison pour laquelle on distingue aujourd'hui différents degrés de démocratisation des régimes politiques et différents types de démocraties : démocratie libérale, démocratie électorale et pseudo-démocratie. Il faut aussi retenir que la démocratie idéale n'existe pas. Les régimes démocratiques n'ont rien de statique. À l'instar des sociétés dont ils sont l'expression, ils évoluent au gré des pressions et des luttes politiques. Quel que soit le degré d'évolution de la démocratie, on peut faire mieux. La démocratie peut toujours devenir plus libérale, plus inclusive et plus égalitaire.

Les différents types de démocraties

De nos jours, à la suite du phénomène de la démocratisation, on peut, comme l'a fait le politologue américain Larry Diamond, distinguer différents types de démocraties selon le niveau atteint par les libertés civiles et politiques. Une démocratie électorale doit remplir une condition, à savoir que le gouvernement doit être choisi lors d'élections que l'on présume libres et honnêtes. Ces élections doivent cependant donner lieu à une compétition entre plusieurs partis politiques et comporter le risque que le parti au pouvoir subisse la défaite. C'est là une condition minimale. De nombreuses caractéristiques non démocratiques – particulièrement en ce qui concerne le respect des droits civils et des droits de la personne – peuvent coexister avec la démocratie électorale. La démocratie libérale demeure la forme la plus achevée de la démocratie. Pour qu'une démocratie soit considérée comme libérale, il faut que s'y tiennent régulièrement des élections honnêtes et libres permettant une alternance au pouvoir, qu'il y ait une pluralité de partis, une réelle liberté d'expression, de religion et d'association, une véritable société de droit – ce qui implique l'existence d'un système juridique honnête et compétent –, que les droits des minorités soient protégés et que les lois garantissant l'exercice des libertés civiles et politiques soient enchâssées dans la Constitution. Dans les pseudo-démocraties qui, certes, reconnaissent l'existence d'une opposition légale et tiennent des élections multipartistes, le processus électoral ne comporte pas la possibilité que le parti ou les personnes exerçant le pouvoir soient remplacés par un autre parti ou par d'autres personnes[12].

La démocratie et le capitalisme

L'économie centralisée des pays communistes n'a pas apporté la prospérité ni favorisé la production de biens de consommation et de services. L'échec de cette économie a contribué à l'effondrement des régimes autoritaires en Europe de l'Est. En Union soviétique particulièrement, on s'est d'abord rendu compte que l'économie dirigée ne faisait pas le poids devant l'économie de marché de l'Ouest; la démocratisation a été l'une des nombreuses mesures prises par les dirigeants pour augmenter le rendement économique du système.

L'adoption d'une économie de marché va-t-elle de pair avec la démocratisation? On a l'habitude de penser que l'économie de marché et la démocratie sont indissociables, comme le sont la liberté et la démocratie. Elles reposent toutes les deux, en effet, sur l'addition des choix individuels et supposent que les individus sont responsables de leurs choix, comme le veulent les principes du libéralisme. Il n'est donc pas étonnant que la plupart des démocraties aient une économie de marché.

On trouve cependant, dans l'histoire, de nombreux exemples d'États non démocratiques qui avaient ou qui ont une économie de marché. C'est le cas, par exemple, de Hong Kong ou de la Corée du Sud, sous un régime militaire pendant plus de 40 ans, tout en ayant une économie de marché florissante. La Chine, enfin, a adopté une économie de marché, même si le régime politique est nettement autoritaire.

On voit donc qu'il n'existe pas de relation nécessaire entre la démocratie et le capitalisme. À l'instar de la Chine, les États d'Europe de l'Est auraient pu en principe modifier leur économie sans se démocratiser. Cependant, on peut supposer que le rejet du passé, le désir de changement et la volonté de se rattacher à l'Ouest étaient si forts qu'il leur a paru naturel d'occidentaliser leur système politique en même temps que leur économie. Il leur aurait été très difficile de transformer leur économie sans changer leurs dirigeants; il leur fallait probablement un nouveau gouvernement, démocratique ou non.

12. Diamond, Larry (2000). «The End of the Third Wave and the Start of the Fourth», dans Larry Diamond (dir.), *Democratic Invention*, Baltimore, Johns Hopkins University Press, p. 3-17.

Quand la Chine invente… la dictature délibérative

BENOÎT RICHARD

En Chine, penser la démocratie, voire l'expérimenter, n'est pas tabou… tant que cela ne remet pas en cause le monopole du Parti. Depuis plusieurs années, un débat partage les intellectuels entre les tenants d'une dictature délibérative et ceux d'une démocratie «incrémentielle». Les premiers, Pan Wei, Fang Shaoguang et Fang Ning, prônent un renforcement du règne de la loi et la consultation de la population sur les grandes décisions. Ils ont un formidable laboratoire vivant pour appliquer leurs idées, la ville de Chongking, 30 millions d'habitants, soit plus que 22 des 27 États de l'Union européenne, souligne Mark Leonard, directeur exécutif du Conseil européen des relations extérieures[13]. À Chongking, pour chaque décision importante, la mairie organise des auditions publiques par le biais de la télévision et d'Internet. Plus de 600 ont eu lieu, impliquant 100 000 citoyens, sur les dédommagements des paysans expropriés de leur terre, le niveau de salaire minimum ou la fixation des tarifs des services publics comme l'éducation, la santé, l'électricité, etc. L'expérience est désormais reprise dans plusieurs villes.

La ville de Zeguo teste, elle, une technique conçue par James Fishkin, politologue de Stanford: le sondage délibératif. Elle consiste à tirer au sort un échantillon de la population, à l'impliquer dans une consultation avec des experts, puis à faire voter le groupe. 275 personnes ont été ainsi invitées à participer, moyennant un ticket de bus gratuit et 50 renminbis (5 euros), à une consultation sur un budget de 40 millions de yuans pour des travaux publics. Après avoir passé une journée à prendre connaissance de 30 projets de construction de stations d'épuration, de parcs, de routes, etc., le groupe en a retenu 12, tous adoptés au final par le congrès du peuple local.

P. Wei a entrepris de «démythifier» la démocratie. Pour lui, il faut la distinguer du règne de la loi. La démocratie sert à légitimer des officiels pour représenter le peuple tandis que le pouvoir de la loi réside dans les mains de professionnels non élus de l'appareil judiciaire et administratif. Pour lui, les démocraties occidentales confondent les bienfaits de la démocratie et du règne de la loi car leur prospérité leur permet de bénéficier des deux. Adopter la démocratie sans avoir les moyens de faire régner la loi conduirait à la corruption, au clientélisme, au renforcement des tensions ethniques et finalement au chaos.

IMPLANTER LA DÉMOCRATIE LOCALE

C'est la raison pour laquelle le gouvernement chinois donne la priorité à l'amélioration de son système judiciaire. «Le nombre de procès intentés par des citoyens au gouvernement est passé de 10 000 il y a cinq ans à 100 000 l'année dernière. Et le pourcentage de victoire a également fait un bond spectaculaire: autrefois inférieur à 10%, il dépasse aujourd'hui les 40%», observe M. Leonard.

Dans l'autre camp, on trouve l'universitaire Yu Keping et l'intellectuel de la «nouvelle gauche» Wang Jui. Pour eux, démocratie et règne de la loi sont intimement liés. Selon W. Hui, sans participation populaire, seuls les intérêts du capital sont pris en compte. Par exemple, les lois sur la propriété intellectuelle, importantes pour les affaires, ont progressé beaucoup plus vite que celles sur le travail, attendues par la population.

Pour Y. Keping, il est possible d'implanter la démocratie au niveau local pour gagner progressivement les instances centrales. C'est la démocratie «incrémentielle». Y. Keping dirige le Centre d'innovation du gouvernement chinois qui recense les initiatives d'élections locales et de consultations démocratiques. Depuis 1999, il a nominé plus de 800 innovations et décerné 30 prix d'excellence en la matière. Parmi les lauréats, le district de Pingchang expérimente l'élection des secrétaires locaux du Parti par des scrutins concurrentiels et non par cooptation de l'appareil. Mais l'expérience n'a été reprise à ce jour par aucun des 2 499 autres districts chinois. La réforme démocratique reste bloquée dans ce pauvre territoire enclavé, loin de la côte rutilante qui s'accommode bien du libéralisme autoritaire.

Si le régime développe ces expériences, c'est pour garantir sa survie et prévenir les mécontentements. «À certains égards, le gouvernement chinois est lui-même son plus sévère détracteur, conclut M. Leonard. En permanence, il commande et analyse des études sur ces propres points faibles.» La Chine s'achemine-t-elle prudemment vers la démocratie ou son modèle de dictature délibérative la consacrera-t-elle comme le premier État à parti unique à produire de la stabilité? ◄

Source: Richard, Benoît (2010). «Quand la Chine invente… la dictature délibérative», dans Jean-Vincent Holeindre et Benoît Richard (dir.), *La démocratie*, Paris, France, Éditions Sciences Humaines, p. 287-288.

13. Leonard, Mark (2008). *Que pense la Chine?*, Plon.

CONCEPTS CLÉS

EXERCICES

Questions d'approfondissement

1. Illustrez, par des exemples concrets tirés de l'actualité politique récente, la phrase suivante : « Il suffit, pour déstabiliser le système démocratique, qu'un groupe important rejette le résultat d'une compétition pacifique et dispose de ressources suffisantes. »

2. Est-il vrai d'affirmer que le respect des droits de l'homme et le besoin de prospérité économique sont les deux principaux facteurs qui expliquent le mouvement de démocratisation dans le monde ? Pourquoi ?

3. L'adoption d'une économie de marché va-t-elle de pair avec la démocratisation ?

Sujets de discussion

1. En vous reportant au tableau 5.1, à la page 88, discutez des critères retenus par Freedom House pour classer les États du monde.

2. Examinez la situation politique ci-après sous l'angle de la démocratie : « La Chine applique les principes de l'économie de marché tout en maintenant un régime autoritaire et répressif. »

3. Discutez de l'affirmation suivante : « La démocratie, même dans les États qui l'ont adoptée depuis fort longtemps, reste toujours fragile. »

WWW

http://mabibliotheque.cheneliere.ca

LECTURES SUGGÉRÉES

BRAUD, Philippe. *La démocratie politique*, Paris, Éditions du Seuil, 2003.

DEWIEL, Boris. *La démocratie : histoire des idées*, Sainte-Foy, Presses de l'Université Laval, 2005.

DUCOMPTE, Jean-Michel. *La démocratie*, Toulouse, Éditions Milan, 2003.

GAZIMO, Mamoudou, et Jane JENSON. *La politique comparée*, Montréal, Presses de l'Université de Montréal, 2004.

HOLEINDRE, Jean-Vincent, et Benoît RICHARD. *La démocratie, histoire, théories, pratiques*, Paris, Éditions Sciences Humaines, 2010.

JAFFRELOT, Christophe. *Inde : la démocratie par les castes. Histoire d'une mutation sociopolitique 1885-2006*, Paris, Fayard, 2005.

LA DOCUMENTATION FRANÇAISE. « Printemps arabe et démocratie », *Questions internationales*, n° 53, janvier-février 2012.

MILNER, Henry. *La compétence civique : comment les citoyens contribuent au bon fonctionnement de la démocratie*, Sainte-Foy, Presses de l'Université Laval, 2004.

SEN, Amartya. *La démocratie des autres : pourquoi la liberté n'est pas une invention de l'Occident*, Paris, Payot, 2005.

TODOROV, Tzvetan. *Les ennemis intimes de la démocratie*, Paris, Editions Robert Laffont, 2012.

CHAPITRE

6

Les dictatures : les régimes autoritaires et totalitaires

CIBLES D'APPRENTISSAGE

La lecture de ce chapitre vous permettra :

- de distinguer l'autoritarisme de la démocratie ;
- de connaître les principales formes de régime autoritaire et de dictature ;
- de distinguer les régimes autoritaires des régimes totalitaires ;
- d'appréhender la fragilité des régimes militaires ;
- de définir les bases des dictatures personnelles.

Gouvernement autocratique
Forme de gouvernement où les dirigeants exigent des dirigés une obéissance inconditionnelle. Synonyme de despotisme.

Les dictatures

Au cours des 40 dernières années, les dictatures d'Amérique latine, d'Afrique, d'Asie du Sud et d'Europe de l'Est ont subi une crise profonde. Nous avons vu, au chapitre précédent, que cette période a été marquée par un mouvement de démocratisation des régimes politiques. Toutefois, le passage d'un système autoritaire à la démocratie est ardu et demeure incertain, car il y a souvent un risque que de nouveaux **gouvernements autocratiques** reviennent au pouvoir[1]. Par ailleurs, les régimes non démocratiques sont, eux aussi, des régimes politiques fragiles.

Les différents types de régimes non démocratiques

Les régimes non démocratiques prennent de multiples formes, depuis les dictatures personnelles jusqu'aux monarchies, en passant par les régimes militaires, les régimes à parti unique et les régimes totalitaires.

Tous ces régimes non démocratiques se distinguent des démocraties par deux caractéristiques essentielles : premièrement, le pouvoir des gouvernants est soustrait aux aléas de la compétition démocratique ouverte qui s'exerce dans des élections libres soumises au principe du multipartisme ; deuxièmement, les gouvernants s'opposent à l'expression publique d'idées politiques différentes des leurs.

Cependant, il faut noter une différence fondamentale entre les régimes totalitaires et les autres régimes dictatoriaux. Ces derniers, à la différence des régimes totalitaires, n'exigent pas des citoyens qu'ils défendent l'idéologie des gouvernants. Certains se contentent d'une indifférence générale alors que d'autres réclament une simple adhésion publique formelle et factice, sans chercher véritablement à modifier les mentalités des citoyens[2].

---

1. Selon une étude publiée en 2012, 90 États sont libres et démocratiques, 58 sont partiellement libres et en transition démocratique, et 47 vivent sous des dictatures ou des régimes autoritaires (*voir le tableau 5.1, page 88*).
2. Braud, Philippe (2006). *Sociologie politique,* 8ᵉ éd., Paris, LGDJ, p. 232 et suiv.

La dictature

À l'origine, la dictature était une magistrature suprême d'exception, exercée dans la République romaine par un dictateur légalement investi par le Sénat romain, à titre provisoire, pour faire face à une situation spécialement critique. Le dictateur romain prenait ainsi le rôle de sauveur providentiel. La dictature telle que nous l'entendons aujourd'hui naît seulement avec l'empereur romain Auguste, qui lui enlève ses limites de durée et son caractère légal. La dictature est maintenant une forme de pouvoir arbitraire, autoritaire, parfois tyrannique, sans autre frein apparent que la volonté de celui ou de ceux qui l'exercent. Le nom est devenu synonyme d'autocratie, de régime autoritaire (*voir le tableau* **6.1**), voire de système totalitaire[3] (*voir le tableau* **6.2**).

TABLEAU 6.1 | LES CARACTÉRISTIQUES DES RÉGIMES AUTORITAIRES ET TOTALITAIRES

Caractéristiques communes des régimes autoritaires et totalitaires	• Absence ou restriction très forte de la compétition démocratique par les moyens suivants:
	  – Absence d'élections libres
	  – Coups d'État
	  – Cooptation des dirigeants
	• Absence de multipartisme ou d'alternance du pouvoir
	• Absence d'expression des idées politiques différentes de celles des dirigeants
	• Droits et libertés restreints: expression, opinion, association, presse, information
	• Contrôle de l'appareil d'État par les dirigeants
	• Utilisation de la violence et de la répression devant l'opinion

Caractéristiques propres aux régimes autoritaires	• Séparation entre l'État et la société • Liberté dans les activités non politiques de la société civile • Obéissance complète à l'idéologie du régime non exigée

Caractéristiques propres aux régimes totalitaires	• Dissolution de la société dans l'État tout-puissant
	• Obéissance complète à l'idéologie du régime
	• Contrôle absolu de l'État sur toutes les activités de la société
	• Moyens utilisés:
	  – Culte de la personnalité du chef
	  – Propagande massive
	  – Répression constante par l'omniprésence de la police politique
	  – Création d'un climat de méfiance et de terreur chez la population, surveillée très étroitement
	  – Camps de concentration

Des exemples de régimes autoritaires

L'étude de l'histoire du début du xxᵉ siècle à nos jours nous permet de dégager quelques exemples des différents régimes autoritaires. L'examen de ces exemples de régimes politiques nous conduira à distinguer les formes que peut prendre l'autoritarisme: parti unique, dictature militaire ou personnelle, et absolutisme monarchique.

---

3. Hermet, Guy, Bertrand Badie, Pierre Birnbaum et Philippe Braud (2001). *Dictionnaire de science politique et des institutions politiques,* Paris, Armand Colin, p. 88.

TABLEAU 6.2 | DES EXEMPLES DE RÉGIMES AUTORITAIRES ET TOTALITAIRES

Régimes autoritaires	Régimes totalitaires
Dictatures militaires : Chili (1973-1989) ; Birmanie (1962-) ; Pakistan (1958-1971, 1977-1988, 1999-2007)	Républiques islamiques : Iran (1979-) ; Afghanistan des talibans (1996-2001)
Régimes non communistes à parti unique : Lybie (1969-2011) ; Algérie (1962-)	Régime nazi : Allemagne (1933-1945)
Régimes communistes à parti unique : URSS (1953-1991) ; Chine (1978-) ; pays d'Europe de l'Est (1945-1989)	Régimes communistes : URSS de Staline (1924-1953) ; Chine de Mao (1949-1976) ; Corée du Nord (1945-)
Dictatures de pouvoir personnel : Syrie des al-Assad (1970-) ; Égypte (1952-2011) ; Indonésie (1965-2000)	

La dictature militaire en Birmanie. La Birmanie (le Myanmar depuis 1989) a accédé à l'indépendance en 1948 et a refusé de faire partie du Commonwealth britannique. Depuis 1962, ce pays est gouverné par des militaires. En 1990, sous des pressions internationales, le gouvernement militaire a organisé des élections. Devant la victoire écrasante du parti démocratique, les militaires ont refusé de quitter le pouvoir et ont placé la leader des forces démocratiques, Aung San Suu Kyi, en résidence forcée et surveillée. Depuis, la junte militaire a souvent été contestée par des mouvements prodémocratiques. En 2007, un mouvement contestataire dirigé par des moines bouddhistes a été brutalement réprimé. En 2010, le gouvernement militaire a déclenché des élections ; le parti promilitaire a alors obtenu plus de 70 % des sièges au Parlement. Cette élection a été jugée frauduleuse et invalide par les observateurs internationaux. Sous les fortes pressions américaines et internationales, le gouvernement militaire s'est vu contraint de libérer Aung San Suu Kyi et d'accepter qu'elle puisse voyager à l'étranger. Sa tournée internationale de 2012 a été triomphale : dans la plupart des pays, elle a été reçue comme un chef d'État.

L'Union des républiques socialistes soviétiques (URSS). Issu de la révolution d'Octobre (1917), le Parti communiste de l'Union soviétique (PCUS) dirige l'État jusqu'au démantèlement de l'Union soviétique en 1991. Parti unique dont la suprématie est assurée par la Constitution de 1936, édictée sous Staline (1879-1953), puis confirmée par celle de 1977, qui a été établie sous l'égide de Brejnev (1906-1982), le PCUS est reconnu comme la « force qui dirige et oriente la société ». Très hiérarchisé et monopolisant les forces vives du régime, il se suffit à lui-même en recrutant et en formant les futures élites dirigeantes du pays. De plus, comme il a adopté le principe du centralisme démocratique, toutes les décisions émanant de lui sont, en théorie, prises collectivement. Toutefois, son chef – le secrétaire général – exerce une très forte autorité, et certains groupes, comme l'armée, ont une influence considérable sur les instances dirigeantes.

Cette affiche de propagande soviétique représente le leader communiste Joseph Staline devant une foule l'acclamant. Traduction de l'inscription : À notre cher Staline, la Nation.

Quant aux droits et libertés civiques, ils sont extrêmement limités, le pluralisme politique n'ayant été admis qu'au moment de l'abandon de la thèse du rôle dirigeant du PCUS en mars 1990, abandon qui a d'ailleurs eu pour effet de libéraliser le régime et qui a mené à la dissolution de l'URSS, un an plus tard.

La disparition des régimes communistes d'Europe de l'Est et l'effondrement de l'URSS – considérée à l'époque comme la deuxième puissance mondiale – ont surpris tous les observateurs. Ils constituent l'événement politique majeur des 50 dernières années et, comme le souligne le politologue québécois Jacques Lévesque, un cas unique : à la différence de ce qui s'était passé jusqu'alors dans l'histoire, ce bouleversement ne résulte pas d'une guerre ni de fortes pressions internationales[4].

L'absolutisme monarchique en Arabie saoudite. Depuis sa création en 1932, l'Arabie saoudite est une monarchie absolue. La *Loi fondamentale* qui a été promulguée le 1er mars 1992 et qui a institué un conseil consultatif n'a en rien limité les prérogatives du roi Fahd. Ce type de régime politique répandu dans la péninsule arabique se caractérise par l'établissement d'une religion d'État – l'islam – et par l'absence de principes démocratiques tels que l'élection des gouvernants, la défense des droits et libertés ou, plus simplement, le multipartisme. Ainsi, en Arabie saoudite, les membres masculins de la famille royale régnante, appartenant à la dynastie des al-Saoud, contrôlent l'appareil politique. Les ministres et les fonctionnaires de rang élevé de l'administration sont nommés par le roi, qui tient compte de leur degré de filiation à la famille royale. Ainsi, à la mort du roi Fahd, en 2005, c'est Abdallah, qui est à la fois le prince héritier et le premier ministre, qui monte sur le trône. Par ailleurs, quelque envahissante que soit l'influence du roi, il existe une tradition de concertation entre lui et le Diwan (Conseil des notables), le Conseil des ulémas (autorités religieuses) et le Conseil des ministres (dirigé par le prince héritier à titre de premier ministre) pour s'occuper des affaires politiques qui requièrent le consensus des diverses autorités en place.

De plus, la religion musulmane joue un rôle prédominant en Arabie saoudite, car elle constitue la source de légitimité du pouvoir, ce qui explique les structures politicoreligieuses du régime. La famille royale fait montre de conservatisme sur le plan socioreligieux et applique avec rigueur la *charia* (loi islamique), mais sur le plan économique, depuis le boum pétrolier de 1973, les infrastructures du pays se sont rapidement modernisées et le marché s'est libéralisé. Depuis 2010, le régime a procédé à certaines réformes politiques timides, qui demeurent précaires, pour accommoder l'opinion internationale.

La dictature de la République démocratique du Congo (ex-Zaïre). En 1960, le Congo s'émancipe de la Belgique et acquiert son indépendance. Le pays est immédiatement plongé dans une guerre civile. Après une période chaotique d'assassinats (dont celui du premier ministre Patrice Lumumba) et de tentatives pour établir une démocratie, le colonel Joseph Désiré Mobutu prend le pouvoir en 1965, avec l'appui des États-Unis et des pays de l'Europe de l'Ouest. Mobutu instaure un régime personnel à parti unique et se maintient au pouvoir jusqu'en

---

4. Les causes de ces phénomènes sont multiples. Le meilleur ouvrage sur la disparition des régimes communistes d'Europe de l'Est et de l'URSS est *1989. La fin d'un empire,* de Jacques Lévesque, paru en 1995 aux éditions Presses de Science Po, Paris.

1997 en tant que président et chef des armées. Son régime se caractérise par une corruption généralisée et une violation systématique des droits de l'homme. Dès 1982, il fait face à une opposition organisée, dont les bases sont principalement installées à l'étranger. En 1990, l'opposition devient très forte, tant à l'étranger qu'à l'intérieur du pays, où Mobutu doit réprimer le mouvement étudiant. Le Zaïre sombre alors dans l'anarchie et la crise économique. En 1997, un groupe rebelle dirigé par Laurent Désiré Kabila, un opposant de longue date, réussit à renverser Mobutu et à prendre le pouvoir. Devenu président, Kabila change alors le nom de « Zaïre » en celui de « République démocratique du Congo », instaure un régime tout aussi répressif, mais ne parvient pas à prendre le contrôle de l'ensemble du pays. Il est assassiné en 2001 ; son fils, Joseph Kabila, lui succède. Ce dernier remporte les élections présidentielles en 2006. Le pays, dévasté, est aux prises avec une guerre civile provoquée par des pays limitrophes et risque constamment de se démembrer. Les observateurs internationaux estiment que la guerre civile qui a sévi, entre 2000 et 2012, a causé la mort de plus de cinq millions de personnes, particulièrement dans la région des Grands Lacs africains.

Comme nous l'avons indiqué au début du chapitre, toutes ces dictatures exercent un pouvoir sans partage et refusent toute contestation de ce dernier. Les règles de la démocratie ne sont pas respectées : absence de multipartisme ou d'alternance du pouvoir (suppression ou manipulation des élections, coups d'État), suspension des activités politiques (censure, répression ou même interdiction du droit d'association), contrôle de l'appareil d'État et violation des droits des individus.

Cependant, il convient de faire une distinction entre les régimes autoritaires et les régimes totalitaires, ces derniers ayant commis les pires crimes contre l'humanité : violations systématiques des droits de l'homme, tortures, génocides, déportation de populations entières, crimes de guerre. On estime que des dizaines de millions de personnes sont mortes sous ces régimes au XXe siècle[5], des régimes qui demeurent un cas unique dans l'histoire.

Les régimes totalitaires

Les régimes totalitaires sont des entités à part. Pour la philosophe Hannah Arendt, le nazisme et le communisme constituent des modèles achevés de régime

POUR ALLER PLUS LOIN

Le Cambodge des Khmers rouges (1975-1979)

Ancien protectorat français, le Cambodge obtient son indépendance en 1953. Après un certain nombre d'années de stabilité, le pays subit les conséquences de la guerre du Viet Nam (1965-1975) et il est fortement déstabilisé. En 1975, avec l'appui de la Chine, le mouvement communiste des Khmers rouges prend le pouvoir à suite d'une guerre civile. Ces derniers instituent alors le pire régime répressif depuis la Seconde Guerre mondiale. Voulant éliminer les Khmers éduqués, ils font du Cambodge un immense camp d'esclaves et de charniers. Ils éliminent plus de deux millions de personnes sur une population de six millions à l'époque. Ils sont renversés à la suite de l'intervention de l'armée vietnamienne.

Le nazisme

Le nazisme est le régime totalitaire mis en place et gouverné par Hitler, de 1933 à 1945. En tant qu'idéologie, il prône l'inégalité raciale et l'élitisme, et il affirme la supériorité de la race aryenne, d'où la politique raciste et antisémite, et la volonté de tenir le reste du monde sous sa suprématie. Le nazisme exalte la personnalité du chef et encourage les sentiments nationalistes. Hostile au communisme et au libéralisme politique, à la démocratie parlementaire et au suffrage universel, il préconise l'union des classes sociales dans une seule et même communauté nationale.

---

5. Courtois, Stéphane, *et al.* (2009). *Le livre noir du communisme : crimes, terreur, répression*, Paris, Pocket.

totalitaire. Comme nous l'avons souligné au début de ce chapitre, autoritarisme n'est pas synonyme de totalitarisme.

En effet, même si dans les régimes autoritaires le gouvernement contrôle étroitement la vie politique afin de garder le monopole du pouvoir, il n'exerce pas une surveillance sur toutes les activités de la société civile et n'exige ni une obéissance complète ni une adhésion inconditionnelle à son idéologie. Les régimes totalitaires «ont pour objectif de dissoudre la société préexistante dans l'État tout-puissant […] ceci afin de remodeler un homme nouveau qui n'aurait eu d'autres ambitions et d'autres désirs que ceux de cet État[6]». Ces régimes ont pour caractéristiques de réclamer des citoyens qu'ils épousent la doctrine politique des autorités au pouvoir, et de vouloir, plus largement, régir l'ensemble des activités de la société. Pour parvenir à ce contrôle absolu, les régimes totalitaires s'appuient sur le culte de la personnalité du chef et font appel à la propagande massive (endoctrinement) aussi bien qu'à la répression constante (omniprésence de la police, principalement de la police politique et, par conséquent, création d'un véritable État policier). Il existe, dans ces régimes, un climat permanent de méfiance et de terreur, car les citoyens, étroitement encadrés et constamment surveillés, peuvent être l'objet de dénonciation pouvant mener à la déportation ou à la condamnation à mort.

Comme le souligne Hannah Arendt, auteure du concept, «le totalitarisme diffère par essence des autres formes d'oppression politique que nous connaissons, tels le despotisme, la tyrannie et la dictature […] le régime totalitaire transforme toujours les classes en masses, substitue au système des partis non pas des dictatures à parti unique, mais un mouvement de masses, déplace le centre du pouvoir de l'armée à la police et met en œuvre une politique étrangère visant ouvertement à la domination du monde[7]». À l'Allemagne nazie et à l'URSS stalinienne, on peut ajouter la Chine maoïste, la Corée du Nord, dirigée par Kim Il-sung (1948-1994), par son fils, Kim Jong-il (1994-2011), et son petit-fils, Kim Jong-un (2011-), ainsi que le régime de Pol Pot au Cambodge (1975-1978), qui a fait plus de deux millions de morts en trois ans. Certains observateurs incluent la République islamique d'Iran dans la

---

POUR ALLER PLUS LOIN

Hannah Arendt (1906-1975)

Née en Allemagne dans une famille juive, Hannah Arendt s'oriente très jeune vers la philosophie politique et étudie avec de grands philosophes de l'époque comme Heidegger, Jaspers et Husserl. Contrainte à l'exil par l'arrivée d'Hitler au pouvoir, elle se réfugie d'abord en France, puis aux États-Unis, en 1941.

Son œuvre est dominée par l'idée d'ouvrir des espaces où les hommes et les femmes peuvent agir librement ensemble. Elle traite principalement des concepts suivants: démocratie, pouvoir, violence, autorité et domination. Son ouvrage *Les origines du totalitarisme*, paru en 1951, lui a valu une renommée mondiale et est devenu un classique en politique[8].

---

6. Hermet, Guy, Bertrand Badie, Pierre Birnbaum et Philippe Braud, *op. cit.,* p. 273.

7. Arendt, Hannah (2005). *Le système totalitaire: les origines du totalitarisme,* Paris, Seuil, coll. «Points/Essais», p. 281.

8. Voir Gélédan, Alain, *et al.* (1998). *Dictionnaire des idées politiques,* Paris, Dalloz-Sirey, p. 23-25.

catégorie des régimes totalitaires. Toutefois, il existe de fortes différences, car le régime politique en Iran est une théocratie.

Les régimes militaires

Un régime militaire est un gouvernement formé par un groupe d'officiers qui exercent le pouvoir, après avoir pris en main l'appareil d'État avec l'aide de leurs troupes. Ce type de régime est instauré à la suite d'un coup d'État militaire ou d'un putsch (*voir le chapitre 4, page 63*), aussi appelé *pronunciamiento*.

Pourquoi cette forme de gouvernement – ou de régime – est-elle si répandue ? L'absence de traditions démocratiques et le manque d'expérience politique peuvent créer des conditions favorables à l'apparition d'un régime militaire. L'absence d'institutions démocratiques et le peu de poids de la société civile peuvent aussi expliquer le fait que les changements politiques s'effectuent par la violence et la force. L'armée est pour ainsi dire la seule institution structurée et stable dans ces pays. Les coups d'État se produisent surtout dans les États qui, étant nouvellement formés, n'ont pas encore de tradition démocratique. Les coups d'État militaires ont été très fréquents dans les pays d'Amérique latine jusqu'au milieu du XXᵉ siècle et dans les pays nouvellement indépendants d'Afrique et d'Asie.

Dans certains États, les putschs militaires sont si fréquents qu'ils sont à peu près considérés comme un moyen normal de changer le gouvernement. Les diverses forces politiques y participent plus ou moins ouvertement comme elles le feraient dans toute autre situation politique. D'ailleurs, les factions militaires cherchent souvent à rallier à leur cause des groupes sociaux qui, tels les syndicats, ont un poids politique important.

La Bolivie est un exemple marquant puisque plus de 200 coups d'État militaires ont eu lieu depuis son accession à l'indépendance en 1825. Dans ce pays, les différentes factions militaires putschistes ont souvent eu besoin de l'appui des autres groupes politiques pour exécuter leurs coups d'État. En 1978, l'armée a renversé un gouvernement de droite grâce aux appuis qu'elle avait dans les syndicats et les partis politiques de gauche. En 1982, les militaires tentent de nouveau leur chance, mais doivent abandonner le pouvoir au profit du gouvernement civil de Zuazo, à la suite d'une grève générale organisée par les syndicats. Dans ce genre de circonstances, les coups d'État débouchent curieusement sur l'établissement d'un régime politique qui fait intervenir des acteurs sociopolitiques de toutes les tendances.

Toutefois, les dictatures militaires peuvent connaître une longévité exceptionnelle. Au Paraguay, par exemple, le général Alfredo Stroessner (1912-2006) s'est emparé du pouvoir en 1954, puis l'a consolidé au moyen d'une très forte répression et au recours à la torture, jusqu'à ce qu'il soit lui-même évincé du pouvoir par d'autres militaires, en février 1989.

Au Nigeria, des gouvernements militaires se sont succédé de 1966 à 1978, puis de 1983 à 1999. Le premier régime militaire jouissait d'un appui assez

En 1973, le gouvernement de Salvador Allende, le chef du Parti socialiste du Chili élu président en 1970, est renversé par un coup d'État orchestré par le général Augusto Pinochet (1915-2006).

large de la population, mais pas le régime du général Sani Abacha, depuis sa prise du pouvoir en 1993, jusqu'à sa mort en 1998.

Pour sa part, la Grèce a été gouvernée par des militaires de droite de 1967 à 1973. Cette dictature des colonels s'est maintenue au pouvoir en instituant une répression systématique. À la suite des violentes émeutes étudiantes de 1972 et 1973 et de l'échec de la politique des dirigeants dans la crise chypriote, le «régime des colonels» s'est écroulé. En 1974, les militaires ont abandonné le pouvoir, permettant ainsi le rétablissement de la démocratie. Depuis, la Grèce vit sous des régimes démocratiques.

Contrairement à ce que l'on pourrait croire, les gouvernements militaires n'ont pas tous la même orientation politique. Les putschistes ne sont pas tous des officiers de droite, et les gouvernements militaires peuvent être de diverses allégeances politiques. Certains régimes sont nettement de droite, comme celui du général Pinochet au Chili, ou de gauche, comme celui d'Hugo Chavez au Venezuela, mais ce n'est pas le cas de tous. En fait, cela dépend de l'allégeance politique des responsables du coup d'État militaire. Dans les régimes autoritaires, on trouve d'ordinaire aussi bien des officiers de gauche que des officiers de droite, surtout si le recrutement n'est pas limité aux classes supérieures. Sur le plan économique, si nous comparons les régimes militaires avec les régimes civils, la présence ou l'absence de régimes militaires n'ont pas de conséquences sur la croissance économique.

La fragilité des régimes militaires. Les gouvernements militaires sont répressifs, autoritaires et arbitraires, mais ils sont également fragiles. En effet, de nombreux problèmes attendent les dictateurs militaires au pouvoir. Tout d'abord, ils font face à la question délicate, mais incontournable de la légitimité de leur pouvoir, question à laquelle doit répondre tout gouvernement, comme nous l'avons vu au chapitre 4. Ainsi, comment un groupe de militaires qui s'empare du pouvoir seul et par la force, qui n'a pas l'appui populaire et qui nie le principe de l'alternance politique peut-il disputer à d'autres groupements politiques le droit d'agir comme lui? Dans une démocratie, la légitimité du gouvernement repose sur le processus électoral qui l'a conduit au pouvoir, suivant le principe de la volonté générale des citoyens. Dans une monarchie, la légitimité se fonde sur l'ordre de succession au trône. Un gouvernement «communiste» doit appuyer sa légitimité sur la doctrine léniniste selon laquelle le Parti communiste est le seul parti admis à diriger la révolution prolétarienne.

En revanche, aucun processus de sélection des gouvernants ne légitime un gouvernement militaire. Celui-ci doit donc sans cesse justifier son existence. C'est pourquoi de nombreux gouvernements militaires s'adjoignent des civils ou fixent une échéance pour le rétablissement de la démocratie. D'autres mobilisent la population en déclenchant une guerre afin d'exploiter le sentiment nationaliste. Cela permet au gouvernement militaire de renforcer la cohésion nationale en amenant le peuple à concentrer son attention sur un ennemi commun, comme ont tenté de le faire les militaires argentins lors de la guerre des Malouines, en 1982, contre le Royaume-Uni.

Par ailleurs, les gouvernements militaires doivent faire face au problème de la formation politique de leurs dirigeants. En effet, comme l'armée est une organisation hiérarchisée comportant une chaîne de commandement stricte, les décisions sont prises au sommet puis transmises, sans discussion, vers les échelons inférieurs. Les futurs dirigeants militaires ne sont donc pas toujours aptes à satisfaire aux multiples exigences inhérentes au processus de prise de décision politique.

Enfin, bien souvent, les gouvernements militaires sont le fruit d'alliances fragiles entre des groupes qui ont pour seul point commun leur opposition au régime renversé. Aussi, le moindre obstacle peut-il par la suite provoquer la fin de l'alliance et celle du gouvernement militaire.

L'ensemble de ces situations explique la précarité des gouvernements militaires. À moins qu'ils modifient les structures politiques et instaurent un régime à parti unique, les gouvernements militaires risquent d'être contraints d'établir ou de rétablir la démocratie. En effet, si le régime militaire est en proie à des divisions internes et si un nombre suffisant d'acteurs politiques jugent que le régime démocratique est préférable à tout autre, il y a alors de fortes chances pour que la démocratie soit instaurée ou restaurée. Au cours des 50 dernières années, un bon nombre d'États ont vu un gouvernement démocratique succéder à un gouvernement militaire.

Les régimes à parti unique

La dictature ne se manifeste pas seulement sous la forme de gouvernements militaires ; elle est présente aussi dans les régimes unipartites (ou régimes à parti unique). Ce type de régime a pour caractéristique essentielle de monopoliser tout le pouvoir au profit d'un seul parti. L'établissement d'un régime à parti unique peut avoir diverses causes : coup d'État militaire, accession à l'indépendance ou révolution socialiste. En Libye, par exemple, le colonel Kadhafi a pris le pouvoir à la suite d'un coup d'État militaire en 1969 ; très tôt, il a décrété que l'Union socialiste arabe serait l'unique parti du pays, déclarant que seul ce parti pouvait faire une révolution socialiste islamique dans le pays. Cette dictature a été renversée lors du « printemps arabe », en 2011.

Par ailleurs, en s'inscrivant dans le processus de décolonisation amorcé au lendemain de la Seconde Guerre mondiale, les mouvements de libération nationale ont conquis le pouvoir et proclamé l'indépendance. Pour des raisons d'unité nationale, les nouveaux dirigeants ont alors fait de ces mouvements nationalistes des « partis uniques ». Plusieurs États africains ou arabes ont suivi cette voie, notamment l'Algérie. Un certain nombre de régimes unipartites ont aussi été mis en place à la suite de révolutions socialistes. C'est le cas en Chine, en URSS et à Cuba.

Le cas de l'Algérie. Le Front de libération nationale (FLN), cheville ouvrière de la guerre d'indépendance menée contre la France, avait entre autres objectifs de restaurer l'État algérien souverain, démocratique et social, dans le cadre des principes islamiques ; il s'est ainsi posé comme le représentant authentique, sinon exclusif, du peuple algérien. Dès la proclamation de l'indépendance, le 3 juillet 1962, le FLN – perçu comme le « parti-nation » – est devenu l'unique parti politique en Algérie. Le rôle dirigeant de cet ancien mouvement de libération national sera d'ailleurs reconnu par la Charte nationale et la Constitution algérienne de 1976. Depuis la Constitution, le FLN joue un rôle de direction, de conception et d'animation dans tout ce qui concerne la politique de l'Algérie. Malgré la recherche de l'unité nationale, de graves émeutes éclatent à la fin des années 1980. Le gouvernement du FLN y répond en renforçant la répression, mais le président Chadli se voit bientôt contraint d'adopter des réformes libérales et de modifier la Constitution. La nouvelle Constitution, approuvée en 1989 par un référendum national, institue entre autres le multipartisme. Malheureusement, le passage au pluralisme politique s'avère désastreux. Au premier tour des élections législatives multipartites, qui a lieu en décembre 1991, le Front islamique du salut (FIS), un parti religieux et islamique, obtient la majorité des suffrages. L'armée, hostile à l'intégrisme du FIS, opère alors un coup d'État, destitue le président Chadli, annule le second tour des élections et suspend le Parlement ainsi que la Constitution. Depuis janvier 1992, une guerre civile oppose les groupes islamiques radicaux, voire terroristes (Groupe islamique armé – GIA), l'armée et les partisans de la démocratisation. Depuis 1999, Bouteflika dirige le pays avec le soutien de l'armée. On estime que depuis 1992, la guerre civile a fait au moins 150 000 victimes.

Les partis communistes. En Chine, en URSS et à Cuba, les dictatures totalitaires ont imposé des régimes à parti unique ; c'est d'ailleurs l'une de leurs principales caractéristiques institutionnelles. Ainsi, en 1959, Fidel Castro, aidé de maquisards, dont le célèbre Ernesto Guevara (1928-1967) – dit « Che » –, renverse le régime corrompu de Batista et instaure un régime révolutionnaire. Dès son arrivée au pouvoir, Castro élimine ses opposants et incorpore tous les mouvements en lutte contre l'ancien régime dans le Parti uni de la révolution socialiste, qui obtient le statut de parti unique. En 1962, le *lider máximo* proclame la « république démocratique socialiste ». Puis, en 1965, il fait du Parti uni de la révolution le Parti communiste cubain, lequel est, encore aujourd'hui, le seul parti politique admis au pays. Il faut ajouter que certains États n'ont pas eu d'autre choix que d'établir des régimes à parti unique à la suite de leur révolution socialiste, du fait que celle-ci était supervisée par l'URSS, dont la zone d'influence s'étendait, entre autres, sur toute l'Europe orientale (Albanie, ex-Allemagne de l'Est, Bulgarie, Hongrie, Pologne, Roumanie, ex-Tchécoslovaquie et ex-Yougoslavie) et sur une partie de l'Asie (Corée du Nord et Viet Nam, notamment).

Fidel Castro, quelques mois avant son retrait de la vie politique active, critique l'activité de certains médias. En trame de fond, le portrait du célèbre Ernesto « Che » Guevara.

Les partis dominants ou hégémoniques

Il importe de faire une distinction entre les régimes autoritaires unipartites et les régimes démocratiques à parti dominant ou hégémonique. Dans les régimes à parti hégémonique, il y a un multipartisme politique, mais l'un des partis est beaucoup plus important que les autres, de telle sorte qu'il est assuré de la majorité gouvernementale. L'Italie, par exemple, a connu ce genre de régime politique de 1947 à 1994, année de la mise en application d'une réforme du mode de représentation électoral. Pendant cette période, le Parti de la démocratie chrétienne a été le seul parti capable d'obtenir une majorité des suffrages (le plus grand nombre de votes). Le résultat : pendant près d'un demi-siècle, les démocrates chrétiens ont dominé la vie politique italienne. Ils ont parfois exercé le pouvoir seuls ou – le plus souvent – ils ont fait élire la majorité des ministres dans un gouvernement de coalition. Le régime dans lequel a vécu l'Italie n'était pas un régime à parti unique. L'Italie représente un cas de régime parlementaire démocratique qui admet la formation ou l'élection d'autres partis politiques ainsi que le pluralisme politique, voire, à la limite, l'alternance démocratique du pouvoir.

Les dictatures personnelles et le clientélisme

Lorsqu'une dictature se met en place, le pouvoir politique se concentre fréquemment entre les mains d'un groupe extrêmement restreint d'individus, ou même d'un seul, ou encore d'une famille. Ainsi, de 1957 à 1986 en Haïti, la famille Duvalier a exercé une dictature personnelle des plus répressives et des plus violentes. À son décès, le docteur François Duvalier (d'où le surnom de «Papa Doc» que lui a donné le peuple haïtien) a été remplacé par son fils Jean-Claude («Bébé Doc»), qu'il avait désigné comme son successeur. Plus récemment, en Syrie, le président Bachar al-Assad a succédé à son père, le général Hafez al-Assad, qui avait pris le pouvoir à la suite d'un coup d'État en 1970. Certains régimes militaires ou unipartites peuvent aussi être considérés comme des dictatures personnelles : l'Irak du président Saddam Hussein, exécuté par pendaison en décembre 2006, le Chili du général Augusto Pinochet (1973-1989), l'Ouganda du général Idi Amin Dada (1971-1979), la Libye de Mouammar Kadhafi (1969-2011), l'Indonésie sous le règne du général Suharto (1967-1998), la Tunisie de Ben Ali (1987-2011) et l'Égypte de Moubarak (1981-2011). La présence d'un gouvernant tout-puissant entraîne un type particulier de rapport politique que l'on appelle «clientélisme». Le clientélisme peut être défini comme «une alliance [...] entre deux personnes de statut, de pouvoir et de ressources inégaux, dont chacune [...] considère utile d'avoir un allié supérieur ou inférieur à elle-même[9]». Le clientélisme se distingue aussi par les traits suivants :

Ayant instauré une dictature personnelle, le général Suharto (1921-2008) a dominé la scène politique indonésienne du milieu des années 1960 jusqu'au printemps 1998. Il a été l'unique candidat à quatre élections présidentielles (1973, 1978, 1983 et 1988) dans un pays de près de 245 millions d'habitants.

- La prépondérance de la volonté du gouvernant sur la loi : un système démocratique pluraliste met en relation des forces sociales dont les intérêts peuvent être divergents, sinon opposés, mais qui acceptent de se soumettre à l'autorité et de respecter la loi. Dans une dictature personnelle, la personne omnipotente – le dictateur – impose sa volonté sans égard aux lois.

- La très forte concurrence à laquelle se livrent les gens importants pour accéder au dirigeant : le fait d'obtenir un entretien avec un dictateur ou simplement son attention peut aider une force politique à renforcer sa position.

- Le rôle de premier plan joué par des individus extérieurs à la politique, mais ayant leurs entrées chez le dirigeant en raison de la fonction qu'ils remplissent auprès de ce dernier ou de la place qu'ils occupent dans sa vie : les conjointes, les médecins, les amis d'enfance ou même les coiffeurs peuvent devenir des figures politiques influentes dans une dictature personnelle, car celle-ci s'appuie très souvent sur le favoritisme.

- L'entourage, qui use de flatteries et qui a soin de cacher au dictateur des faits ou des événements susceptibles de lui déplaire : les personnes qui gravitent autour du dirigeant ont avantage à dissimuler avec soin leurs désaccords ou leurs griefs.

Il faut préciser que ces traits caractéristiques du clientélisme s'observent aussi dans la plupart des régimes où une grande part du pouvoir est détenue par une seule personne. D'ailleurs, même une démocratie peut donner lieu à une certaine personnalisation du pouvoir, notamment dans les régimes présidentiels. À cet égard, le président américain, la figure politique dominante aux États-Unis, peut céder au clientélisme, notamment lors des nominations présidentielles : «Un des moyens dont il dispose afin d'exercer son influence

---

9. Hermet, Guy, Bertrand Badie, Pierre Birnbaum et Philippe Braud, *op. cit.*, p. 51.

[…] est le patronage. Par son pouvoir de nomination, il peut ainsi récompenser certaines personnes pour bons et loyaux services au sein du parti […], ce qui lui permet de nommer plusieurs centaines de personnes à la Maison-Blanche, ou au Cabinet, ou à la tête des nombreuses agences fédérales qui relèvent de sa responsabilité[10].»

Muammar al-Kadhafi : de terroriste à partenaire de l'Occident

MARC SEMO

Parvenu au pouvoir à 27 ans, le colonel Kadhafi, longtemps leader de l'anti-impérialisme armé, a tenté un retour en grâce international après le 11 septembre 2001.

Despote sanguinaire et mégalomane depuis quarante-deux ans, il reste jusqu'au bout un manipulateur adepte de chantages en tous genres. Alors que la révolte enfle dans la Jamahiriya, cet « État des masses » qu'il avait fondé en 1969, Muammar al-Kadhafi semble avoir disparu et il laisse l'un de ses fils, Saïf al-Islam, paré d'une vague aura de réformateur moderniste, alterner dans une déclaration à la télévision intimidations sur « un bain de sang » et promesses d'ouverture.

Ses ministres tonnent contre les ingérences des Occidentaux « qui sont des déclarations de guerre » et menacent de revoir tous les accords de coopération avec l'Union européenne dont ceux sur « la lutte contre l'immigration clandestine et la coopération antiterroriste ». Courtisé par les Occidentaux, le vieux Bédouin au pouvoir semblait s'être assagi depuis le début des années 2000, abandonnant alors toute velléité de se doter d'armes de destructions massives y compris nucléaires, et avait indemnisé les victimes de l'attentat de Lockerbie (Écosse 1988, 270 morts) et celui contre le DC-10 d'UTA (Niger 1989, 170 morts dont 54 Français).

Celui que le président américain Ronald Reagan appelait « l'homme le plus dangereux du monde, le chien enragé du Proche-Orient », était devenu depuis 2003 un despote rangé dans le bon camp dans la guerre contre le terrorisme menée par Washington et un partenaire commercial irremplaçable avec des caisses à nouveau pleines de pétrodollars. Les Américains préféraient voir le bon côté des choses comme en témoignent des télégrammes diplomatiques obtenus par WikiLeaks : « Il est tentant de tenir ses excentricités pour autant de

signes d'instabilité mais Kadhafi est une personne complexe qui a réussi à se maintenir au pouvoir quarante ans par un équilibre habile d'intérêt et de réalisme politique », écrit en juillet 2009 l'ambassadeur américain, qui souligne l'importance de « maintenir le contact » pour comprendre ses motivations et corriger les « perceptions erronées » qu'il s'était faites pendant ses années d'isolement.

Après quatre décennies de pouvoir absolu, d'aventurisme exportateur de terrorisme, de révolutions ratées et de guerres perdues, Kadhafi n'a en fait jamais cessé d'être ce qu'il a toujours été : un tyran. Dans la sinistre galerie des dictateurs arabes issus de coups d'État militaires, il est celui qui avait le grade le moins élevé lors de sa prise du pouvoir : lieutenant. Et il était le plus jeune. À peine 27 ans quand il renverse en septembre 1969 le roi Idriss en voyage à l'étranger. Un coup d'État en douceur qui, rapidement, sera suivi d'une implacable répression contre tous ceux qui s'opposent à lui… ou seraient susceptibles de le faire.

BÉDOUIN

Rapidement il se proclame colonel mais jamais il ne voudra avoir un grade plus élevé. Moins d'un an plus tard, il obtient l'évacuation des bases militaires américaines (Wheelus) et britanniques (Al-Adam) du pays. Le Conseil de commandement de la révolution dont il est le chef incontesté chasse aussi sans les indemniser les

▶

10. Lafleur, Guy-Antoine (1987). « La présidence », dans Edmond Orban *et al.* (dir.), *Le système politique des États-Unis,* Montréal, Presses de l'Université de Montréal, p. 189.

TEXTE À L'ÉTUDE

110 000 colons italiens restés depuis l'indépendance ainsi que les derniers juifs. Il nationalise les banques. Celui que l'on appelle dès lors dans la presse occidentale « le bouillant colonel » séduit l'extrême gauche pour son anti-impérialisme.

Kadhafi revendique haut et fort ses origines humbles, dernier enfant et seul fils d'une misérable famille de Bédouins de la région de Syrte. Ses hôtes, il les reçoit sous la tente en buvant du lait de chamelle. Et il exige aussi que l'on installe sa tente quand il fait des déplacements à l'étranger. Il fuit les maisons en dur et clame sa haine de la ville. « Elle est cauchemar et non joie. […] Elle hurle, pousse des cris, elle klaxonne, elle assourdit », écrit-il dans une nouvelle.

En 1973, celui qui se pose simplement comme le « Guide de la révolution », refusant tout autre titre, publie son Livre vert, sa théorie « d'une troisième voie » pour sortir l'humanité de l'alternative entre capitalisme et socialisme. Il parle de révolution culturelle. Quatre ans plus tard il proclame la Jamahiriya, « l'État des masses », lesquelles gouvernent « directement » par le biais de comités populaires élus.

Tripoli devient un des cœurs du tiers-mondisme révolutionnaire et du panafricanisme militant. Fort des richesses pétrolières de son pays, il finance les guérillas du monde entier qui professent un vague anti-impérialisme. Cela va de l'IRA irlandaise aux sandinistes du Nicaragua. Il aime d'ailleurs à poser avec les terroristes les plus recherchés par Interpol. Le « bureau d'exportation de la révolution » était le centre de cette internationale révolutionnaire new-look et la Mathaba – le cœur de son service secret – s'occupait de la formation des terroristes.

Rapidement, la Libye devient infréquentable même si, au début, tout allait bien avec la France de Georges Pompidou, qui reçoit le Guide dès 1973, préambule d'une intense coopération militaire avec vente de Mirage, d'hélicoptères de combat et autres fleurons de l'industrie d'armement hexagonale.

ATTENTATS

Admirateur proclamé de Nasser, Kadhafi avait tenté de faire de son pays le pivot du Maghreb, tentant d'illusoires fusions avec la Tunisie, la Syrie, l'Égypte, le Maroc, le Soudan. L'échec l'incite à se tourner vers le sud et l'Afrique noire. « Je me suis endormi à côté de 4 millions de Libyens, je me suis réveillé à côté de 400 millions d'Africains », explique-t-il à l'époque. Il se veut le roi de son continent. Mais là encore, ses alliés sont aussi sanglants que pitoyables : les chefs de guerre du Liberia et de Sierra Leone. Une tentative de percée vers le Tchad entraîne une guerre avec Paris au moment de l'installation au pouvoir d'Hissène Habré en 1983. Après l'attentat contre une discothèque de Berlin où deux soldats américains sont tués, Ronald Reagan ordonne en 1986 le bombardement de son palais de BA el-Azizia et sa fille adoptive est tuée. Il répond par une escalade de terreur et lui seront ensuite imputés les attentats contre le Pan Am à Lockerbie et contre le DC-10 d'UTA au Niger.

Le jeune officier révolutionnaire romantique est devenu le sinistre despote d'un « État-voyou » coupé du reste du monde. Même ses pairs dans le monde arabe ne le supportent plus et craignent ses coups de théâtre lors des sommets, comme en 1988 à Alger où il est apparu avec un seul gant blanc à la main droite « pour ne pas avoir à serrer des mains couvertes de sang ».

Après les attentats du 11 septembre 2001 et surtout après l'intervention américaine en Irak, le Guide, qui craint de finir comme Saddam Hussein, fait volte-face. Il joue les faiseurs de paix. Il arrête de subventionner le terrorisme et les révolutions. « Nous nous sommes causé du tort en nous isolant. Mandela a pardonné aux Blancs, Yasser Arafat a engagé des négociations avec les Israéliens, l'IRA dialogue avec Londres… nous ne pouvons pas être plus royalistes que le roi », se justifie-t-il alors. La Libye, avec ses 6 millions d'habitants, produit deux fois plus de pétrole que l'Algérie. Rien d'étonnant si, depuis, les *businessmen* et hommes politiques de tous les pays occidentaux défilent continuellement dans la capitale libyenne. Vis-à-vis de ses propres citoyens, le régime est toujours aussi implacable. Régulièrement, des immigrés africains y sont victimes de pogroms.

Il continue à utiliser la terreur, faisant condamner sept infirmières bulgares et un médecin palestinien pour avoir propagé délibérément le sida afin de faire oublier l'incurie des services de santé. Une prise d'otage d'État que les patientes négociations du représentant de l'UE à Tunis, Marc Pierini, finiront par dénouer. Nicolas Sarkozy a donné la touche finale. Pour remercier le Guide, il l'invite à Paris en lui déroulant le tapis rouge. Mégalo et histrionique jusqu'au bout il confiait [en 2011] à l'hebdomadaire américain *Newseek* : « Si vous mettiez les Libyens au paradis, ils se plaindraient car ils sont déjà au paradis. » [Dans la foulée des événements du printemps arabe, la population lybienne se soulève. Après plusieurs mois de lutte sanglante, le gouvernement du colonel Kadhafi est renversé et ce dernier assassiné par les forces rebelles.] ◄

Source : Semo, Marc (décembre 2011) « Muammar al-Kadhafi : de terroriste à partenaire de l'Occident », *Libération : une année de fièvres,* hors-série, p. 50-51.

CONCEPTS CLÉS

Absolutisme monarchique **p. 102**

Clientélisme **p. 109**

Dictature ou régime
militaire **p. 105**

Dictature personnelle **p. 109**

Nazisme **p. 103**

Régime unipartite ou à
parti unique **p. 107**

Théocratie **p. 105**

Totalitarisme **p. 104**

EXERCICES

Questions d'approfondissement

1. Les régimes à parti unique présentent-ils des avantages ? Pourquoi ?

2. Discutez de l'affirmation suivante : « La personnalisation du pouvoir est plus présente dans les régimes militaires que dans les autres formes de régime autoritaire. »

3. Le totalitarisme est une forme de régime politique de courte durée. Vrai ou faux ? Pourquoi ?

4. Les régimes à parti hégémonique ou dominant peuvent exister en démocratie. Vrai ou faux ? Pourquoi ?

5. Pourquoi les régimes militaires sont-ils considérés comme fragiles ?

6. Quel rôle joue le clientélisme dans les dictatures ?

7. Pourquoi devons-nous considérer les régimes totalitaires comme des cas à part ?

Sujets de discussion

1. Discutez l'affirmation suivante : « La démocratie américaine présente des signes de clientélisme. »

2. Discutez l'affirmation suivante : « La démocratie québécoise présente des signes de clientélisme. »

3. Discutez l'affirmation suivante : « Notre époque, caractérisée par la mondialisation de l'économie et de l'information, est peu propice à l'instauration de régimes autoritaires. »

WWW

http://mabibliotheque.cheneliere.ca

LECTURES SUGGÉRÉES

BRAUD, Philippe. *Sociologie politique*, 8ᵉ éd., Paris, Librairie générale de droit et de jurisprudence (LGDJ), 2006.

COURTOIS, Stéphane. *Communisme et totalitarisme*, Paris, Éditions Perrin, 2009.

DABÈNE, Olivier. *L'Amérique latine au 20ᵉ siècle*, Paris, Armand Colin, coll. « Cursus », 2001.

GAZIBO, Mamoudou, et Jane JENSON. *La politique comparée*, Les Presses de l'Université de Montréal, 2004.

HERMET, Guy. *Exporter la démocratie ?*, Paris, Presses de Sciences Po, 2008.

LÉVESQUE, Jacques. *1989. La fin d'un empire*, Paris, Presses de Science Po, 1995.

LA GOUVERNANCE DES AFFAIRES PUBLIQUES

7

La constitution et la structure du gouvernement

La lecture de ce chapitre vous permettra :

- de connaître le rôle des constitutions et d'apprécier leur complexité ;
- de distinguer les types de constitutions et d'énoncer les principes sur lesquels ils reposent ;
- de distinguer les États unitaires des États fédéraux et d'expliquer leur évolution ;
- de comprendre pourquoi un État de droit est nécessaire.

Constitution
Appelée aussi « loi fondamentale », elle se définit comme l'ensemble des principes et des lois écrites et coutumières qui régissent le mode de gouvernement d'un État.

Les constitutions

Dans tout groupe, qu'il s'agisse d'un club, d'une organisation politique ou d'un État, la répartition du pouvoir entre les membres est assujettie à un ensemble de règles écrites ou non écrites. Ces règles ont été définies au fil du temps, de sorte que tous les individus les comprennent et les respectent. Il est évident qu'elles sont au cœur de la formation de tout groupement politique.

La plupart des États possèdent en outre un corps de lois fondamentales écrites qui régissent leurs institutions. Ces lois sont contenues dans un texte appelé « constitution ». La **constitution** d'un État précise qui a autorité pour remplir les principales fonctions politiques, c'est-à-dire proposer, adopter, appliquer et interpréter les lois, et pour établir les règles qui régissent les rapports entre gouvernants et gouvernés ainsi qu'entre les différents paliers de gouvernement. Une constitution inclut aussi des dispositions pour la modifier.

Souvent, une constitution comprend un préambule qui expose les grands principes suivis par ceux qui l'ont rédigée, ou qui explique les fondements historiques sur lesquels elle repose, comme c'est le cas du préambule de la *Loi constitutionnelle de 1867* du Canada (anciennement l'*Acte de l'Amérique du Nord britannique*). La constitution d'un pays peut aussi contenir une déclaration ou une charte qui énonce les droits fondamentaux des citoyens. C'est le cas de la Constitution canadienne qui contient la *Charte canadienne des droits et libertés* et du *Bill of Rights* (déclaration des droits) de la Constitution américaine. Selon le type de constitution, la déclaration ou la charte se limite ou non aux droits des individus. Elle peut, comme la Constitution française, faire état de droits économiques et sociaux tels que le droit à la santé, au logement et au travail.

Les constitutions et les conventions constitutionnelles

Les États n'incorporent pas nécessairement dans leur constitution toutes les règles relatives au fonctionnement des institutions politiques. Pour assurer le bon fonctionnement de celles-ci, ils se réfèrent à des lois, à des interprétations et à des jugements rendus par les tribunaux, de même qu'aux traditions ou aux conventions[1]. Ainsi, aucun texte constitutionnel canadien ne traite de l'existence, des pouvoirs et des fonctions du premier ministre, du principe du gouvernement responsable et du rôle du Conseil des ministres. Ces règles non écrites constituent des **conventions constitutionnelles** qui complètent la constitution écrite. Elles peuvent même, dans certains cas, contredire le texte écrit, comme la disposition écrite relative à la composition du Conseil des ministres, au Canada, qui indique clairement qu'il revient au gouverneur général d'en décider. Toutefois, dans la pratique, par l'effet d'une convention constitutionnelle, c'est le premier ministre qui nomme les membres du Conseil des ministres.

Conventions constitutionnelles
En droit canadien et britannique, règles non écrites qui régissent le fonctionnement des institutions politiques. Elles résultent d'une entente tacite entre ceux qui dirigent l'État, et sont considérées comme contraignantes par les diverses parties. Les tribunaux peuvent en reconnaître l'existence, mais ne peuvent, sur le plan juridique, les sanctionner, c'est-à-dire obliger les parties à la convention à les respecter légalement.

Les constitutions et les réalités politiques

Il existe souvent un certain écart entre les dispositions officielles contenues dans la constitution et la réalité du pouvoir politique. Ainsi, la Constitution américaine laisse penser que les membres du collège électoral ont un grand pouvoir puisqu'ils sont désignés pour choisir le président. Dans la pratique, ils ne font que ratifier le vote des citoyens de leurs États respectifs, de sorte qu'ils possèdent en fait très peu de pouvoir politique. Par ailleurs, en Europe et en Amérique du Nord, aucune constitution ne fait explicitement état du pouvoir politique considérable des médias écrits et électroniques, de la blogosphère et de la télévision. Pourtant les médias, qui constituent dans les faits le quatrième pouvoir, se donnent pour rôle de juger les actions et de dénoncer les excès des trois formes de pouvoir politique (exécutif, législatif et judiciaire).

La complexité des constitutions

La longueur et la complexité des constitutions varient selon les pays. En règle générale, les États les plus anciens ont des constitutions courtes (écrites ou non écrites).

Les constitutions écrites et non écrites

En 1720, la Suède a été le premier pays à adopter une constitution écrite, qui instaurait un régime représentatif et parlementaire[2]. Par contre, au Royaume-Uni, berceau du parlementarisme comme la Suède et l'un des plus vieux États démocratiques du monde, la constitution ne fait pas l'objet d'un écrit formel ; de ce point de vue, il est un cas pratiquement unique. Les institutions britanniques trouvent leurs règles dans des lois[3] votées par le Parlement, comme les *Bill of Rights* de 1628 et de 1689, l'*Habeas Corpus Act* de 1679 et le *Parliament Act* de 1911, de même que dans les traditions et les conventions constitutionnelles comme la Constitution canadienne. Les citoyens connaissent ces règles et les politiciens s'y conforment, mais elles ne sont pas inscrites dans un texte constitutionnel.

---

1. En ce qui concerne la Constitution canadienne, voir Beaudoin, Gérald-A. (2004). *La Constitution du Canada : institutions, partage des pouvoirs, Charte canadienne des droits et libertés*, 3ᵉ éd., Montréal, Wilson & Lafleur.
2. La Documentation française a publié, dans sa collection « Retour aux textes », les textes constitutionnels fondamentaux des pays européens. Voir à ce sujet *Les Constitutions de l'Europe des Douze* (1994) et *Les Constitutions des États de l'Union européenne* (1999).
3. Le lecteur trouvera ces textes reproduits dans les ouvrages de la collection « Retour aux textes » de La Documentation française, mentionnés à la note précédente. Le *Bill of Rights* de 1689 est présenté en annexe à la fin du présent manuel.

La longueur des constitutions

Les États-Unis ont acquis leur indépendance en 1783. La Constitution américaine ayant été adoptée en 1787, elle est, avec celle de la Suède, l'une des plus vieilles du monde. À l'origine, elle comptait environ 4 300 mots ; à la suite des modifications apportées depuis, on y a ajouté 2 900 mots, pour un total approximatif de 7 200 mots. La Constitution allemande, rédigée en 1949, comprend environ 19 700 mots (du fait, entre autres, des nombreux amendements). La dernière Constitution française, qui a été adoptée en 1958 et modifiée depuis, compte environ 9 100 mots.

Des dispositions constitutionnelles plus nombreuses

Pourquoi les constitutions deviennent-elles peu à peu plus complexes, et les dispositions constitutionnelles, plus nombreuses ? Une des principales raisons est l'importance prise par les États modernes. Comme nous l'avons vu au chapitre 2, le rôle des États modernes s'est considérablement accru au cours du xxᵉ siècle, notamment par le développement de l'État providence. Les États tentent de gérer le développement économique, prennent des mesures pour assurer une meilleure répartition de la richesse par des politiques sociales, adoptent des politiques pour protéger l'environnement et assurent le développement de l'éducation et de la culture.

De plus, la constitution d'un pays reflète les préoccupations politiques de ses auteurs et les événements historiques marquants. Par exemple, le choix du dirigeant dans une situation d'urgence est longuement traité dans la Constitution de l'Allemagne. Les auteurs de la nouvelle Constitution allemande voulaient éviter la répétition de la situation de 1934, qui avait permis à Hitler d'établir une dictature.

Pour empêcher les crimes contre l'humanité, comme ceux commis contre les Juifs durant la Seconde Guerre mondiale, de nombreux pays ont enchâssé dans leur constitution des lois destinées à protéger les droits et libertés de la personne et, en particulier, à éliminer toute forme de discrimination envers les minorités. Les pays qui ont adopté de nouvelles constitutions depuis 1945 y ont inclus des dispositions à cet effet. Au Canada, la *Loi constitutionnelle de 1982* comporte une charte des droits et libertés. Elle garantit entre autres aux minorités francophones hors Québec et à la minorité anglophone québécoise l'accès à l'enseignement public, aux niveaux primaire et secondaire, dans leur langue respective, et reconnaît les droits ancestraux – ou issus des traités – des peuples autochtones du Canada. Les constitutions récentes sont plus complexes et détaillées.

We, the People… Ainsi débute la Constitution des États-Unis, l'une des plus simples et des plus célèbres constitutions du monde. En plus d'énoncer les principes fondamentaux régissant le fonctionnement de l'État, cette constitution a valeur de symbole pour le peuple américain.

L'élaboration d'une constitution et ses règles

Certains auteurs sont d'avis qu'une constitution doit être brève et souple. Si les règles sont trop nombreuses et trop détaillées, l'adaptation de la constitution à l'évolution de la société devient difficile. Au Québec, les commissions scolaires catholiques et protestantes étaient protégées par une disposition constitutionnelle. Lorsqu'il a été question d'abolir les commissions scolaires confessionnelles et de les remplacer par des commissions scolaires linguistiques, il a fallu des dizaines d'années de discussions politiques pour établir un consensus et parvenir, en 1998, à modifier la *Loi constitutionnelle de 1867*. Aux États-Unis, les législateurs républicains étaient fortement opposés à ce que le président américain Franklin Delano Roosevelt (1882-1945) assume un quatrième mandat en 1944. En 1951, ils ont réussi à modifier la Constitution de manière à limiter à deux le nombre de mandats d'un président. Quelques années plus tard, ils auraient bien aimé que le populaire candidat républicain Dwight Eisenhower (1890-1969) obtienne un troisième mandat, mais la Constitution le leur interdisait désormais.

Supposons que nous sommes appelés à rédiger ou à modifier la constitution d'un État. Existe-t-il certains principes ou règles qui pourraient nous guider ? Nous savons déjà que nous ne devons pas être trop précis. Nous savons aussi que la constitution ne doit pas contenir des éléments qui font certes consensus au moment présent, mais qui risquent de devenir désuets dans un avenir plus ou moins proche. Il existe un certain nombre de règles à suivre. D'abord, une constitution ne devrait pas rompre le consensus social en comprenant des dispositions qui apparaissent inacceptables à une partie importante de la population. De plus, une constitution doit s'inscrire dans l'histoire. Enfin, une constitution devrait être relativement facile à modifier.

L'importance du consensus social et du contexte historique

Pour qu'une constitution et ses dispositions soient efficaces, il faut qu'elles correspondent aux désirs et aux besoins d'une très forte majorité de la population. L'histoire des États-Unis fournit un exemple célèbre d'une disposition constitutionnelle qui n'a jamais été respectée parce qu'elle allait à l'encontre des comportements et besoins d'une partie importante de la population. Cette disposition concernait la prohibition. En 1919, les législateurs américains ont apporté un amendement à la Constitution, lequel interdisait la possession et la consommation de boissons alcooliques. Cet amendement avait reçu l'approbation d'un bon nombre de membres de la classe politique (sinon, il n'aurait pas pu être adopté), mais les opposants se comptaient par millions. Les gens ont enfreint ouvertement la loi, et des criminels comme Al Capone ont fait fortune grâce à la contrebande d'alcool. L'État a fini par capituler et, en 1933, les législateurs américains ont amendé de nouveau la Constitution pour légaliser l'alcool.

Lors de la période de la prohibition aux États-Unis (1919-1933), la police effectuait systématiquement des saisies d'alcool.

Pour qu'une constitution soit efficace, il faut qu'elle suscite une adhésion active de la part de la population. Comme nous l'avons vu au chapitre 6, il est important que l'État puisse compter sur l'appui actif des citoyens, surtout en temps de crise, que la constitution soit considérée comme le texte fondateur de la communauté et qu'elle tienne compte de l'histoire.

Bon nombre d'historiens jugent que l'Allemagne a commis une erreur, après la Première Guerre mondiale, en abolissant le régime impérial qui avait entre autres permis le regroupement des Allemands sous un même État et fait de l'Allemagne la puissance majeure de l'Europe. En instituant la République de Weimar, la Constitution démocratique et libérale de 1919 n'offrait rien pour compenser le vif attachement que le peuple allemand avait toujours montré à l'empereur. Le premier président du nouveau régime était un homme effacé, sans éclat, le fils d'un humble sellier. Les Allemands avaient besoin d'un gouvernant qui incarnait leur patriotisme en déployant faste et grandeur; plus tard, Hitler a su satisfaire ce besoin. La Constitution de 1919 aurait rompu moins dramatiquement avec le passé si elle avait placé à la tête du pays un monarque sans pouvoir, mais entouré de tout l'apparat et du rituel liés à sa fonction, comme c'est le cas pour la monarchie britannique. Le maintien du régime impérial n'aurait pas remédié à tous les problèmes de l'Allemagne, mais il n'aurait certainement pas nui.

Des procédures de révision souples et rigides

Pour qu'une constitution reflète convenablement les besoins de la population, il doit être possible de la réviser. Toute constitution doit prévoir une procédure de révision. Afin d'empêcher les modifications intempestives, la plupart des pays ont adopté une procédure de révision rigide, ce qui suppose l'établissement d'un très large consensus. Ainsi, toute modification de la Constitution française doit être approuvée par le Sénat et l'Assemblée nationale, et entérinée par un référendum dans la plupart des cas.

Dans un État fédéral, les procédures de révision sont fixées par le gouvernement central et les membres de la fédération. Par exemple, au Canada[4], en règle générale, toute modification de la Constitution doit être ratifiée par le Sénat, la Chambre des communes et 7 des 10 provinces, à condition que celles-ci représentent au moins 50% de la population canadienne. De plus, certains éléments fondamentaux du système politique comme le maintien de la monarchie et les deux langues officielles exigent l'accord de toutes les provinces et du Parlement canadien; c'est ce qu'on appelle la «procédure du consentement unanime». Dans la Constitution américaine, il faut l'accord des deux tiers de chacune des deux chambres du Congrès et des trois quarts des assemblées législatives des 50 États.

Quelques rares pays appliquent une procédure de révision souple. Ces pays sont, entre autres, le Royaume-Uni et la Nouvelle-Zélande. Une procédure de révision est souple lorsqu'il est possible de modifier la constitution sans recourir à des règles spéciales qui exigent un très large consensus comme au Canada et aux États-Unis. La procédure de modification souple permet au Parlement ou à l'Assemblée législative de modifier la constitution, tout en exigeant, dans certains cas, une majorité qualifiée, c'est-à-dire un pourcentage plus élevé qu'une majorité quantifiée de 60%, ou 75% des législateurs. Ainsi, en 1997, désireux de rendre l'Écosse et le pays de Galles plus autonomes, le premier ministre britannique Tony Blair a fait adopter par le Parlement des mesures menant à une **décentralisation** des pouvoirs et à la création d'un Parlement écossais et d'un Parlement gallois.

Décentralisation
Transfert de compétences de l'État central à des collectivités territoriales ou régionales.

---

4. Pour une étude fouillée et une description des différentes constitutions que le Canada a connues, voir l'excellent ouvrage de Jacques-Yvan Morin et José Woerhling (1994). *Les Constitutions du Canada et du Québec: du régime français à nos jours,* Montréal, Éditions Thémis.

La suprématie de la constitution

Tous les États possèdent une constitution, mais dans quelle mesure la respectent-ils ? En d'autres termes, dans quelle mesure les dirigeants politiques observent-ils les règles de droit établies dans leur pays ? Pour répondre à cette question, il importe de se pencher sur deux principes fondamentaux : le **constitutionnalisme** et l'**État (ou société) de droit**.

Le constitutionnalisme

Suivant le principe de la primauté du droit, les États ont l'obligation de respecter leur constitution et les règles juridiques, car ces dernières protègent les citoyens contre les actions arbitraires des gouvernants. La plupart des constitutions comprennent d'ailleurs des chartes ou des déclarations qui affirment les droits des individus, les libertés fondamentales, les droits juridiques et les droits qui protègent les minorités contre la discrimination.

L'État de droit

Le principe de la primauté du droit et son corollaire, l'État de droit, sont fermement enracinés au Royaume-Uni, aux États-Unis, au Canada, en Australie et en Nouvelle-Zélande. Aux États-Unis et au Canada, par exemple, la Cour suprême est relativement protégée contre les pressions politiques et a le pouvoir d'invalider toute loi qu'elle juge inconstitutionnelle. La Cour suprême des États-Unis applique avec zèle le *Bill of Rights* inclus dans la Constitution américaine et se réfère aux divers amendements constitutionnels relatifs aux droits des individus. En Grande-Bretagne, en Australie et en Nouvelle-Zélande, les tribunaux ne veillent pas au respect de la constitution à proprement parler, mais s'inspirent d'une longue tradition d'obéissance impartiale aux règles de la politique et de protection de l'individu contre l'arbitraire gouvernemental.

La Cour suprême du Canada siège dans cet édifice imposant à Ottawa, la capitale nationale.

Les limites de la société de droit. Le principe d'une société de droit n'est pas absolu. À certaines occasions (en temps de crise nationale ou internationale notamment), les gouvernements de ces pays ont jugé nécessaire de suspendre temporairement des droits. Par exemple, la Grande-Bretagne n'a pas déclenché d'élection pendant la Seconde Guerre mondiale, même si le mandat du gouvernement se terminait en 1940. Par ailleurs, aux États-Unis, le président Roosevelt a ordonné l'internement de la plupart des Américains d'origine japonaise pendant la Seconde Guerre mondiale, sous prétexte qu'ils représentaient un risque pour la sécurité nationale. Le président n'aurait jamais eu le pouvoir de prendre une telle décision en temps de paix. Lors de la crise d'Octobre, en 1970 au Québec, le gouvernement fédéral, à la suite d'une demande du gouvernement québécois, a suspendu certains droits et libertés en adoptant la *Loi sur les mesures de guerre*. Cette loi permettait entre autres aux forces policières d'arrêter toute personne sans mandat. Plus de 300 personnes ont été emprisonnées sans chef d'accusation.

Les règles de droit et la protection de la population. La majeure partie de la population mondiale est peu protégée contre le pouvoir arbitraire. Plus d'un million de Chinois ont été tués entre 1966 et 1972, pendant la Révolution

Constitutionnalisme
Afin de protéger les citoyens contre toute action arbitraire de l'État, les gouvernements s'engagent à respecter le caractère équitable de la constitution. Le constitutionnalisme implique la mise en place de lois ou de chartes qui proclament les libertés et les droits fondamentaux des individus.

État (ou société) de droit
Société dans laquelle l'exercice du pouvoir politique est subordonné au respect de règles de droit préétablies.

culturelle que Mao Tsé-toung a déclenchée pour reprendre le contrôle du pouvoir. La répression du mouvement étudiant sur la place Tiananmen, en 1989, témoigne du même mépris pour l'individu. Dans *L'archipel du Goulag,* le grand écrivain russe Alexandre Soljenitsyne, prix Nobel de littérature en 1970, décrit le réseau de camps de concentration établi en Union soviétique sous Staline ; des centaines de milliers de citoyens soviétiques y ont été arbitrairement enfermés, sans même, dans bien des cas, avoir subi de procès. En Argentine, à la fin des années 1970, des milliers de citoyens ont « disparu » à la suite de leur arrestation par la police du régime militaire de droite ; ils n'ont jamais été jugés ni retrouvés. Plus récemment, en Syrie et en République démocratique du Congo, de nombreux crimes ont été commis contre la population à cause des guerres civiles.

La structure du gouvernement et la répartition des pouvoirs

Le rapatriement de la Constitution, en 1982, en a fait un texte entièrement canadien, mais n'a pas réglé pour autant les différends constitutionnels opposant le Québec et le reste du Canada.

Dans les chapitres qui suivent, nous étudierons plusieurs sujets à caractère constitutionnel : la sélection des dirigeants, l'adoption des lois, l'administration publique, etc. L'élaboration des constitutions comporte toutefois un autre élément important qu'il convient d'examiner ici.

Cet élément est la répartition des pouvoirs législatifs entre les paliers de gouvernement central et régional (les États aux États-Unis, et les provinces au Canada). Certaines constitutions attribuent tout le pouvoir légal au gouvernement central. D'autres constitutions, au contraire, établissent un gouvernement central relativement faible et confient un grand nombre de décisions politiques aux paliers inférieurs de gouvernement. D'autres constitutions encore se situent plus ou moins entre ces deux extrêmes.

La répartition des pouvoirs comme source de conflits à l'intérieur d'un État

La question de la répartition du pouvoir entre les paliers de gouvernement revêt une importance primordiale parce qu'elle suscite de fortes tensions politiques partout dans le monde, en particulier dans les pays multiethniques. En fait, elle constitue de nos jours un des principaux sujets de conflits, comme en témoignent ces exemples :

- En Espagne, l'ETA, un mouvement basque extrémiste, mène depuis plusieurs années une campagne de terrorisme afin d'obtenir la formation d'un État basque souverain.

- En France, la population de la Corse exige du gouvernement central une plus large autonomie, sinon l'indépendance. Certains mouvements indépendantistes ont commis des actes terroristes.

- Au Canada, la crise constitutionnelle entre le Québec et le reste du pays perdure depuis 50 ans. Cette situation a entre autres mené à deux référendums sur la souveraineté du Québec, en 1980 et 1995.

- En Inde, les 28 États membres jouissent d'une certaine autonomie par rapport au gouvernement central, mais on y parle des langues différentes, et les querelles concernant la langue de travail font constamment la manchette.

- Dans l'ex-URSS qui était formée de 15 entités régionales appelées «républiques» (dont l'une était la Russie), chacune avait sa propre identité nationale. L'Union soviétique a fini par se désintégrer, et chacune de ces républiques a déclaré son indépendance.

- Dans les pays d'Afrique, les conflits entre l'État central et les régions dégénèrent parfois en guerres civiles; les cas du Nigeria, du Soudan, de la République démocratique du Congo et de l'Éthiopie l'illustrent fort bien. D'ailleurs, dans ce dernier cas, les conflits internes ont abouti au départ d'une région stratégique, l'Érythrée, qui a proclamé son indépendance en 1993.

- Au Moyen-Orient, les régions kurdes de la Turquie, de la Syrie, de l'Iraq et de l'Iran connaissent depuis plusieurs années de fortes tensions politiques et sont le théâtre d'actes terroristes.

- Au début des années 1990, le processus de démantèlement de l'ex-Yougoslavie a donné lieu à des affrontements militaires d'une rare violence entre certains membres de la fédération. Certains dirigeants de l'armée et du gouvernement d'une des régions concernées, la Serbie, ont été par la suite poursuivis pour crimes de guerre et de génocide.

Ces exemples illustrent les relations difficiles qui existent entre l'État central et les régions dans certains États.

Les États fédéraux et les États unitaires

Le choix entre la centralisation et la régionalisation du pouvoir est une question cruciale en politique. Pour comprendre comment ce difficile équilibre est traité dans les constitutions, il faut d'abord établir une distinction entre un État unitaire et un État fédéral (*voir le tableau* 7.1). Nous porterons ensuite notre attention sur le partage du pouvoir entre les gouvernements centraux, d'une part, et les gouvernements régionaux et locaux, d'autre part.

Dans un **État unitaire**, les gouvernements locaux et régionaux n'ont aucune compétence reconnue légalement. Toutes leurs décisions politiques peuvent être annulées par le gouvernement central. Ils sont soumis au pouvoir législatif de l'autorité centrale. Par contre, dans un État fédéral ou une **fédération**, la constitution établit des gouvernements locaux (par exemple, les États pour les États-Unis, et les provinces pour le Canada) et leur attribue une pleine compétence dans des domaines précis.

État unitaire
Système où le gouvernement central possède toutes les compétences légales. Le gouvernement central a le pouvoir d'annuler toutes les décisions politiques prises par les gouvernements régionaux ou locaux.

Fédération
Système de gouvernement où, en vertu de la constitution, le pouvoir d'édifier des lois est réparti entre un corps législatif central et les assemblées législatives des membres de cette fédération. Les membres de la fédération peuvent être des provinces (Canada), des États (États-Unis), des Länder (Allemagne), des cantons (Suisse) ou des républiques (ex-URSS).

TABLEAU 7.1 | LES CARACTÉRISTIQUES DE L'ÉTAT FÉDÉRAL ET DE L'ÉTAT UNITAIRE

Indicateur	État unitaire	État fédéral
Paliers de gouvernement	Généralement un seul; si un second palier existe, il est subordonné au gouvernement central.	Deux paliers: central et régional. Aucune subordination entre les paliers.
Autonomie des gouvernements régionaux	Aucune: l'État central peut annuler les décisions des gouvernements régionaux, si ceux-ci existent.	Complète: les gouvernements locaux administrent leurs compétences de façon autonome.
Compétences des gouvernements régionaux	Aucune compétence reconnue légalement.	Déterminées et protégées par la Constitution.

Les citoyens d'une fédération, c'est-à-dire d'un État fédéral, sont dirigés par deux gouvernements dotés de juridictions différentes. En principe, dans une fédération, aucun des deux paliers de gouvernement n'est subordonné à l'autre, car c'est la constitution qui leur confère le pouvoir d'édicter des lois dans leurs domaines de juridiction respectifs.

L'Allemagne, par exemple, est une fédération. Les gouvernements des Länder (régions) sont responsables de l'éducation, de la télévision et de la radio ; le gouvernement central a le monopole de la défense, de la diplomatie, de la monnaie et de la politique monétaire, des services postaux, du transport ferroviaire et aérien, et du droit d'auteur. Les autres responsabilités sont partagées entre le gouvernement central et ceux des Länder.

De nombreux systèmes fédéraux sont le résultat de compromis négociés entre des territoires, ayant pour but d'amener ceux-ci à se réunir pour former un État. Tel est le cas du Canada et des États-Unis. Le fédéralisme permet généralement de donner une unité à un pays de vastes dimensions ou présentant une grande diversité culturelle et linguistique. C'est pourquoi il y a moins de fédérations parmi les petits pays que parmi les grands.

En 2011, on dénombrait 21 États fédéraux et 174 États unitaires. La faible proportion des fédérations pourrait laisser croire qu'en tant que forme de gouvernement, elles ont une importance négligeable. Cependant, comme le montre le tableau **7.2**, les États fédéraux comptent parmi les plus vastes du monde. Ils ne représentent que 11 % des pays, mais ils renferment 39 % de la population mondiale et couvrent 50 % des terres. Les principaux États fédéraux sont présentés à la figure **7.1**, à la page 124.

La distinction entre État unitaire et État fédéral

Nous avons vu précédemment que dans un État fédéral[5], des gouvernements distincts coexistent sur un même territoire et possèdent des compétences particulières. Dans un État unitaire, le gouvernement central a la pleine autorité juridique pour élaborer et mettre en œuvre toutes les politiques ; il peut aussi mandater d'autres structures gouvernementales pour agir en son nom. Il s'ensuit, théoriquement du moins, que le pouvoir politique est plus centralisé (concentré entre les mains du gouvernement central) dans un État unitaire que dans un État fédéral. Dans une fédération, les deux paliers de gouvernement sont théoriquement souverains dans leurs domaines de compétence respectifs. Toutefois, la mise en œuvre du fédéralisme ou d'un État unitaire ne dépend pas seulement de l'organisation constitutionnelle des pouvoirs ; il faut en effet tenir compte des aménagements d'ordre politique. Il existe toutes sortes de mécanismes officieux qui peuvent faire contrepoids aux tendances centralisatrices de l'État unitaire et aux tendances décentralisatrices de l'État fédéral.

---

5. Pour des études sur 25 pays qui se définissent comme des fédérations, voir Griffiths, Ann L. (dir.) et Karl Nerenberg (coord.) (2005). *Guide des pays fédéraux 2005*, Montréal et Kingston, McGill-Queen's University Press. Voir aussi Mélin-Soucramanien, Ferdinand, et Pierre Pactet (2012). *Droit constitutionnel*, 31e éd., Paris, Sirey.

TABLEAU 7.2 | LES FÉDÉRATIONS DANS LE MONDE

Pays	Population (en milliers)	Superficie (km²)	Régime politique 2011			PIB par habitant ($ US)	Rang IDH	États membres	Constitution (date)
			DP	LC	Lib.				
Suisse	7 822	41 284	1	1	L	45 224	11	26	1999
Autriche	8 421	83 859	1	1	L	38 818	19	9	1920
Allemagne	81 777	356 850	1	1	L	36 338	9	16	1949
Belgique	10 896	30 528	1	1	L	36 313	18	3 + 3	1994
Russie	142 518	17 075 400	6	5	NL	18 932	66	89	1993
États-Unis	309 330	9 529 063	1	1	L	45 989	4	50	1787
Canada	34 109	9 970 610	1	1	L	37 808	6	10	1867
Mexique	109 220	1 958 201	3	3	PL	14 258	57	31	1917
Argentine	42 192	2 780 400	2	2	L	14 538	45	23	1853
Brésil	194 933	8 511 996	2	2	L	10 367	84	26	1988
Venezuela	28 048	912 050	5	5	PL	12 323	73	23	1999
Saint-Christophe-et-Nevis	51	267	1	1	L	14 527	72	2	1983
Australie	22 618	7 682 300	1	1	L	39 539	2	6	1901
Micronésie	106	701	1	1	L	3 088	116	4	1979
Inde	1 205 074	3 165 596	2	3	L	3 296	134	28	1950
Irak	31 129	438 317	5	6	NL	3 548	132	17 + 1	2005
Pakistan	190 291	796 095	4	5	PL	2 609	145	4	1977
Malaisie	29 179	330 442	4	4	PL	14 012	61	13	1957
Émirats arabes unis	5 314	83 600	6	5	NL	57 744	30	7	1971
Nigeria	170 123	923 768	4	4	PL	2 203	156	36	1999
Comores	737	1 862	4	4	PL	1 183	163	3	2002
Éthiopie	91 195	1 133 882	6	6	NL	934	174	9	1995
Afrique du Sud	50 384	1 223 201	2	2	L	10 278	123	9	1996

Sources: Les chiffres relatifs à la population et à la superficie sont tirés du CIA Factbook, [En ligne], www.cia.gov/library/publications/the-world-factbook/. Le rang IDH est établi à partir du Programme des Nations Unies pour le développement (PNUD), [En ligne], http://hdr.undp.org/fr/raaports/mondial/rdh2011/. Les chiffres relatifs au produit intérieur brut (PIB) proviennent de la même source. L'évaluation du régime politique s'appuie sur les cotes de Freedom House, qui mesurent le niveau des droits politiques (DP) et des libertés civiles (LC) dans les divers pays : chaque pays est coté par l'organisme de 1 à 7, du plus libre au moins libre. Sur la base des deux cotes décernées à un pays, l'organisme déclare celui-ci « libre » (L), « partiellement libre » (PL) ou « non libre » (NL). Louis Massicotte, avril 1995. Révisé en février 2012 par Guillaume Poirier pour J.-P. Venne.

Le système politique

Dans l'ancienne URSS, les réalités politiques limitaient grandement l'autonomie territoriale des républiques fédérées, alors que la Constitution de l'URSS proposait une fédération très décentralisée. L'existence d'un parti unique, hiérarchisé et discipliné, et d'une économie planifiée et centralisée réduisait fortement les marges d'autonomie. Le degré d'autonomie d'une fédération et le degré de centralisation d'un État unitaire dépendent notamment du type de système politique, de la situation des libertés civiles et politiques ainsi que du niveau de développement social et économique, comme le montre le tableau **7.2**.

LES PRINCIPAUX ÉTATS FÉDÉRAUX DANS LE MONDE

FIGURE 7.1

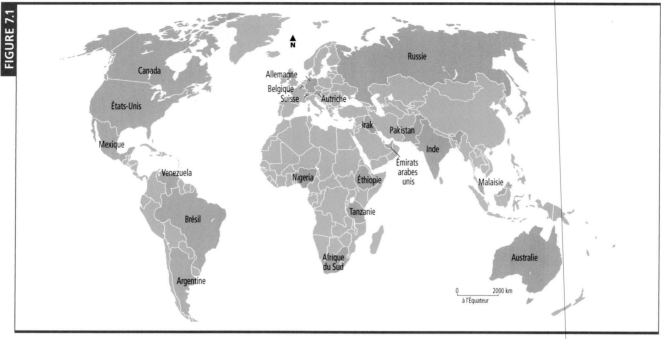

La répartition des finances publiques

La répartition des pouvoirs de taxation et de perception de l'impôt joue un rôle important quant au degré de centralisation et de décentralisation. Le tableau **7.3** indique le pourcentage des revenus gouvernementaux perçus et administrés par les gouvernements centraux, régionaux et locaux dans quelques systèmes fédéraux et unitaires. Dans la plupart des cas, le gouvernement central des États unitaires administre plus d'argent que celui des États fédéraux, mais la situation est beaucoup plus variable à l'intérieur d'un même type d'État. Ainsi, le gouvernement central de la Suède, un État unitaire, perçoit seulement 64 % des impôts, tandis que celui de la Fédération de Malaisie en perçoit 91 %, ce qui fait de cette dernière la fédération la plus centralisée au monde, du moins en ce qui concerne le contrôle des revenus. Au Canada, le gouvernement central encaisse 46 % de l'impôt, alors que les provinces et les administrations municipales en perçoivent 54 %. À ce sujet, il faut noter qu'au Canada les provinces assument des compétences financières très lourdes telles que l'éducation, la santé et les municipalités, ce qui soulève toute la question du déséquilibre fiscal entre les revenus des provinces et ceux du gouvernement central. Retenons néanmoins que la répartition des pouvoirs de taxation et de la perception de l'impôt constitue un facteur qui remet en question la distinction toute théorique entre une fédération et un État unitaire. Retenons aussi que le degré de centralisation en matière de revenu varie grandement d'un pays à l'autre.

TABLEAU 7.3 LE POURCENTAGE DES REVENUS PERÇUS PAR LES DIFFÉRENTS PALIERS DE GOUVERNEMENT DANS CERTAINS ÉTATS FÉDÉRAUX ET UNITAIRES

	Gouvernement central	Gouvernements des États, provinces ou régions et gouvernements locaux
Systèmes fédéraux		
Malaisie	91	9
Allemagne	65	35
Argentine	62	38
États-Unis	54	46
Suisse	51	49
Canada	46	54
Systèmes unitaires		
Chili	95	5
Israël	93	7
Royaume-Uni	91	9
France	85	15
Suède	64	36

Source : Fonds monétaire international (FMI) (2010). *Government Finance Statistics Yearbook 2010,* tableau W3.

La décentralisation des États unitaires

Le degré de centralisation varie également pour des éléments moins faciles à mesurer que l'impôt. Le tableau 7.3, dont nous avons déjà fait mention, montre que la France et le Royaume-Uni ont des points en commun. Ces deux États sont unitaires ; le gouvernement central de la France perçoit 85 % des revenus, et celui du Royaume-Uni, 91 %. Or, la manière d'utiliser l'autorité et les impôts compte autant que le fait de les utiliser.

Traditionnellement, au Royaume-Uni, le gouvernement central accorde une très large autonomie aux gouvernements locaux. Ainsi, depuis quelques années en Grande-Bretagne, les régions d'Écosse et du pays de Galles ont obtenu une très large autonomie quant à leur pouvoir de dépenser à l'intérieur de leurs frontières respectives, même si les revenus proviennent du gouvernement central.

En France, le pouvoir politique est concentré à Paris depuis des siècles. Il n'y a pas si longtemps encore, les villes devaient faire approuver par le gouvernement de la République toutes leurs décisions importantes (comme la construction d'un hôtel de ville ou d'une école). Sous la présidence de François Mitterrand (1981-1995), la France, amorçant un processus de décentralisation, a délégué de nombreuses fonctions aux conseils régionaux ou départementaux nouvellement formés. Malgré tout, le système français est encore très centralisé[6].

En résumé, le degré de centralisation et d'autonomie est largement déterminé non seulement par une constitution fédérale ou unitaire, mais aussi par la distribution des compétences, les aménagements entre les acteurs politiques, la répartition des impôts et les traditions.

La centralisation ou la décentralisation ?

Il est clair que tout pays doit trouver le juste milieu entre la centralisation et la décentralisation. Une décentralisation trop grande pourrait entraîner la fragmentation de l'État et, par suite, sa disparition. C'est le risque que court la Belgique, où les tensions entre les Flamands et les Wallons sont toujours élevées. Une forte centralisation, surtout dans un État de vaste étendue ou sans unité sur le plan géographique, risque de rendre inopérantes les politiques du gouvernement et d'amener celui-ci à s'éloigner des besoins des régions.

Pour déterminer le degré de centralisation souhaitable, il faut tenir compte des particularités du pays. En règle générale, les États vastes ayant différentes communautés nationales et ethniques optent pour une relative décentralisation afin de mieux répondre aux besoins particuliers des différentes régions. Cependant, si une situation d'urgence survient, par exemple une guerre, l'État peut centraliser les pouvoirs et concentrer toutes les ressources en vue de la régler. Du reste, la plupart des fédérations consentent effectivement à leur gouvernement central des pouvoirs extraordinaires en temps de guerre. Cela a été le cas du Canada au cours de la Seconde Guerre mondiale. Se prévalant de la nécessité d'exercer un pouvoir d'urgence, le gouvernement canadien a légiféré dans des domaines qui sont normalement de compétence provinciale et qui étaient alors susceptibles de l'aider à poursuivre la guerre[7].

---

6. Voir Schmidt, Vivien A. (1991). *Democratizing France : The Political and Administrative History of Decentralization*, Cambridge, Cambridge University Press, p. 105-137.
7. Voir Beaudoin, Gérald-A. (2000). *Le fédéralisme au Canada*, Montréal, Wilson & Lafleur, p. 434 et 435.

Durant la crise d'Octobre, en 1970, l'armée canadienne, relevant de la juridiction fédérale, est mobilisée dans les rues de Montréal afin de rétablir l'ordre, à la suite des actions terroristes menées par le Front de libération du Québec (FLQ). Le gouvernement fédéral avait alors utilisé les pouvoirs d'urgence pour légitimer son intervention.

Pouvoir de dépenser
Pouvoir qu'a le Parlement canadien d'octroyer aux individus, aux organisations et aux gouvernements provinciaux et locaux des sommes pour des usages au sujet desquels le Parlement peut ne pas avoir le droit de légiférer.

On observe depuis quelques décennies une évolution en ce sens, surtout dans les États industrialisés. Les États fédéraux subissent un processus de centralisation, tandis que les États fortement centralisés se décentralisent peu à peu.

Comme nous l'avons déjà souligné, la France, un État centralisateur par tradition, se décentralise depuis une trentaine d'années. Sous sa présidence, François Mitterrand (1981-1995) a enlevé une partie importante de leurs pouvoirs aux préfets, des fonctionnaires qui représentent l'autorité centrale dans les régions, pour les transférer aux assemblées départementales élues par la population.

La centralisation aux États-Unis et au Canada

Les États-Unis, pour leur part, ont un État fédéral et un système décentralisé, mais le gouvernement central empiète depuis une cinquantaine d'années sur les compétences des États et des municipalités. Pour étendre son pouvoir, le gouvernement central dicte aux gouvernements régionaux la manière de dépenser les sommes qu'il leur verse et impose ses conditions. Il en résulte notamment que le gouvernement central des États-Unis a maintenant le pouvoir d'ordonner aux conseils scolaires de fournir certains services aux élèves handicapés. Cette situation aurait été inimaginable il y a 50 ans.

Au Canada, c'est en utilisant leur **pouvoir de dépenser** que les autorités fédérales ont empiété sur les pouvoirs des provinces. Étant donné que ses ressources financières sont plus considérables que celles des gouvernements provinciaux, le gouvernement fédéral octroie à ceux-ci des subventions qui doivent servir à financer des programmes précis. Ces subventions sont souvent conditionnelles au respect de certaines normes, même dans les domaines qui relèvent de la compétence des provinces. Depuis la Première Guerre mondiale, plus de 100 programmes de ce genre ont été mis sur pied au Canada[8].

Alors, quel degré de centralisation un gouvernement doit-il rechercher ? Il n'existe pas de réponse simple à cette question. On peut cependant souligner que les États industrialisés vont vers une plus grande centralisation. Ce n'est cependant pas le cas du Canada, où les tensions entre le Québec et le reste du pays menacent la survie et l'intégrité de l'État canadien, et où l'adoption d'un fédéralisme asymétrique inscrit dans la Constitution, qui reconnaîtrait le Québec comme société distincte, représenterait peut-être une solution.

POUR ALLER PLUS LOIN

Le fédéralisme asymétrique

En théorie, il est souhaitable que les membres d'une fédération aient le même statut constitutionnel et les mêmes pouvoirs, mais dans la réalité, la taille (population), les ressources et les caractères culturels et historiques diffèrent parfois grandement d'un État ou d'une province à l'autre. Ainsi, le Québec réclame une plus grande décentralisation et plus de pouvoirs afin de sauvegarder ses caractères distincts. Le fédéralisme asymétrique reconnaît à des États ou à des provinces désignées des pouvoirs dans des domaines déterminés. Il en résulte donc une différence de statut entre les provinces ou les États. La « société distincte » ou la « société unique » prônée par les autonomistes québécois implique l'attribution d'un statut particulier au Québec, qui devrait être inscrit dans la Constitution canadienne.

8. Morin, Jacques-Yvan, et José Woehrling, *op. cit.*, p. 128 et suiv.

Le gouvernement constitutionnel en Grande-Bretagne

W. PHILLIPS SHIVELY

L'État de droit qu'est le Royaume-Uni a ceci de particulier qu'il ne possède pas de constitution écrite à proprement parler. Les principes fondamentaux de l'organisation du pouvoir ne sont pas énoncés dans un texte officiel.

Mais alors sur quoi les Britanniques se fondent-ils pour conduire les affaires de l'État? Ils consultent d'abord les « statuts », c'est-à-dire les lois adoptées par le Parlement. Ils s'appuient aussi sur la jurisprudence, c'est-à-dire sur les décisions rendues par les tribunaux dans le passé en matière constitutionnelle. Enfin, ils se basent pour une bonne part sur les conventions, c'est-à-dire sur des règles que le gouvernement suit depuis des siècles et qui résultent d'un accord tacite. Le Parlement détient l'autorité suprême, car il peut adopter un statut qui annule n'importe quelle pratique institutionnalisée. […]

La reine Elizabeth II serre la main de son premier ministre, David Cameron.

La *Magna Carta* est l'un des éléments les plus anciens de la Constitution britannique. En 1215, les barons du royaume se rebellèrent contre le roi Jean sans Terre et le forcèrent à signer un document qui restreignait l'autorité royale. Ce document prit caractère de statut en 1295. Adopté en 1689, le *Bill of Rights,* une autre charte importante, proclamait la suprématie du Parlement sur la monarchie et fixait les règles de la succession au trône. Les Lois parlementaires de 1911 et de 1949 ont défini les pouvoirs des deux chambres du Parlement. […]

La jurisprudence joue un rôle important dans la Constitution britannique. Les pouvoirs de la reine,

par exemple, sont en grande partie déterminés par une longue série de précédents. De même, les lois relatives aux droits de la personne […] se sont constituées au fil des siècles à la suite de décisions rendues par les tribunaux.

Enfin, d'importantes règles de la Constitution britannique ne sont écrites nulle part. Elles relèvent tout simplement de la tradition. Ainsi, le premier ministre et les membres de son cabinet sont ceux qui ont le plus de pouvoir dans le gouvernement britannique. Le Cabinet soumet presque tous les projets de loi au Parlement et domine les débats parlementaires. Or, aucun statut ni aucune décision juridique ne définissent les fonctions et la composition du Cabinet. La seule loi qui fait référence au cabinet est celle qui traite de la rémunération des ministres. Toutes les règles relatives à la conduite du premier ministre et des ministres ainsi qu'à leurs pouvoirs sont dictées par la tradition et demeurent implicites.

Mais comment fait-on respecter une pareille constitution? Comment peut-on exiger l'obéissance aux règles quand celles-ci ne sont pas toutes écrites? Seule la tradition donne au premier ministre le pouvoir de demander la démission d'un ministre ou de procéder à un remaniement ministériel. Qu'arriverait-il si un premier ministre congédiait un ministre et si celui-ci refusait d'obtempérer? Dans un autre ordre d'idées, la Constitution britannique précise que tout projet de loi adopté par le Parlement doit être ratifié par le monarque pour devenir loi. Mais le monarque ne met jamais son *veto* théorique à une loi. Que se produirait-il s'il venait un jour à un monarque l'idée de se prévaloir de ce droit?

Le fonctionnement d'un tel système déconcerte les Britanniques eux-mêmes. On est forcé de conclure que le système repose tout simplement sur la bonne volonté générale. Il faut absolument que les Britanniques aient à cœur de maintenir le système et qu'ils soient persuadés qu'il y va de leur intérêt que celui-ci fonctionne. Il se peut que le fait que la constitution soit non écrite incite les gens à la coopération.

Pour fonctionner, une constitution non écrite doit se référer à l'histoire et à la tradition. Il est donc fort peu probable qu'un État décide de suivre le modèle de la Grande-Bretagne en matière constitutionnelle. On pourrait néanmoins s'en inspirer et laisser le soin à la tradition de définir certains éléments de la constitution, au lieu de vouloir tout consigner par écrit. ◄

CONCEPTS CLÉS

Constitution **p. 114**

Constitutionnalisme **p. 119**

Convention constitutionnelle **p. 115**

Décentralisation **p. 118**

État (ou société) de droit **p. 119**

État unitaire **p. 121**

Fédéralisme asymétrique **p. 126**

Fédération **p. 121**

Pouvoir d'urgence **p. 125**

Pouvoir de dépenser **p. 126**

Procédures de révision souple et rigide **p. 118**

EXERCICES

Questions d'approfondissement

1. Que peut-on faire pour adapter une constitution à l'évolution d'une société ?

2. Exposez les conséquences d'une trop forte centralisation ou d'une trop forte décentralisation de l'État (qu'il soit unitaire ou fédéral).

3. Un État démocratique peut, dans des circonstances précises, suspendre des droits. Vrai ou faux ? Pourquoi ?

Sujets de discussion

1. Le chef d'un État nouvellement formé vous demande de rédiger une constitution. Que recommandez-vous ? (Pour répondre à cette question, inspirez-vous de constitutions existantes.)

2. Si le Québec devenait indépendant, quel système de gouvernement (unitaire ou fédéral) recommanderiez-vous au chef du nouvel État ? Pourquoi ?

3. Discutez l'affirmation suivante : «Tous les États devraient s'inspirer de la France et enchâsser dans leur constitution des droits économiques et sociaux.»

WWW

http://mabibliotheque.cheneliere.ca

LECTURES SUGGÉRÉES

BEAUDOIN, Gérald-A. *La Constitution du Canada : institutions, partage des pouvoirs, Charte canadienne des droits et libertés*, 3ᵉ éd., Montréal, Wilson & Lafleur, 2004.

GAGNON, Alain-G. *L'âge des incertitudes (essais sur le fédéralisme et la diversité culturelle)*, Québec, Presses de l'Université Laval, 2012.

GAGNON, Alain-G. (dir.). *Le fédéralisme canadien contemporain*, Montréal, Presses de l'Université de Montréal, 2006.

GRIFFITHS, Ann L. (dir.), et Karl NERENBERG (coord.). *Guide des pays fédéraux 2005*, Montréal et Kingston, McGill-Queen's University Press, 2005.

LAMOINE, Georges. *Histoire constitutionnelle anglaise*, Paris, PUF, coll. «Que sais-je?», 1995.

MONTPETIT, Éric. *Le fédéralisme d'ouverture. La recherche d'une légitimité canadienne au Québec*, Québec, Éditions du Septentrion, 2007.

MORIN, Jacques-Yvan, et José WOERHLING. *Les Constitutions du Canada et du Québec, du régime français à nos jours*, Montréal, Éditions Thémis, 1994.

CHAPITRE

8

Les élections

Suffrage universel
Mode de désignation fondé sur le principe que tous les citoyens ayant l'âge requis par la loi ont le droit de vote.

Démocratie représentative
Forme de démocratie où le peuple gouverne non pas directement (sauf dans le cas des référendums), mais par l'intermédiaire de représentants élus.

Le droit de vote

À l'exception de quelques monarchies et dictatures, plus personne ne conteste aujourd'hui le principe du **suffrage universel**, c'est-à-dire le droit pour tous de participer à la désignation des gouvernants sans égard au statut socioéconomique, à l'instruction et au sexe. Ce droit représente assurément un progrès vers l'égalité politique et la démocratie. Le suffrage universel s'est imposé progressivement au cours des XIXe et XXe siècles, à la suite de nombreuses luttes et revendications.

Dans les premières **démocraties représentatives**, c'est-à-dire en France, aux États-Unis et en Grande-Bretagne, le droit de vote était limité à des catégories définies d'individus, en particulier aux propriétaires jouissant d'un niveau de revenu déterminé ou possédant des propriétés de valeurs équivalentes, ce qui donnait un droit de vote appelé «cens» ou «franchise électorale». Ce droit de vote excluait les ouvriers et les paysans sans terre. Le seuil du revenu était variable selon les pays. De plus, le seuil du revenu électoral a été graduellement abaissé, pour être éliminé au tournant du XXe siècle. Voici quelques exemples illustrant la progression du droit de vote vers le suffrage universel.

POUR ALLER PLUS LOIN

Cens ou franchise électorale[1]

Au Canada, lors des premières élections à la Chambre des communes en 1867, seuls les hommes de 21 ans et plus, qui étaient sujets britanniques et qui avaient, dans la circonscription électorale, des biens ou des revenus d'une valeur supérieure à une certaine somme, avaient le droit de voter. À l'époque, on appelait le droit de vote «franchise électorale» (traduction littérale du mot anglais *franchise*). Dans l'esprit de l'époque, le droit de vote et l'éligibilité (autrement dit, le droit de se porter candidat) s'obtenaient par le paiement d'impôts. Les contribuables devaient avoir le droit de voter. L'objectif n'était pas de priver les autres de ce droit; il s'agissait simplement de le donner à ceux qui étaient assujettis à l'impôt.

---

1. Bernard, André (2005). *Vie politique au Canada*, Sainte-Foy, Presses de l'Université du Québec, p. 185 et 186.

La France

Lors de la révolution de 1789, le droit de suffrage était réservé aux «citoyens actifs», c'est-à-dire aux hommes en mesure de donner à l'État l'équivalent de trois journées de travail (impôt). Les femmes, les domestiques, les indigents, les vagabonds et les moines étaient exclus du corps électoral parce qu'ils étaient jugés trop dépendants d'autrui pour avoir une volonté politique autonome. Il en résultait que 60% des hommes avaient le droit de vote[2]. On a accordé le droit de suffrage aux femmes en 1944 et abaissé la majorité électorale à 18 ans en 1974.

Les États-Unis

Dans ce pays, la situation était plus complexe du fait que le droit de vote relevait des Constitutions des États fédérés[3]. Avant la guerre de Sécession (1861-1865), les États du Rhode Island et du Vermont avaient adopté le suffrage universel masculin, alors que 8 des 13 États avaient abaissé le cens électoral, ce qui avait eu pour effet d'accroître considérablement le nombre d'électeurs de race blanche. Victorieux, les États du Nord ont adopté les quatorzième (1868) et quinzième (1870) amendements de la Constitution, qui instauraient le suffrage universel, y compris pour les Noirs. Certains États du Sud se sont employés à limiter le vote des Noirs par différents moyens, comme l'évaluation des connaissances politiques, mais en 1965, la Cour suprême des États-Unis a éliminé toute restriction au droit de vote.

La Grande-Bretagne

Dans ce pays, le droit de vote était beaucoup plus restreint qu'aux États-Unis ou qu'en France à l'époque de la Révolution. Avant la première réforme électorale de 1832, il n'y avait que 435 000 électeurs, soit environ un adulte sur six[4]. Du fait de l'abaissement de la franchise électorale, la réforme électorale de 1867 a accordé le droit de vote à un adulte masculin sur trois, en Angleterre et en Écosse. En 1918, cédant aux pressions du mouvement ouvrier et des suffragettes, le Parlement britannique a instauré le suffrage universel masculin et féminin. Mais certains privilèges se sont maintenus jusqu'en 1948, comme celui qui permettait aux professeurs d'université de voter deux fois.

Thérèse Casgrain (1896-1981), présidente de la Ligue des droits de la femme entre 1929 et 1943, fut activement engagée dans la lutte pour l'obtention du droit de vote des femmes au Québec.

Le Canada

Au Canada, comme en Grande-Bretagne, le droit de vote était limité aux sujets britanniques ayant des biens ou des revenus dont la valeur excédait une somme déterminée, ou à des catégories de personnes vouées à l'enseignement, comme les membres de certaines communautés religieuses (*voir le tableau* **8.1**). On estime en outre que seulement un adulte sur 30 a eu le droit de voter aux premières élections fédérales au Canada, en 1867[5].

On a par la suite abaissé la franchise électorale (le cens), principalement en Ontario et dans les provinces de l'Ouest, ce qui a eu pour effet d'augmenter le nombre de personnes habilitées à voter. En 1918,

---

2. Manin, Bernard (1995). *Principes du gouvernement représentatif*, Paris, Calmann-Lévy, p. 135 et suiv.
3. Voir Hermet, Guy (2008). *Exporter la démocratie?*, Paris, Presses de Science Po, p. 31.
4. Ihl, Olivier (2000). *Le vote*, 2e éd., Paris, Montchrestien, p. 34 et suiv.
5. Guy, James John (2001). *People, Politics and Government: A Canadian Perspective*, Toronto, Prentice-Hall, p. 354.

TABLEAU 8.1 | L'ÉVOLUTION DU DROIT DE VOTE AU CANADA

Années	Modifications
1791	L'Acte constitutionnel prévoit une assemblée élue au suffrage censitaire par des personnes ayant certains types de propriétés. Certaines femmes ont alors le droit de vote dans le Bas-Canada.
1792	Tenue des premières élections au Bas-Canada.
1844-1858	Sont tour à tour exclus de l'électorat les juges, les douaniers, les percepteurs d'impôt, les greffiers et greffiers adjoints, les shérifs.
1849	Retrait du droit de vote aux femmes du Canada-Uni.
1856-1867	Élection des membres du Conseil législatif du Canada-Uni.
1867	L'*Acte de l'Amérique du Nord britannique* exclut les femmes du corps électoral ; les conditions régissant l'exercice du droit de vote aux élections fédérales relèvent des provinces.
1874	Adoption du vote secret à Ottawa.
1875	Adoption du vote secret au Québec.
1918	Toutes les Canadiennes ont maintenant le droit de vote aux élections fédérales.
1948	Les Canadiens et Canadiennes d'origine asiatique recouvrent le droit de vote au fédéral.
1950	Les Inuits obtiennent le droit de vote au fédéral.
1955	Certains objecteurs de conscience, et en particulier les mennonites qui l'avaient perdu en 1920, recouvrent le droit de vote au fédéral.
1960	Les Autochtones obtiennent le droit de vote au fédéral.
1964	La charge de délimiter les circonscriptions électorales au fédéral est pour la première fois confiée à des commissions indépendantes.
1970	Le Parlement adopte une loi qui oblige les partis politiques fédéraux à s'inscrire auprès du directeur général des élections. L'âge minimal pour voter aux élections fédérales est ramené de 21 ans à 18 ans.
1972	Pour la première fois, les noms des partis politiques figurent sur les bulletins de vote aux élections fédérales.
1975	Les sujets britanniques qui ne sont pas canadiens perdent leur droit de vote aux élections fédérales canadiennes.
1982	La Charte stipule que le droit de vote est un droit démocratique, ce qui met fin à certains types d'exclusion.
1993	La loi électorale du Canada introduit le bulletin de vote spécial destiné aux personnes ne pouvant voter le jour de l'élection ou au bureau ordinaire de scrutin, y compris celles qui vivent ou voyagent à l'étranger.
1995	Établissement d'une liste électorale permanente servant pour toutes les élections.
2002	Le droit de vote est accordé aux juges, aux détenus et aux handicapés mentaux.

Source: Adapté de Blais, André, et Jean Crête (2007). « Le système électoral et les comportements électoraux », dans Manon Tremblay et Réjean Pelletier (dir.), *Le parlementarisme canadien*, 3ᵉ éd., Québec, Presses de l'Université Laval, p. 146.

le gouvernement du Canada a institué le suffrage universel mixte (*voir les tableaux 8.2 et 8.3, page suivante*). Au Québec, le suffrage universel masculin a été instauré en 1936, et les femmes ont acquis le droit de vote en 1940. En 1964, le Québec a été la première province au Canada à abaisser l'âge du droit de vote à 18 ans. En 1970, tous les Canadiens de cet âge pouvaient voter aux élections fédérales[6].

De nos jours, le suffrage universel en tant que moyen de sélection des gouvernants s'exerce dans le monde entier, même dans les États non démocratiques. D'ailleurs, de nombreux régimes autoritaires se sont qualifiés de « démocraties ». Les élections remplissent deux fonctions :

TABLEAU 8.2 | LES ANNÉES D'OBTENTION DU DROIT DE VOTE DES FEMMES AUX ÉLECTIONS PROVINCIALES CANADIENNES

Année	Provinces
1916	Manitoba, Saskatchewan et Alberta
1917	Ontario et Colombie-Britannique
1918	Nouvelle-Écosse
1919	Nouveau-Brunswick
1921	Île-du-Prince-Édouard
1925	Terre-Neuve
1940	Québec

---

6. En ce qui concerne la question du droit de vote au Canada et au Québec, voir Bernard, André (1996). *La vie politique au Québec et au Canada*, Montréal, Presses de l'Université du Québec, 1996, p. 261 et suiv. ; voir aussi le tableau 8.1 sur l'évolution du droit de vote au Canada.

TABLEAU 8.3	LE DROIT DE VOTE DES FEMMES : REPÈRES CHRONOLOGIQUES

Années	États
1869	Wyoming (États-Unis)
1893	Nouvelle-Zélande
1902	Australie
Entre 1906 et 1913	Finlande, Danemark et Norvège
1918 et 1919	Grande-Bretagne, Canada, Allemagne et Islande
1920	États-Unis
Entre 1921 et 1931	Hongrie, Pologne, Suède, Espagne, Portugal et Brésil
1940	Québec
1944 et 1945	Italie, France, Japon et Indonésie
1947 et 1948	Belgique, Israël, Chine, Argentine, Yougoslavie et Bulgarie
1952 et 1953	Grèce, Bolivie, Liban et Mexique
1959	Maroc, Tunisie et Chypre
1974	Suisse et Jordanie
2002 et 2003	Bahreïn et Oman

1. La première est purement démocratique : permettre à la population de choisir directement les gouvernants et, par conséquent, de juger et de sanctionner les politiques.

2. La seconde est plus ou moins universelle : mobiliser la population et l'amener à exprimer son soutien à l'État en lui faisant accomplir un geste concret.

L'appui à l'État

Les élections sont essentielles pour renforcer la légitimité des gouvernements qui cherchent à démontrer que la population est derrière eux. Il s'agit d'ailleurs de l'une des raisons qui expliquent la présence d'élections dans des États dominés par des régimes autoritaires. Des pays comme l'Azerbaïdjan, l'Algérie, la Corée du Nord, le Bélarus, Cuba et Singapour tiennent des élections dont le résultat ne fait aucun doute. La participation électorale dans ces États est supérieure aux élections présidentielles américaines : aux élections de 2008 en Azerbaïdjan, elle a été de 75 %, en 2008 au Bélarus, de 77 %, et en 2006 à Singapour, de 94 %.

L'ex-URSS (dissoute en 1991) nous fournit un bon exemple de ce type d'État où les élections ont joué un rôle essentiel pour renforcer l'appui à l'État. Les résultats des élections ne pouvaient causer aucune surprise, car un seul candidat se présentait. Les électeurs pouvaient voter contre lui en rayant son nom sur le bulletin. Le candidat n'était pas élu si son nom était biffé par la majorité des électeurs. Sur les 2 200 000 personnes qui ont brigué les suffrages pour les postes de soviets locaux en 1977, 61 seulement ont été défaites de cette manière. Évidemment, toutes ces élections n'avaient pas pour but de désigner les gouvernants de l'URSS ; elles avaient cependant une raison d'être, sinon les autorités ne leur auraient pas consacré autant de ressources.

L'hypothèse la plus plausible est que l'ex-URSS et les anciens pays communistes d'Europe de l'Est tenaient des élections pour susciter l'enthousiasme de la population et l'amener à exprimer son appui au régime. Les élections fournissaient aux journaux une occasion de faire l'éloge des gouvernants et de délégitimer les opposants de ces derniers, et donnaient aux citoyens le sentiment qu'ils étaient des membres actifs de la société.

L'ex-URSS n'a pas été le seul État autoritaire à tenir des élections. Dans l'Allemagne nazie (1933-1945), les élections s'accompagnaient d'un rituel complexe, et environ 99 % des citoyens proclamaient alors leur attachement à Adolf Hitler. Encore de nos jours, pour ne citer que quelques cas, des États comme la Corée du Nord, Cuba et l'Irak (dans ce dernier cas, avant l'intervention américaine en 2003) ont organisé, à grand déploiement, des élections ou des référendums dont les résultats étaient connus d'avance. Au référendum tenu en Irak en octobre 2002, le président Saddam Hussein a ainsi récolté 100 % des votes avec une participation de l'électorat estimée à 100 %...

Élections nationales à Haïti en 2001. Dans les démocraties naissantes, les deux principales fonctions des élections (choix des dirigeants et expression de l'appui à l'État) ont une importance cruciale.

Même dans les pays démocratiques, les élections n'ont pas pour seule fonction de choisir les gouvernants et de sanctionner leurs politiques. Elles ont aussi pour but de conférer un surcroît d'autorité légitime à ceux qui exercent le pouvoir, et de raffermir le sentiment d'appartenance à la communauté.

Les modes de scrutin

Comme les élections servent à choisir les gouvernants, il doit être possible de concevoir une méthode pour interpréter leurs résultats. Ce n'est toutefois pas aussi simple qu'on pourrait le croire. Pourquoi, par exemple, ne se contente-t-on pas de dire que le candidat qui récolte le plus de voix est élu ? Qu'arrive-t-il alors des électeurs qui ont voté pour un candidat défait ? Leurs voix ne compteraient-elles pour rien ? Et s'il y avait une douzaine de candidats en lice et que le vainqueur a obtenu seulement 20 % des suffrages ? Cette personne devrait-elle entrer en fonction ? Comme nous le voyons, les questions qui surgissent sont multiples. Il est impossible d'arriver à une méthode qui rend parfaitement compte de la volonté populaire. Les États doivent élaborer des règles pour désigner la personne ou le parti qui sera porté au pouvoir à la suite d'une élection. Ces règles constituent le mode de scrutin[7], c'est-à-dire l'ensemble des modes de désignation qui permettent de choisir les élus.

Un État peut évidemment adopter le mode de scrutin qui lui convient le mieux. Les possibilités à cet égard sont nombreuses. Dans certains États, les partis doivent recueillir au moins 5 % des suffrages pour obtenir un siège ; dans d'autres, un nombre déterminé de sièges est attribué aux membres d'une ethnie donnée.

La plupart des démocraties utilisent soit le scrutin majoritaire uninominal à un tour, soit la **représentation proportionnelle**.

Représentation proportionnelle (ou scrutin proportionnel)
Mode de scrutin qui consiste à attribuer à un parti politique un nombre de sièges (députés ou représentants) proportionnel au nombre de votes qui ont été récoltés.

Le scrutin majoritaire uninominal à un tour

Les États qui ont adopté le scrutin majoritaire uninominal à un tour (MU1) sont divisés en un certain nombre de circonscriptions comptant un nombre à peu près égal d'individus. Chaque circonscription est représentée à l'Assemblée législative par une seule personne (uninominal), soit le candidat qui a obtenu le plus de voix à un scrutin (à un tour). Soulignons que l'expression « le plus de voix » ne signifie pas « majorité absolue » : il arrive fréquemment que le nombre de votes obtenu par le vainqueur soit inférieur à la moitié plus un des suffrages exprimés.

Le MU1 est le mode de scrutin en vigueur au Québec et au Canada. Aux États-Unis, les membres de la Chambre des représentants sont élus selon le MU1, et les membres du Sénat, selon une variante de

POUR ALLER PLUS LOIN

Le scrutin majoritaire uninominal

Le scrutin majoritaire uninominal est un mode de scrutin basé sur le découpage en circonscriptions électorales où chaque circonscription n'élit qu'un seul député (uninominal). Le candidat qui obtient le plus grand nombre de voix (pluralité des suffrages) est proclamé élu. Le système majoritaire à deux tours (MU2) en est une variante. Dans ce mode de scrutin, il faut obtenir la moitié des voix plus une au premier tour de scrutin pour être élu. Si aucun des candidats n'a la majorité, on procède à un second tour dans lequel la pluralité des suffrages suffit pour être élu.

---

7. Il y a de très nombreuses études sur les systèmes électoraux, leur nature et leurs conséquences. Par contre, très peu d'études comparatives ont porté sur les lois électorales qui encadrent les élections dans les démocraties, comme le droit de vote, le droit d'éligibilité, le dépouillement des suffrages et les organismes chargés de veiller au bon déroulement des élections. Le livre *Establishing the Rules of the Game. Election Laws in Democracies* (Toronto, University of Toronto Press, 2004), des politologues québécois et canadiens Louis Massicotte, André Blais et Antoine Yoshinaka, a comblé un vide à cet égard.

Au Québec et au Canada, le choix des députés se fait selon le système majoritaire à un tour. Dans chaque circonscription électorale, le candidat ayant obtenu le plus de suffrages est déclaré élu.

ce mode. (Il y a deux sénateurs par État, mais ils ne sont pas élus la même année, si bien que dans les faits, ils sont choisis selon le MU1.)

Le MU1 est apparu en Grande-Bretagne et il y est toujours en cours. Il a été implanté dans les anciennes colonies britanniques telles que le Canada, les États-Unis, l'Inde et la Nouvelle-Zélande.

La représentation proportionnelle

Le mode de scrutin le plus répandu dans les démocraties (pays qui ont des élections libres depuis au moins 20 ans) est la représentation proportionnelle (RP), comme le montre le tableau **8.4**. Cependant, en 2000, ainsi que le souligne le politologue canadien James John Guy, 68 des 193 États souverains utilisaient le mode de scrutin majoritaire pour choisir les membres de leur assemblée législative[8]. La RP repose sur un principe fort simple. Les formules et les méthodes employées pour calculer les résultats varient, mais le système consiste fondamentalement à attribuer à chacun des partis un nombre de sièges proportionnel au nombre de suffrages qu'il a recueillis. Si, pour prendre un exemple fictif, le Parti fondamentaliste néopéjoratif récoltait 18 % des voix, il obtiendrait environ 18 % des sièges à l'Assemblée législative ; s'il recueillait 30 % des voix, il aurait droit à environ 30 % des sièges. Certains pays fixent un pourcentage requis de suffrages (seuil) pour que le parti puisse être représenté à l'Assemblée législative afin d'éliminer la multiplication des petits partis politiques.

LES RÉSULTATS HYPOTHÉTIQUES D'UN MODE DE SCRUTIN MAJORITAIRE UNINOMINAL À UN TOUR (MU1)

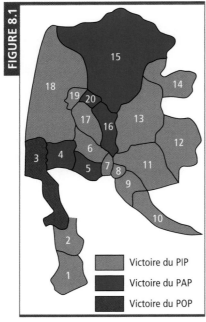

FIGURE 8.1

Victoire du PIP

Victoire du PAP

Victoire du POP

Les limites du système majoritaire uninominal à un tour

La RP a été conçue pour remédier aux inconvénients du MU1. Le MU1, en effet, favorise les grands partis aux dépens des petits. Si les partisans d'un petit parti sont répartis uniformément sur le territoire, ce parti n'obtiendra qu'un faible nombre de voix dans chaque circonscription et ne pourra en remporter aucune. La figure **8.1** illustre ce phénomène. Imaginons un pays fictif que nous appellerons *Aksala*. Ce pays est divisé en 20 circonscriptions comptant chacune 50 000 électeurs. Aux dernières élections, le Parti de l'inaction populaire (PIP) a recueilli 450 000 voix, soit 45 % des suffrages, le Parti de l'action prudente (PAP), 350 000 voix (35 %), et le Parti de l'occasion providentielle (POP), 200 000 voix (20 %). Comme le montre la figure, le PIP a raflé 14 sièges avec ses 450 000 votes, le PAP en a remporté 5 avec ses 350 000 votes, et le POP, seulement un malgré ses 200 000 votes. Donc, 45 % des suffrages correspondent à 70 % des sièges, 35 % des suffrages, à 25 % des sièges, et 20 % des suffrages, à seulement 5 % des sièges.

Le POP a recueilli un grand nombre de votes (20 % du total), mais ces votes étaient dispersés : ils représentaient 15 % des suffrages dans une circonscription, 25 % dans une autre, 30 % ici, 8 % là, etc. Ce n'est que dans la circonscription n° 3 que le POP a obtenu plus de voix que le PAP et le PIP, et c'est là seulement qu'il a été victorieux.

---

8. Guy, James John, *op. cit.*, p. 359.

TABLEAU 8.4 | LES MODES DE SCRUTIN LÉGISLATIF UTILISÉS DANS LES PAYS PRATIQUANT LES ÉLECTIONS LIBRES DEPUIS AU MOINS 20 ANS

Pays	Mode de scrutin	Pays	Mode de scrutin
Europe			
Allemagne	Mixte MU1 et RP seuil 5 %	Italie	Mixte MU1 et RP seuil 4 % RP en 1947-48 et 1958-92, mixte avec apparentements en 1953
Autriche	RP	Islande	RP
Belgique	RP	Liechtenstein	RP seuil 8 %
Danemark	RP	Luxembourg	RP
Espagne	RP seuil 3 %	Malte	RP
Finlande	RP	Norvège	RP
France	MU2 aux élections présidentielles RP en 1945-46 et 1986, mixte avec apparentements en 1951-56	Pays-Bas	RP
Grande-Bretagne	MU1	Portugal	RP
Grèce	RP seuil 3 %	Suède	RP seuil 4 %
Irlande	RP	Suisse	RP
Afrique			
Sénégal	Mixte MU1 et RP		
Amérique du Nord			
Canada	MU1	États-Unis	MU1 sauf Georgie, Louisiane et District de Columbia où MU2
Amérique centrale			
		Jamaïque	MU1
Costa Rica	RP	Nicaragua	RP
Guatemala	RP	République dominicaine	RP
Honduras	RP Présidentielles : comme en Uruguay	Salvador	RP
Amérique du Sud			
Argentine	RP	Guyana	RP
Bolivie	RP	Pérou	RP
Brésil	RP	Uruguay	RP – Plusieurs candidats par parti aux présidentielles
Colombie	RP	Venezuela	RP
Équateur	RP		
Asie et Océanie			
Australie	MU1	Malaisie	MU1
Corée du Sud	Mixte dominé par MU1	Nouvelle-Zélande	RP seuil 5 % MU1 jusqu'en 1993
Inde	MU1	Sri Lanka	RP seuil 12,5 % MU1 jusqu'en 1977
Israël	RP seuil 1 %	Turquie	RP seuil 10 %
Japon	Mixte MU1 et RP (1994)		

Signification des sigles
MU1 : majoritaire uninominal à un tour
MU2 : majoritaire uninominal à deux tours
RP : système proportionnel

Remarque : Tous les États des Amériques cités, sauf le Canada, le Guyana et la Jamaïque, sont des régimes présidentiels (sans premier ministre) employant des scrutins MU1 ou MU2 aux élections présidentielles (sauf aux États-Unis, en Uruguay et au Honduras).

Source : Martin, Pierre (2006). *Les systèmes électoraux et les modes de scrutin*, 3e éd., Paris, Montchrestien, p. 145-148.

Les distorsions électorales dans les démocraties

Même s'il est fictif, le cas illustré dans la section précédente n'en illustre pas moins les distorsions engendrées par le MU1. Nous avons simplement supposé un certain nombre de partisans pour les trois partis et une répartition plus ou moins égale de ces partisans à travers le pays. Le MU1 produit ce genre de distorsions dans la plupart des cas «réels». Ainsi, aux élections de 1992 au Royaume-Uni, la Liberal Social Democratic Alliance a récolté 18% des votes, mais remporté seulement 3 des 651 sièges à la Chambre des communes. Les élections fédérales canadiennes de 2011 fournissent un exemple du même genre. Comme l'indique le tableau **8.5**, le Parti libéral a obtenu 11% des sièges à la Chambre des communes avec 18,9% des suffrages; par contre, le Parti conservateur du Canada a eu 53,9% des sièges avec 39,6% des suffrages, le Nouveau Parti démocratique (NPD), 33,4% des sièges avec 30,6% des votes, et le Bloc québécois, 1,3% des sièges avec 6,1% des suffrages[9]. Il en résulte qu'un tel système peut amener au pouvoir le parti qui aurait dû logiquement former l'opposition. Ainsi, aux élections québécoises de 1966, l'Union nationale a été portée au pouvoir avec 41% des suffrages, alors que le Parti libéral a été relégué dans l'opposition, bien qu'il ait récolté 47% des voix. On peut aussi citer le scrutin de 1998, où le Parti québécois, avec 42,9% des suffrages, a formé un gouvernement majoritaire, alors que le Parti libéral, avec pourtant 43,6% des suffrages, a dû continuer d'occuper les bancs de l'opposition.

TABLEAU 8.5 | LES RÉSULTATS DES ÉLECTIONS FÉDÉRALES AU CANADA

Parti	Moy. 1945-1988	1993	1997	2000	2004	2006	2008	2011
PLC : votes (%)	40,3	41	39	41	37	30,2	26,2	18,9
PLC : sièges (%)	45	60	52	56	44	33	25	11
*PC : votes (%)	36,4	16	19	12	30	36,3	37,6	39,6
PC : sièges (%)	41	1	7	4	32	40	46	53,9
**NPD : votes (%)	15,5	7	11	9	16	17,5	18,2	30,6
NPD : sièges (%)	9	3	7	4	6	9	12	33,4
CS : votes (%)	4,7	–	–	–	–	–	–	–
CS : sièges (%)	4	–	–	–	–	–	–	–
BQ : votes (%)	–	14	11	11	12	10,5	10	6,1
BQ : sièges (%)	–	18	15	13	18	17	16	1,3
***AC/PR : votes (%)	–	19	19	26	–	–	–	–
AC/PR : sièges (%)	–	18	20	22	–	–	–	–
Autres : votes (%)	2,6	3	2	2	6	5,4	7,9	4,8
Autres : sièges (%)	1	0	0	0	0	1	0	0,3 ****

*   Le Parti progressiste-conservateur de 1942 à 2003 ; le Parti conservateur du Canada depuis 2004.
**   Le CCF, de 1945 à 1958 inclusivement.
***   Le Parti réformiste en 1993 et 1997 et l'Alliance canadienne en 2000.
**** La candidate du Parti vert du Canada, Elizabeth May, est élue en 2011. C'est la première fois que le PVC remporte un siège dans une élection générale.

Sources: Frizzell, Pammett et Westell (1989 : table A1) et Directeur général des élections (2009). «Élections générales de 1993 à 2008 : résultats officiels du scrutin», dans Manon Tremblay et Réjean Pelletier (dir.), *Le Parlementarisme canadien*, 4ᵉ éd., Québec, Presses de l'Université Laval, p. 187.

Note: Les données portant sur l'élection fédérale canadienne de 2011 ont été mises à jour selon les données mises en ligne par Élections Canada à l'adresse suivante: www.electionscanada.ca

---

9. Pour une analyse des dernières élections fédérales au Canada, voir les études des politologues Patrick Fournier, Fred Cutler, Stuart Soroka et Dietlin Stolle de l'Étude électorale canadienne (ÉÉC), à l'adresse suivante: http://ces-eec.org/pagesF/accueil.html

L'évolution historique des modes de scrutin

Lorsqu'ils se sont constitués en démocraties, la plupart des États d'Europe ont adopté des modes de scrutin apparentés au MU1. Au début du XXe siècle, cédant aux pressions des petits partis ou des nouveaux partis qui s'estimaient lésés, la plupart des États ont adopté la RP. Mais pourquoi certains États conservent-ils le MU1 si celui-ci est inéquitable ? Parce que la distorsion qui favorise les grands partis comporte un avantage pratique qui, s'il faut en croire certains spécialistes, compense l'injustice. Comme les petits partis sont désavantagés, ils ont tendance à disparaître ou à fusionner. Le MU1 conduit au bipartisme[10]. À une exception près (le Canada), les pays qui utilisent le MU1 comptent seulement deux grands partis, ce qui donne de la stabilité au gouvernement. On trouve plus de deux grands partis dans les pays qui utilisent la RP, et cette situation entraîne une certaine instabilité du gouvernement. (Nous traiterons en détail des avantages du bipartisme au chapitre 9.)

Les avantages des modes de scrutin

Chaque mode de scrutin a ses avantages : l'un est équitable à l'égard des minorités et des petits partis, tandis que l'autre simplifie le système politique en éliminant ces derniers. Deux autres éléments doivent aussi être pris en compte :

1. La RP suscite une plus forte participation que le MU1. Avec le MU1, en effet, les électeurs minoritaires dans leur circonscription (tels les libéraux au Lac-Saint-Jean et les péquistes à Westmount) peuvent juger inutile de voter puisque leur candidat n'a aucune chance de gagner.

2. Contrairement à la RP, le MU1 lie chaque député ou représentant à une circonscription et à un ensemble déterminé d'électeurs.

Notons que les distorsions engendrées par le MU1 peuvent être dans une certaine mesure compensées par la concentration régionale des électeurs d'un parti politique. Ainsi, un petit parti dont les partisans sont concentrés dans quelques circonscriptions peut récolter suffisamment de voix pour y remporter la victoire. Supposons que le Parti de l'énergie politique récemment formé en Aksala recueille 60 000 votes dans quatre circonscriptions. Selon la répartition de ses partisans dans ces circonscriptions, il pourrait fort bien remporter une ou deux d'entre elles. Il pourrait obtenir 30 % des voix en moyenne dans les quatre circonscriptions, tandis que les trois autres partis obtiendraient chacun des pourcentages inférieurs.

On pourrait fournir une multitude d'exemples qui montrent que le MU1 ne crée pas nécessairement de distorsion. Ainsi, en Grande-Bretagne, le Plaid Cyrnu, le parti nationaliste gallois, a recueilli seulement 0,6 % du suffrage national lors des élections de mai 2010. Or, les voix qu'il a récoltées étaient concentrées dans le pays de Galles, de sorte qu'il a obtenu 3 des 651 sièges à la Chambre des communes pour 0,5 % de la totalité des sièges au Parlement. Le Canada échappe en partie à la distorsion. À cause de la concentration de leurs suffrages au Québec et dans les provinces de l'Ouest, le Bloc québécois et le Parti conservateur ont échappé aux distorsions du MU1. Par contre, à cause de la dispersion de ses appuis, le NPD a été, du moins jusqu'aux élections de 2011, nettement défavorisé par ce mode de scrutin (*voir le tableau* **8.5**).

---

10. Le meilleur exposé des conséquences des divers modes de scrutin et qui demeure un classique se trouve dans Duverger, Maurice (1990). *Institutions politiques et droit constitutionnel*, Paris, PUF, p. 129 à 150. Voir aussi Martin, Pierre (2006). *Les systèmes électoraux et les modes de scrutin*, 3e éd., Paris, Montchrestien ; et Ihl, Olivier (2000). *Le vote*, 2e éd., Paris, Montchrestien.

Avant de terminer cette section, il convient de signaler que dans un pays où le président est élu au suffrage universel, le scrutin peut être assimilé à une élection législative, selon le MU1, où un seul siège est à pourvoir. Signalons en passant que les présidents n'ont de véritable pouvoir que dans quelques démocraties comme les États-Unis, la France, le Venezuela et le Mexique (le régime présidentiel sera examiné en détail au chapitre 12). Les petits partis n'ont aucune chance dans les régimes présidentiels, et la tendance au bipartisme y est très marquée. C'est ce que l'on observe en France. Comme le président est élu au suffrage universel depuis 1962, les petits partis se sont graduellement affaiblis. Il ne reste plus aujourd'hui, tout compte fait, que deux grands partis, l'un représentant la droite, et l'autre, la gauche. L'élection au suffrage universel du président a forcé les partis à mettre fin à leurs querelles et à se fondre en deux grands groupements politiques.

Résumons ce qui a été dit sur les modes de scrutin dans la présente section. Le MU1 tend à éliminer les petits partis et conduit, au bout du compte, au bipartisme. Cet effet joue moins lorsque les partisans d'un parti donné sont concentrés géographiquement. Il est plus certain lorsque le nombre de circonscriptions est faible, et l'est encore plus lorsque l'État correspond à une circonscription unique, comme dans un régime présidentiel.

Les référendums

Les citoyens des démocraties représentatives (*voir la définition en marge, page 129*) ne prennent habituellement part aux affaires de l'État que lors des élections. La population arrête alors son choix sur tel ou tel candidat. Les élus définissent et appliquent ensuite les politiques de l'État sans le concours direct des électeurs. Il existe cependant des démocraties où, dans des circonstances précises, les électeurs sont appelés à se prononcer directement sur une politique donnée. Ce genre de consultation populaire est appelé «référendum». Aux États-Unis, les référendums se tiennent dans les municipalités et les États, mais pas au niveau national. Le Québec et le Canada ont institué des lois-cadres sur les consultations populaires. Les référendums qui s'y tiennent sont de type consultatif: la population est appelée à se prononcer sur une question préalablement approuvée par le Parlement. Cependant, même si un référendum canadien n'a pas automatiquement force de loi, il est le corollaire d'une grande légitimité pour la cause défendue par les vainqueurs du scrutin.

De nombreuses autres démocraties font appel aux référendums pour décider des questions fondamentales. Le gouvernement turc, par exemple, a tenu un référendum en 2010 pour faire ratifier plusieurs nouveaux amendements constitutionnels. Similairement, lorsque l'Union européenne a voulu adopter une nouvelle constitution en 2005, la France, l'Espagne et la Hollande ont tenu des référendums afin de consulter leurs citoyens (l'Espagne a voté «oui», mais la France et la Hollande ont voté «non»; la Constitution n'a donc pas été adoptée). De son côté, le Canada a tenu en 1992 un référendum sur l'accord constitutionnel de

POUR ALLER PLUS LOIN

Le référendum

Le référendum est un moyen d'expression directe de la volonté populaire relativement à une politique déterminée ou à un traité international. Il peut également porter sur une modification de la Constitution, comme ce fut le cas du référendum sur l'*Accord de Charlottetown* en 1992. Cependant, il concerne habituellement une proposition dont la mise en application requiert l'approbation de l'électorat. Dans certains cas, comme au Canada et au Québec, il est uniquement consultatif. Il peut être tenu à l'instigation du gouvernement, du président ou du Parlement, ou résulter de l'initiative populaire, comme en Suisse, en Italie et dans 24 États américains. Le référendum a généralement une portée nationale, mais peut être utilisé à divers niveaux politiques, comme c'est le cas pour les municipalités au Québec.

Charlottetown, et ce dernier a été refusé par la majorité des citoyens. Pour sa part, le Québec a tenu deux référendums sur la souveraineté, l'un en 1980, et l'autre en 1995.

Pourquoi le référendum demeure-t-il un moyen exceptionnel de consulter les citoyens? Le principal inconvénient d'un référendum est qu'un projet de loi ne peut être étudié aussi soigneusement pendant une campagne électorale que pendant une session du Parlement ou de l'Assemblée législative. Les électeurs n'ont ni le temps ni les ressources nécessaires pour examiner en détail un projet de loi. C'est, en un certain sens, la raison pour laquelle ils «engagent des politiciens». En Californie, par exemple, il peut arriver qu'un référendum porte sur plus de 20 projets de loi. Combien les électeurs en étudient-ils? Un ou deux. Le sort des autres projets dépend de facteurs tels que la manière dont ils sont formulés, la place qu'ils occupent sur le bulletin de vote ou le nombre de personnes qu'ils sont susceptibles d'intéresser.

Au référendum sur la souveraineté du Québec en 1995, Jacques Parizeau annonce sa démission à titre de premier ministre du Québec, à la suite de la défaite du «oui». Cet exercice démocratique fut un moment privilégié d'exprimer un appui à l'État, mais à quel État?

La participation électorale

Examinons maintenant le comportement des citoyens lors des élections. Nous considérerons ici uniquement les démocraties.

Les taux de participation dans une démocratie

Disons pour commencer que ce ne sont pas tous les citoyens ayant qualité d'électeurs qui votent. Aux élections présidentielles américaines de 2008, par exemple, seulement 62% des électeurs ont exercé leur droit de vote; le taux de participation est encore plus faible aux élections locales. Aux élections présidentielles de 2008, le taux de participation (62%) a été supérieur à la moyenne des élections présidentielles précédentes, laquelle se situe sous la barre des 50%.

Le taux de participation électorale varie considérablement d'un pays à l'autre (*voir le tableau 4.3, page 71*). Depuis 1945, il est en moyenne de 76,7% au Canada, de 95,1% en Australie, de 47,4% aux États-Unis, de 78,7% en France et de 92,4% en Italie. À noter que les pays où le vote est obligatoire présentent les taux les plus élevés. Au Québec, le taux de participation excède légèrement la moyenne canadienne, mais il a varié considérablement au cours de l'histoire (*voir le tableau 4.4, page 71*). Généralement, les taux de participation sont plus élevés en Europe qu'en Amérique du Nord. Selon le politologue québécois Henry Milner, ce phénomène serait dû au fait que le niveau des connaissances politiques est plus élevé en Europe occidentale et que le mode de scrutin proportionnel favorise la participation[11]. Les taux de participation peuvent varier aussi à l'intérieur d'un même pays. Ainsi, aux élections présidentielles américaines de 2008, Hawaï s'est classé au dernier rang des 50 États américains pour le taux de participation, avec 48%, tandis que le Minnesota a occupé le premier rang, avec 78%.

---

11. Milner, Henry (2002). *Civic Literacy: How informed Citizens Make Democracy work*, Medford, Tufts University Press, p. 43. Voir la traduction française dans Milner, Henry (2004). *La compétence civique*, Sainte-Foy, Presses de l'Université Laval.

Le cas australien, avec un taux de participation de 95,1 %, s'explique par le fait que le vote est obligatoire en Australie. Par conséquent, les électeurs qui ne votent pas doivent justifier leur absence après le jour du scrutin, ou recevoir une amende[12].

Les facteurs de variation du taux de participation

Les variations du taux de participation dépendent non seulement de facteurs géographiques, mais également de facteurs démographiques. Le tableau **8.6** énumère divers groupes particulièrement enclins à voter ou à s'abstenir. Notons que lors des élections présidentielles de 2008 et de 2012, la participation des minorités raciales, particulièrement les Latino-Américains et les Afro-Américains, a été beaucoup plus élevée à cause de la candidature du président Obama.

Quels sont donc les facteurs qui influent sur le taux de participation? Le premier a rapport avec les traditions culturelles. Les forts taux de participation enregistrés au Minnesota, par exemple, semblent s'expliquer par une tradition d'engagement communautaire héritée des colons scandinaves.

Le deuxième facteur est constitué par les circonstances qui entourent la tenue des élections, comme le jour de la semaine où se tient le scrutin. Il est moins commode d'aller voter un lundi, comme on le fait au Canada et au Québec, qu'un dimanche. De même, les gens sont moins portés à voter si la procédure d'inscription sur la liste électorale est laborieuse. Par exemple, au Canada et au Québec, les autorités se chargent de l'inscription sur la liste, et l'électeur n'a aucune démarche particulière à faire alors qu'aux États-Unis, c'est à l'électeur de s'assurer qu'il se trouve sur les listes électorales.

Le troisième facteur est le degré de complexité des enjeux politiques. Les personnes instruites sont plus portées à voter que les personnes peu instruites. Il semblerait que la politique met davantage les seconds dans l'embarras que les premiers.

Les circonstances politiques dans lesquelles se déroule l'élection constituent un quatrième facteur. Une lutte électorale serrée attire plus d'électeurs dans les bureaux de scrutin que la perspective d'un balayage. Le taux de participation à des élections nationales qui comportent des enjeux importants est plus élevé que celui qui est observé à des élections locales. En 2012, le taux de participation aux élections québécoises a atteint 74,6 %; par contre, aux élections municipales de Montréal en 2009, ce taux se situait à 39,4 %. Comme

TABLEAU 8.6 | LES GROUPES LES PLUS PORTÉS À VOTER OU À S'ABSTENIR

Groupes présentant les taux de participation les plus élevés	Groupes présentant les taux de participation les plus faibles (jusqu'en 2008)
Citoyens des villes de la banlieue	Minorités raciales (États-Unis)
Cols bleus (Europe)	Cols bleus (États-Unis)
Personnes fortement scolarisées	Jeunes
Personnes âgées	Personnes pauvres
Agriculteurs (États-Unis)	Femmes (sauf en Europe et en Amérique du Nord)
Personnes fortunées	

---

12. Le site Internet suivant collige les résultats électoraux de tous les pays : www.idea.int

nous l'avons déjà mentionné, la RP favorise plus la participation que le MU1, étant donné que personne ne craint de «gaspiller» son vote en choisissant un candidat qui n'a aucune chance de gagner. Enfin, les ouvriers d'Europe votent en plus grand nombre que leurs homologues des États-Unis et du Canada, car les syndicats européens sont plus politisés que les syndicats nord-américains. De plus, à la différence des États-Unis, tous les pays d'Europe comptent des partis socialistes qui incitent les ouvriers à l'action politique. Les études[13] sur le taux de participation électorale au Canada (*voir le tableau 8.7*) indiquent que la participation varie suivant l'âge[14] – les personnes de plus de 60 ans votent à 88%, les 18 à 21 ans, à 63% –, la profession, le revenu et le niveau de scolarité – les universitaires votent à 84%, tandis que les gens qui ont une instruction de niveau secondaire votent à 79%.

TABLEAU 8.7 | LA PARTICIPATION ÉLECTORALE, EN POURCENTAGE, AUX ÉLECTIONS FÉDÉRALES CANADIENNES DE 1984 D'APRÈS CERTAINES VARIABLES DÉMOGRAPHIQUES

Variable démographique	Vote (%)	Variable démographique	Vote (%)
Plus de 60 ans	88	Moyenne de la population	80
De 50 à 59 ans	88	De sexe féminin	80
Plus de 40 000 $	86	Formation à l'école publique	80
De 40 à 49 ans	85	Non syndiqués	80
Professionnels/gestionnaires	85	De 15 000 $ à 19 000 $	79
Mariés	85	Ontario	79
Universitaires	84	Colombie-Britannique	79
Membres d'un syndicat	84	Formation de niveau secondaire	79
De 30 à 39 ans	83	Juifs	78
Manitoba/Saskatchewan	83	De 10 000 $ à 14 000 $	77
Est	83	Alberta	77
Québec	82	Cols bleus	77
Maîtresses de maison	82	Allophones	76
Protestants	82	Moins de 10 000 $	75
Catholiques	82	Personnes athées	72
Francophones	82	De 22 à 29 ans	71
De sexe masculin	81	Autres religions	71
Formation technique/collégiale	81	Célibataires	70
Cols blancs	81	Chômeurs	70
Anglophones	81	Étudiants	68
De 20 000 $ à 29 000 $	81	De 18 à 21 ans	63

Source: Bakvis, Herman (1991). *La participation électorale au Canada,* vol. 15, Commission royale sur la réforme électorale et le financement des partis, Ottawa, ministère des Approvisionnements et Services, p. 65 et 66.

Note: Il s'agit de l'étude la plus exhaustive faite sur les pratiques électorales des citoyens canadiens; malgré le fait qu'elle date de 1991, rien d'aussi exhaustif et d'aussi fiable n'a été fait depuis.

---

13. Bakvis, Herman (1991). *La participation électorale au Canada,* vol. 15, Commission royale sur la réforme électorale et le financement des partis, Ottawa, ministère des Approvisionnements et Services.
14. L'influence de l'âge sur le taux de participation électorale a été confirmée par un sondage pancanadien mené par la firme Léger Marketing le 10 juin 2002. Une étude a abouti aux mêmes conclusions. Voir à ce propos Blais, André, Richard Nadeau, Élisabeth Gidengil et Neil Nevitte (2002). *Anatomy of a Liberal Victory: Making Sense of the Vote in the 2000 Canadian Election,* Peterborough, Broadview Press, p. 45-63.

Le paradoxe de la participation

Jusqu'ici nous avons tenté de répondre à la question : « Pourquoi tous les électeurs ne votent-ils pas ? » On pourrait également poser la question inverse : « Pourquoi tant d'électeurs votent-ils ? » Il peut paraître irrationnel de se donner la peine de voter. Considérant les probabilités presque nulles pour qu'un vote soit décisif aux élections présidentielles, le citoyen américain pourrait penser qu'il perdrait 30 minutes de son temps et gaspillerait de l'essence en allant au bureau de scrutin. Les probabilités pour que les 100 millions d'autres votes soient partagés également et qu'un vote fasse pencher la balance sont de l'ordre de un sur un milliard.

Les chances que le vote d'un homme infléchisse le résultat d'élections nationales sont moins élevées que ses chances d'être tué en se rendant au bureau de scrutin. Mais nous ne nous arrêtons pas à des probabilités de ce genre dans notre vie quotidienne. On traiterait de fou un homme qui achèterait un billet de loterie en sachant que ses chances de gagner sont aussi faibles.

C'est ce que l'on appelle le « paradoxe de la participation[15] ». Il y a paradoxe car, selon le point de vue que nous adoptons ici, personne de sensé ne devrait voter. Si vous n'avez aucune chance d'influer sur le résultat d'une élection, pourquoi vous donneriez-vous la peine de voter ?

Les paradoxes peuvent généralement être résolus, et nous pourrions proposer deux solutions pour celui que nous étudions.

Première solution

S'il y a paradoxe, ce n'est que sur le plan individuel. Si un très grand nombre d'électeurs choisissaient de ne pas voter, leur abstention aurait un effet sur le résultat. Pendant les campagnes électorales, la plupart des politiciens s'attachent davantage à inciter leurs propres partisans à voter qu'à rallier à leur cause des partisans de leurs adversaires[16]. Les politiciens ne sont pas sans savoir que le taux de participation influe sur le résultat d'une élection. Même si le paradoxe de la participation existe uniquement pour l'individu, il n'en reste pas moins que ce sont des individus, et non des groupes, qui décident de voter ou de s'abstenir. Le paradoxe demeure donc.

Deuxième solution

La deuxième solution consiste à amener l'électeur à abandonner l'idée que son vote lui permet d'exercer un pouvoir et d'influencer les décisions politiques. Il est ici question de l'obtention et de l'exercice du pouvoir dans les élections en démocratie. Nous avons vu, au début du chapitre, que les pays à régime autoritaire dans lesquels les électeurs ne peuvent choisir entre plusieurs candidats connaissent des taux de participation très élevés. Il est évident que dans ces pays, les électeurs ne votent pas pour exercer leur pouvoir politique. Ils votent par devoir et souvent sous l'effet de fortes pressions sociales. Le vote leur apparaît plus comme un acte collectif que comme un acte individuel.

Il n'y a aucune raison de penser que dans une démocratie, le vote est dépourvu de ce caractère collectif. Celui-ci pourrait en tout cas expliquer le fait que des millions de gens votent aux élections même s'ils n'en tirent aucun bénéfice

---

15. Riker, William H., et Peter C. Ordeshook (1973). *An Introduction to Positive Political Theory*, Englewood Cliffs, Prentice-Hall, p. 45 à 68.

16. Voir Shively, W. Phillips (mai 1992). « From Differential Abstention to Conversion : A Change in Electoral Change, 1864-1988 », *American Journal of Political Science,* vol. 36, n° 2, p. 309 à 330.

personnel. Il permet de résoudre le paradoxe parce qu'il dépouille le vote de tout calcul intéressé. L'attachement à la communauté constitue un motif qui justifie la participation électorale.

Les motifs de l'électeur

Un grand nombre d'électeurs votent, pour une raison ou pour une autre. Comment arrêtent-ils leur choix? L'analyse des comportements électoraux a toujours occupé une place importante en science politique[17]. On trouve principalement deux types d'études, l'analyse stratégique et l'analyse écologique, qui permettent entre autres de classer les comportements électoraux selon des facteurs à court terme et des facteurs à long terme.

L'analyse des comportements électoraux

Schématiquement, on peut discerner deux grands types d'approches dans l'explication du comportement électoral. Les analyses stratégiques, appelées parfois «économiques», considèrent le comportement de l'électeur rationnel. Les comportements électoraux sont envisagés comme relevant d'un marché gouverné par des règles. Sur ce marché, les électeurs, qui ont des aspirations et des attentes, constituent la demande. Ils reçoivent une offre, en l'occurrence les promesses des candidats et des partis, qui leur paraît diversement crédible. On suppose que les électeurs poursuivent avant tout leur propre intérêt, qu'ils cherchent à maximiser les profits et à réduire au minimum les coûts liés aux choix possibles. Les analyses écologiques, quant à elles, portent sur les caractéristiques sociologiques qui déterminent les électeurs à opter pour une orientation politique précise et à manifester une solidarité sociale. On relève les caractéristiques démographiques (sexe, âge, lieu de résidence, etc.), socioéconomiques (profession, revenu) et socioculturelles (niveau d'instruction, religion pratiquée, etc.). Les diverses données recueillies sont ensuite mises en corrélation avec l'allégeance politique[18].

Les facteurs à court terme

Les facteurs à court terme correspondent aux circonstances dans lesquelles a lieu l'élection, en particulier la situation de l'économie. Si l'économie se porte mal, un certain nombre d'électeurs voteront contre le gouvernement pour manifester leur mécontentement. Les politicologues américains Michael S. Lewis-Beck et Tom W. Rice ont estimé qu'une baisse de 2% du revenu national coûterait au parti du président une perte de 4 sièges à la Chambre des représentants aux élections de mi-mandat et 20 sièges aux élections présidentielles[19]. Dans leur analyse des résultats des élections fédérales de 1953 à 2000, les politologues québécois François Gélineau et Éric Bélanger ont conclu qu'une augmentation du taux de chômage de 1% entraînait une baisse de 1,3% des votes pour les candidats du parti au pouvoir, et qu'une augmentation de

---

17. Les comportements électoraux ont fait l'objet de nombreuses études. Pour des synthèses sur le sujet, voir Bernard, André (1996). *La vie politique au Québec et au Canada*, Montréal, Presses de l'Université du Québec, p. 338 et suiv.; Braud, Philippe, *op. cit.*, p. 399 et suiv.; Denquin, Jean-Marie (1996). *Science politique*, Paris, PUF, p. 270 et suiv.; ainsi que les études portant sur les six dernières élections fédérales des politologues André Blais, Richard Nadeau, Élisabeth Gidengil et Neil Nevitte, de l'Institut de recherche en politiques publiques (IRPP).

18. Gélineau, François, et Éric Bélanger (3-5 juin 2004). *Electoral Accountability in a Federal System*, communication présentée au Colloque annuel de l'Association canadienne de science politique, Winnipeg, [En ligne], www.cpsa-acsp.ca/paper-2003/g%C3%A9lineau.pdf (Page consultée le 26 mars 2013).

19. Voir Hermet, Guy, *et al.* (2005). *Dictionnaire de la science politique et des institutions politiques,* 4ᵉ éd., Paris, Armand Colin, p. 101.

1 % du taux d'inflation amenait une baisse de 0,4 %. Le taux d'inflation paraît être un facteur moins déterminant que le taux de chômage[20]. Les candidats aux élections provinciales subissaient eux aussi le même genre de conséquences lorsque leur parti était au pouvoir au gouvernement fédéral.

La personnalité des candidats figure aussi parmi les facteurs à court terme, en particulier au Canada et aux États-Unis. Dans la plupart des pays d'Europe, il semble que les électeurs comparent les partis politiques d'abord et avant tout, et attachent moins d'importance à la personnalité des principaux candidats. Comme nous le verrons au chapitre 9, les partis politiques américains sont moins structurés que ceux des autres pays. Leurs candidats ont par conséquent une tâche plus lourde. Là où les partis sont très structurés, ce sont eux, et non les candidats, qui retiennent l'attention de l'électorat.

Les facteurs à long terme

Les facteurs à court terme, comme l'état de l'économie, la personnalité des candidats et l'existence d'une crise internationale, peuvent être décisifs. Toutefois, la plupart du temps, le résultat des élections dépend de facteurs à long terme qui demeurent à peu près stables.

Ainsi, l'allégeance des électeurs à un parti est relativement durable. Qui ne connaît pas une personne âgée qui se vante d'avoir toujours voté «bleu» ou «rouge» (pour le Parti conservateur ou pour le Parti libéral)? La personnalité d'un candidat ou l'état de l'économie a moins d'importance pour ce type d'électeur que pour les autres. Cette personne votera pour «son» parti, quelles que soient les circonstances. Les politologues appellent «vote partisan» ce vote constant. La fidélité des électeurs à un parti assure la stabilité et la prévisibilité des résultats électoraux.

L'appui des divers groupes sociaux à tel ou tel parti constitue également un facteur à long terme propre à assurer la stabilité. Le tableau **8.8** montre par exemple que l'appui de la classe ouvrière et des non-pratiquants au Parti social-démocrate d'Allemagne de l'Ouest a été relativement constant de 1953 à 2005. La médaille a toutefois un revers: les pratiquants ont rejeté le Parti social-démocrate avec la même constance.

Nous avons dit que les facteurs à long terme changent peu ou très lentement. Il ressort du tableau **8.8** que la pratique religieuse a eu un effet stable au cours de la période, car l'écart entre les pratiquants et les non-pratiquants n'a pas

TABLEAU 8.8 | L'APPUI DES ÉLECTEURS, EN POURCENTAGE, AU PARTI SOCIAL-DÉMOCRATE DE L'ALLEMAGNE DE L'OUEST DE 1953 À 2005

	1953	**1972**	**2005**
Classe ouvrière	58	70	40
Classe moyenne	28	53	56
Non-pratiquants	63	74	40
Pratiquants occasionnels	48	61	37
Pratiquants	17	28	23

Sources: Données calculées d'après Baker, K., R. Dalton et K. Hildebrandt (1981). *Germany transformed*, Cambridge, Harvard University Press, de President and Fellows of Harvard College; Dalton, Russell (2008). *Citizen Politics*, 5e éd., Washington, CQ Press.

20. Lewis-Beck, Michael S., et Tom W. Rice (1992). *Forecasting Elections,* Washington, Congressional Quartely Press.

beaucoup varié. L'effet de l'appartenance de classe, en revanche, a changé peu à peu. L'écart entre la classe ouvrière et la classe moyenne était beaucoup plus marqué au début de la période qu'à la fin.

Dans d'autres pays, les caractéristiques sociales ci-après ont influencé de façon importante les comportements électoraux :

- La région. Le sud des États-Unis a été démocrate depuis les années 1870 jusqu'aux années 1960. Tous les partis canadiens, par ailleurs, ont un caractère régional marqué, comme nous l'avons vu.
- L'agriculture. De nombreux pays, la Norvège et la Suède notamment, comptent des partis agraires.
- La langue. Par exemple, au Québec et au Canada.
- Le pays d'origine. Aux États-Unis, les électeurs d'origine irlandaise ou italienne sont majoritairement démocrates, tandis que les électeurs d'origine allemande ou britannique sont majoritairement républicains. Au Canada, et particulièrement au Québec, les communautés culturelles votent très majoritairement pour le Parti libéral, du moins jusqu'aux élections de 2011.
- L'origine ethnique. Aux États-Unis, les Noirs et les Latino-Américains favorisent le Parti démocrate. En Guyana, la politique gravite autour des conflits entre les Noirs et les personnes d'origine indienne.
- Le sexe. Les femmes favorisent en général les partis conservateurs. Depuis quelques années, cependant, la tendance s'inverse aux États-Unis et dans quelques pays d'Europe. On compte dans ces derniers pays plus de conservateurs parmi les hommes que parmi les femmes. Aux élections américaines de 2008, 56 % des femmes ont voté pour le candidat démocrate, Barack Obama, plutôt que pour son rival républicain, John McCain. Il s'agit d'une donnée d'autant plus marquante que les performances des deux candidats chez les hommes étaient plus ou moins équivalentes.
- L'âge. En 2005, seulement 26 % des Allemands âgés entre 18 ans et 25 ans ont voté pour le Parti chrétien-démocrate ; par contre, 43 % de ceux âgés de plus de 60 ans ont fait de même.

Jusque dans les années 1970, la plupart des études électorales considéraient que le comportement électoral s'expliquait principalement par les caractéristiques sociales, économiques et culturelles des citoyens. Des travaux de recherche plus récents indiquent que ces caractéristiques sont devenues moins déterminantes. En France et aux États-Unis, des études ont mis en évidence l'affaiblissement continu de l'allégeance à un parti ou à une famille de pensée. Les sociétés occidentales « post-matérialistes », pour reprendre l'expression du politologue Ronald Inglehart, accordent une importance croissante à l'autonomie individuelle[21]. Les résultats du vote peuvent varier beaucoup d'une élection à l'autre, alors que les caractéristiques sociales, économiques et culturelles des électeurs demeurent à peu près identiques. L'un des principaux facteurs qui font maintenant varier les résultats est la personnalité des candidats. Les électeurs considèrent en effet la personnalité du candidat, et non seulement le parti ou le programme. Cela fait partie du comportement normal des électeurs d'une démocratie représentative[22].

---

21. Voir Denni, Bernard, et Patrick Lecomte (1999). *Sociologie du politique*, tome 1, Grenoble, Presses universitaires de Grenoble, p. 184 à 191 ; voir également Inglehart, Ronald (1993). *La transition culturelle dans les sociétés industrielles avancées*, Paris, Économica.
22. Voir Manin, Bernard, *op. cit.*, p. 279 et suiv.

Les déterminants du vote au Canada

JEAN CRÊTE ET ANDRÉ BLAIS

LES CLIENTÈLES ÉLECTORALES

Au Canada comme ailleurs, les partis ont des appuis inégaux dans différentes catégories de la population. Les principales caractéristiques socioéconomiques qui sont associées au vote sont les suivantes : la région, la religion, la langue, la syndicalisation et le sexe.

C'est traditionnellement au Québec que le Parti libéral obtenait le plus de votes et dans les provinces de l'Ouest que le Parti conservateur et le NPD connaissaient les meilleurs succès[a]. Cette tendance a cependant été renversée complètement par la venue de Brian Mulroney à la tête du Parti conservateur.

Ainsi, en 1988, c'est au Québec que le PC a obtenu son meilleur résultat.

LE POURCENTAGE DU VOTE AU QUÉBEC PAR PARTI, LORS DES ÉLECTIONS FÉDÉRALES DE 1993 À 2011

	1993	1997	2000	2004	2006	2008	2011
BQ	49,5	37,9	44,2	33,9	20,8	38,1	23
PLC	33,2	36,7	44,2	33,9	20,8	23,7	14,2
NPD	1,6	2,0	1,8	4,6	7,5	12,2	42,9
PC/PCC	13,6	22,2	5,6	8,8	24,6	21,7	16,5
PR/AC	–	0,3	6,2	–	–	–	–
Verts	0,1	0,1	0,1	3,2	4	3,5	2,1

Depuis 1993, le Parti libéral a connu ses plus grands succès en Ontario et dans les provinces de l'Atlantique. Pour sa part, c'est dans les provinces de l'Ouest que le Parti conservateur est le plus fort. Le Bloc recueille évidemment tous ses appuis au Québec. Le NPD est quant à lui le parti dont les bases régionales sont les moins marquées.

La religion est également fortement associée aux comportements électoraux au Canada, comme dans un grand nombre de pays. Plus spécifiquement, les catholiques ont tendance à appuyer davantage le Parti libéral, les protestants, le Parti conservateur, et les personnes sans religion, le NPD. Ces tendances se maintiennent même lorsqu'on contrôle l'effet d'autres facteurs comme la région et la langue.

_____
a. Cette section s'inspire de Pammett *et al.* (1984), Johnston *et al.* (1992), et Blais *et al.* (2002).

L'importance du clivage linguistique au Canada est bien connue. Ce sont les deux minorités linguistiques, les francophones hors Québec et les anglophones du Québec, qui se démarquent le plus nettement par leur attachement au Parti libéral. Dans la même perspective, les Canadiens d'origine ethnique non européenne votent massivement libéral.

On observe finalement depuis quelques années un écart dans le comportement électoral des hommes et des femmes. Les femmes ont été plus enclines à appuyer le NPD, et les hommes, plus nombreux à voter pour le Parti conservateur. Cette tendance des femmes à être légèrement plus à gauche s'expliquerait (Gidengil, 1995) en partie par leur plus grand attachement aux programmes sociaux.

LES TRADITIONS PARTISANES

Les Canadiens et Canadiennes ont-ils tendance à s'identifier à un parti qu'ils vont appuyer bon an mal an, sauf circonstance exceptionnelle ? Il semble qu'environ une électrice ou un électeur sur deux s'identifie à un parti, et parmi ces partisans environ un sur deux s'identifie au Parti libéral. C'est donc dire que, parmi les électeurs loyaux à un parti, le Parti libéral jouit d'une forte avance.

L'intensité de l'attachement partisan varie selon les catégories d'électeurs et d'électrices. On note qu'à mesure qu'ils vieillissent, les électeurs et les électrices ont tendance à s'identifier un peu plus fortement à un parti. Cet effet est cependant relativement modeste ; il est nettement moins important, en particulier, que celui de l'héritage familial.

La déconfiture du Parti conservateur et du NPD en 1993 donne à penser que les traditions partisanes sont moins fortes qu'auparavant, que les citoyens sont davantage enclins à changer de parti d'une élection à l'autre. [...]

[Une manifestation marquée de cette mobilité partisane a été observée au scrutin fédéral de 2011, où le NPD, pourtant traditionnellement marginal au Québec, s'est emparé de la majorité des sièges de la Belle Province, se propulsant ainsi au rang d'opposition officielle du Canada. Bien sûr, le phénomène de l'électorat partisan est loin d'avoir disparu, tel que le démontre

▶

plusieurs places fortes conservatrices en Alberta, ou encore libérales dans les Maritimes, mais il y a lieu de se demander s'il y a une tendance structurelle vers un électorat plus mobile.]*

La réponse semble être oui, même si les données ne sont pas aussi claires qu'on pourrait le souhaiter. [...] Pourquoi cette volatilité ? On n'est guère en mesure d'apporter de réponse sûre à cette question. Une hypothèse intéressante stipule que la médiatisation de la politique et des campagnes électorales en particulier pourrait être un facteur clé. Mendelsohn (1994) a montré qu'en 1988 ceux qui sont davantage exposés aux médias modifient plus rapidement leur intention de vote pendant la campagne et décident comment voter davantage en fonction de leur évaluation des chefs de parti et moins à partir de leur identification partisane. Les médias, en personnalisant la politique, affaibliraient les traditions partisanes.

[Le déclin du Parti libéral, depuis sa défaite de 2006, déclin qui s'effectue au profit du Parti conservateur et du NPD, semble indiquer une certaine volatilité de l'électorat.]*

LES ENJEUX

Chaque élection a ses enjeux qui lui sont propres. Ce qui nous intéresse ici, c'est de savoir dans quelle mesure l'appui à un parti ou à un autre reflète des attitudes différenciées à l'égard des principaux enjeux de la politique canadienne.

On constate qu'effectivement, les électeurs des différents partis se différencient au niveau de leur orientation idéologique. Ceux qui votent à droite sont en général plus traditionnels sur le plan moral, et moins favorables à l'intervention de l'État. Les électeurs du NPD ont les orientations inverses, en plus d'être davantage critiques à l'égard du système capitaliste. De ce point de vue, le traditionnel clivage droite-gauche s'applique tout à fait. Pour ce qui est des électrices et électeurs du Bloc québécois, l'attitude qui les distingue fondamentalement des autres électeurs est évidemment leur appui à la souveraineté.

Sans prétendre que les enjeux expliquent tout, on peut néanmoins conclure que le vote des électeurs reflète en bonne partie leurs attitudes sur les grands enjeux de la politique canadienne, en particulier la place du Québec et du français et les rôles relatifs que devrait jouer le marché économique de l'État.

LA CONJONCTURE ÉCONOMIQUE

Une des hypothèses les plus souvent énoncées pour rendre compte des résultats électoraux renvoie à la conjoncture économique. Selon cette hypothèse, les électeurs et les électrices ont tendance à récompenser les gouvernements, en les réélisant lorsque l'économie se porte bien, et à les punir en se débarrassant d'eux lorsque l'économie va mal. Cette hypothèse est-elle confirmée au Canada ?

Il semble que oui, mais avec nuances. Nadeau et Blais (1993, 1995), qui ont étudié cette question, ont trouvé que les succès électoraux du gouvernement sortant sont effectivement liés au rendement de l'économie. Ils observent que, parmi les trois indicateurs économiques retenus – le chômage, l'inflation et le revenu personnel –, seul le chômage semble vraiment jouer, et que ce qui semble compter c'est l'écart entre le taux de chômage actuel et celui des années précédentes. Selon leurs données, lorsque le taux de chômage augmente de 1 point de pourcentage, l'appui au gouvernement sortant diminue de 2 points, tout étant égal par ailleurs.

Il semble donc que la popularité des gouvernements est tributaire de la conjoncture économique, et tout particulièrement des fluctuations du taux de chômage. En même temps, il faut bien reconnaître que la conjoncture économique n'est qu'un des facteurs qui affectent le résultat d'une élection.

LES CHEFS DE PARTIS

Le Canada a un régime parlementaire en vertu duquel les électeurs et électrices sont appelés à choisir, dans leur circonscription, un député associé à un parti. Ces derniers n'ont donc pas la possibilité de choisir directement celui ou celle qui deviendra le chef du gouvernement, contrairement à ce qui se passe dans un régime présidentiel [type de régime qui sera traité dans le chapitre 12]*. Il ne fait guère de doute, cependant, que les électeurs et les électrices ont des opinions sur les chefs de partis, sur la personne qui, à leurs yeux, ferait le meilleur premier ministre, et que ces opinions pèsent lourdement sur le comportement électoral.

Lorsqu'on leur demande ce qui est le plus important dans leur décision – le parti, le chef ou le candidat local dans la circonscription –, environ le tiers des Canadiens choisissent le chef[b]. Quoiqu'il ne faille pas

b. Cette section s'inspire de Clarke et al. (1991), chapitre 5.

prendre à la lettre de telles réponses, il paraît indéniable que les chefs comptent beaucoup dans le choix électoral.

Il serait bien surprenant qu'il en soit autrement. Toute la couverture de la campagne électorale est centrée sur les chefs. Mendelsohn, en particulier, a montré que plus de la moitié des bulletins de nouvelles lors de la campagne électorale de 1988 ont porté sur les activités des chefs. De même, le débat télévisé des chefs s'est imposé comme l'événement marquant d'une campagne électorale, événement dont les répercussions sur le vote peuvent être considérables. En 1984, Brian Mulroney a été perçu comme le grand gagnant du débat télévisé, et cela a grandement aidé la cause du Parti conservateur. En 1988, c'est John Turner qui est sorti gagnant, et cela a permis au Parti libéral de distancer le NPD, qui était à égalité avec les libéraux avant le débat.

Quelles sont les qualités d'un chef de parti qui sont les plus appréciées et les défauts les plus dépréciés ? Le politicien le plus populaire de l'histoire contemporaine a été Pierre Elliott Trudeau[c]. Les sondages ont révélé que ce qu'on aimait le plus chez lui, c'était son intelligence et son honnêteté, et que ce que l'on détestait le plus, c'était son arrogance. Quant à Brian Mulroney, dont l'image fut particulièrement négative, on lui reprochait surtout son manque de sincérité. On peut donc conclure que les chefs sont évalués en fonction de deux grands critères : leur compétence et leur honnêteté. L'importance accordée à ces deux caractéristiques peut varier d'une campagne à l'autre, mais les électeurs souhaitent avoir un premier ministre qui combine plusieurs qualités : intelligence, leadership, intégrité et empathie.

Il ne faudrait pas non plus surestimer le poids des chefs dans le vote. Jean Chrétien a permis au Parti libéral de remporter trois élections successives sans jouir d'une forte popularité personnelle. On entend aussi souvent dire que les élections canadiennes ressemblent de plus en plus aux élections présidentielles américaines, l'accent étant de plus en plus mis sur la personnalité des chefs, et pourtant une analyse des enquêtes électorales menées depuis 1965 révèle que, contrairement à ce qu'on pourrait penser, l'évaluation des chefs n'affecte pas

davantage le choix des électeurs présentement qu'il y a 20, 30 ou 40 ans.

[Il est aussi possible de citer le cas de Françoise David qui, en 2012, n'a pas réussi à sortir son parti du quatrième rang, malgré sa popularité appréciable et sa bonne performance durant les débats.]*

LE VOTE STRATÉGIQUE

En principe, le vote est supposé indiquer quel parti, chef ou candidat local l'électeur ou l'électrice juge le plus valable. Mais il n'est pas sûr que l'électeur vote toujours pour son premier choix, surtout s'il croit que le parti ou le candidat préféré n'a aucune chance de gagner. On dira d'un électeur qu'il vote de façon stratégique s'il décide d'appuyer son deuxième choix plutôt que son premier, parce que ce deuxième choix est perçu comme plus susceptible de battre un autre candidat ou parti qui est considéré comme le pire choix.

Le vote stratégique suppose donc que l'électeur ou l'électrice prenne en considération la probabilité de gagner des partis et des candidats et évite de voter pour un parti ou un candidat qui est perçu comme n'ayant pratiquement aucune chance de gagner. Un tel vote est-il fréquent ?

Les études qui ont été menées sur cette question en arrivent à deux conclusions. La première est que le vote stratégique existe, c'est-à-dire qu'un certain nombre d'électeurs votent pour un parti qui n'est pas leur parti préféré parce qu'ils estiment que ce parti n'a pas de chances de gagner dans leur circonscription. La deuxième conclusion est que le vote stratégique est peu fréquent, qu'il est typiquement le fait de seulement 5 % des électeurs.

Pourquoi y a-t-il si peu de votes stratégiques ? Pour deux raisons principales. La première est que plusieurs électeurs ont une forte préférence pour un parti et qu'ils n'ont pas vraiment de second choix. Ces électeurs sont très peu enclins à abandonner « leur » parti. La seconde est que les tenants des petits partis sont portés à surestimer les chances de leur parti et qu'ils n'ont donc pas l'impression de gaspiller leur vote en appuyant ce parti.

En somme, il existe un vote stratégique et il peut avoir une portée considérable dans certaines circonscriptions, mais la grande majorité des électeurs votent tout simplement pour le parti qu'ils préfèrent. ◀

---

c. Notons cependant que sa cote de popularité, comme celle de tous les leaders, a eu tendance à se détériorer au fil du temps.

Source : Tremblay, Manon, et Réjean Pelletier (dir.) (2007). *Le parlementarisme canadien*, 3ᵉ éd., Québec, Presses de l'Université Laval, p. 140 à 144.

* Commentaires explicatifs de l'auteur

TEXTE À L'ÉTUDE

Scrutin provincial du 4 septembre [2012] : portrait-robot des électeurs

PAUL JOURNET

Voici le portrait-robot de l'électorat [lors des élections de septembre 2012], selon une étude pilotée par Pierre Bélanger et Richard Nadeau, respectivement politologues à l'Université McGill et à celle de Montréal.

Du 12 au 25 septembre [2012], les chercheurs ont sondé 1505 Québécois sur l'Internet. La marge d'erreur ne s'applique donc pas. [...]

- Les plus vieux, les plus fortunés et les non-francophones au Parti libéral (PLQ).
- Les Montréalais plus pauvres et ceux plus scolarisés à Québec solidaire (QS) et ce, peu importe leur position sur la question nationale.
- Les hommes un peu moins scolarisés et plutôt fortunés à la Coalition avenir Québec (CAQ).
- Enfin, les francophones nationalistes des régions ressources au Parti québécois (PQ).

LA LANGUE, UN INDICATEUR QUI NE MENT PAS

Il y a encore une fracture autour de la langue. Le PLQ a obtenu la majorité de ses appuis auprès des non-francophones. Ils composent en fait 57 % de ses électeurs. Sans surprise, c'est le contraire pour le PQ. La CAQ de son côté n'a pas réussi à attirer les anglophones. Au contraire, on compte 94 % de francophones parmi ses électeurs. C'est encore plus que Québec solidaire (88 %).

SOUVERAINISTES OU FÉDÉRALISTES

La question nationale structure encore le choix des électeurs. Le clivage traditionnel s'observe toujours entre péquistes et libéraux, mais il est moins important pour les autres partis. La CAQ, qui propose de mettre ce débat entre parenthèses, attire un peu plus les fédéralistes que les souverainistes. Un fédéraliste a 23 % plus de chances d'appuyer la CAQ qu'un souverainiste.

Même si QS est souverainiste, cette position ne se reflète pas dans son électorat. Ses partisans sont à gauche avant d'être souverainistes. « Leur opinion sur la question nationale ne motive pas leur appui au parti », observe Pierre Bélanger.

LES PAUVRES À GAUCHE, LES RICHES À DROITE

L'électorat de QS est le plus scolarisé. On y compte la plus grande proportion de diplômés universitaires (71 %). Les trois autres partis se situent dans les 50 %. C'est aussi le seul qui compte une majorité de gens (54 % de ses électeurs) gagnant moins de 56 000 $ par année. Les gens plus fortunés se retrouvent en plus grande proportion au PLQ et à la CAQ, quoique dans une moindre mesure.

Pour l'âge, seuls les électeurs libéraux et les solidaires se distinguent de la moyenne. Les solidaires sont les plus jeunes. Près de la moitié (46 %) ont de 18 à 34 ans. C'est le contraire pour les électeurs libéraux, dont la moitié ont 55 ans ou plus. Pour le sexe, seule la CAQ se démarque. Même si François Legault avait lancé une offensive de charme durant sa campagne en montrant souvent sa femme et ses candidates, les femmes ne composent que 43 % de son électorat.

Finalement, les péquistes étaient les moins campés dans le débat sur la hausse des droits de scolarité. Ils étaient un peu contre. Leur opposition à la hausse était moins marquée que ne l'était l'appui des libéraux et des caquistes. Une explication aux résultats du 4 septembre ? ◄

Source : Journet, Paul (19 janvier 2013). « Scrutin provincial du 4 septembre : portrait-robot des électeurs », *La Presse*, p. A4.

CONCEPTS CLÉS

EXERCICES

Questions d'approfondissement

1. Discutez de l'affirmation ci-après, en vous référant à la situation politique canadienne ou québécoise des dernières décennies: «Le MU1 conduit au bipartisme.»

2. L'effet de distorsion que peut engendrer le MU1 est minime. Vrai ou faux? Justifiez votre réponse.

3. Discutez de l'affirmation suivante: «Les différences sociales ont un impact important sur le choix des électeurs québécois et canadiens.»

4. Discute de l'affirmation suivante: «Seuls les États garantissant pleinement les libertés civiles connaissent des pratiques démocratiques.»

Sujets de discussion

1. Discutez de l'affirmation ci-après en vous référant à la situation politique québécoise ou canadienne: «Les gouvernements devraient abaisser l'âge du vote à 16 ans.»

2. Discutez de l'affirmation ci-après en vous référant à la situation politique québécoise ou canadienne: «Les gouvernements devraient remplacer le MU1 par un autre mode de scrutin.»

3. Discutez de l'affirmation suivante: «Étant donné la grande diffusion des nouvelles technologies – par exemple, Internet –, le taux de participation électorale augmenterait si les citoyens pouvaient exprimer leur choix à distance.»

4. Discutez de la question ci-après en vous référant à la situation politique québécoise ou canadienne: «Considérant les taux de participation électorale souvent décevants, serait-il adéquat d'instaurer une politique du vote obligatoire au Québec et au Canada?»

WWW

http://mabibliotheque.cheneliere.ca

LECTURES SUGGÉRÉES

BAKVIS, Herman. *La participation électorale au Canada,* vol. 15, Commission royale sur la réforme électorale et le financement des partis, Ottawa, ministère des Approvisionnements et Services, 1991.

BRAUD, Philippe. *Sociologie politique,* 8ᵉ éd., Paris, Librairie générale de droit et de jurisprudence (LGDJ), 2006.

IHL, Olivier. *Le vote,* 2ᵉ éd., Paris, Montchrestien, 2000.

INGLEHART, Ronald. *La transition culturelle dans les sociétés industrielles avancées,* Paris, Économica, 1993.

MANIN, Bernard. *Principes du gouvernement représentatif,* Paris, Éditions Flammarion, 1996.

MARTIN, Pierre. *Les systèmes électoraux et les modes de scrutin,* 3ᵉ éd., Paris, Montchrestien, 2006.

MASSICOTTE, Louis, André BLAIS et Antoine YOSHINAKAY. *Establishing the Rules of the Game. Election Laws in Democracies,* Toronto, University of Toronto Press, 2004.

MAYER, Nonna. *Sociologie des comportements politiques,* Paris, Armand Colin, 2010.

MILNER, Henry. *La compétence civique,* Sainte-Foy, Les Presses de l'Université Laval, 2004.

Les partis politiques

CIBLES D'APPRENTISSAGE

La lecture de ce chapitre vous permettra :

- de retracer l'histoire des partis politiques ;
- de distinguer les fonctions des partis politiques modernes ;
- de classer les partis politiques en catégories ;
- de connaître les différents systèmes de partis.

Les partis politiques

Il a été très souvent question des partis politiques dans les chapitres précédents. Les partis, en effet, font partie intégrante de la vie politique et constituent les intermédiaires incontournables entre les gouvernés et les gouvernants. Ils sont apparus au XIXe siècle, en même temps que le suffrage universel. À l'origine, les partis politiques avaient pour fonction d'aider les politiciens à se faire élire ; puis, au fil du temps, leurs fonctions se sont diversifiées. Aujourd'hui, ils jouent un rôle de premier plan dans la vie politique. Avant d'entrer dans le vif du sujet, définissons le terme « parti politique ».

Les partis sont des organisations relativement stables qui mobilisent des soutiens en vue de participer directement à l'exercice du pouvoir politique au niveau central ou local[1]. Un parti politique présente trois caractéristiques essentielles :

1. Une organisation locale et bien structurée ayant des rapports variés et constants avec l'échelon national.
2. La volonté des dirigeants nationaux et locaux de prendre le pouvoir et de gouverner, seuls ou avec d'autres, et non pas simplement d'influencer le pouvoir.
3. La recherche du soutien de la population, entre autres et notamment par le moyen d'une élection.

La troisième caractéristique est particulièrement importante, car elle permet de distinguer un parti politique d'un groupe d'intérêts, sujet que nous traiterons en détail dans le chapitre 10. Un groupe d'intérêts emploie des moyens comme les pressions politiques pour faire adopter des politiques conformes à ses aspirations. Les groupes d'intérêts poursuivent différentes fins. Ainsi, l'Union des producteurs agricoles (UPA) défend les intérêts de l'industrie agricole et des agriculteurs, les centrales syndicales (CSN, FTQ et CSQ) protègent ceux de leurs membres, et le Conseil du patronat, ceux des entreprises. Les groupes

---

1. Braud, Philippe (2006). *Sociologie politique*, Paris, Librairie Générale de Droit et de Jurisprudence, p. 447.

Partis révolutionnaires
Les partis révolutionnaires ont pour objectif fondamental de transformer radicalement l'ordre politique, économique et social. Une fois au pouvoir, ils ont tendance à supprimer toute compétition démocratique, à encadrer et à mobiliser la population. (*Voir le texte à l'étude sur le Parti communiste chinois, page 163.*)

Whigs
Au Royaume-Uni, groupe qui était opposé à celui des Tories, et qui défendait la suprématie du Parlement sur le roi. Au milieu du xixᵉ siècle, les termes «conservateur» et «libéral» ont remplacé respectivement ceux de «Tory» et de «Whig».

Tories
Conservateurs au Royaume-Uni. À l'origine, au xviiᵉ siècle, ce terme désignait les partisans du roi et du maintien des privilèges de la noblesse.

d'intérêts cherchent à influencer les gouvernants et à faire pression sur eux. Par contre, ils ne cherchent pas à prendre le pouvoir et à l'exercer, comme c'est le cas pour les partis politiques.

Dans cette définition, l'élection n'est pas une caractéristique déterminante. Comme nous l'avons vu dans les chapitres précédents, le soutien populaire est aussi recherché par les **partis révolutionnaires** et les systèmes à parti unique. On trouve en effet des partis révolutionnaires qui visent non pas à remporter les élections, mais à renverser un gouvernement par la force. De même, les partis totalitaires forment des gouvernements non démocratiques ; cela a été le cas du Parti nazi, en Allemagne, dans les années 1930, et c'est le cas du Parti communiste chinois.

Les deux premières caractéristiques nous permettent de distinguer les partis politiques des pouvoirs traditionnels, personnels et éphémères. Les dictatures de la famille Duvalier, en Haïti (1957-1986), et de Mouammar Kadhafi, en Libye (1969-2011), ont créé des partis artificiels qui ne servaient qu'à cacher, sous un vernis de modernisme, l'exercice solitaire du pouvoir. Les caractéristiques retenues dans la définition nous obligent à exclure les groupements politiques antérieurs au xixᵉ siècle, comme les clubs des Jacobins et des Girondins nés à l'époque de la Révolution française, les groupements de députés du Parlement britannique (**Whigs** et **Tories**) ou les conservateurs et les libéraux du Parlement canadien, au xixᵉ siècle.

Cette définition écarte les anciennes formes de pouvoir politique et les formes temporaires. Un parti politique est donc une organisation durable, structurée à l'échelle nationale et à l'échelle locale, visant à conquérir et à exercer le pouvoir et recherchant à cette fin le soutien populaire. Les partis politiques sont des réalités apparues à partir de la seconde moitié du xixᵉ siècle dans des pays qui avaient atteint un certain niveau de développement socioéconomique et un élargissement important de la participation électorale.

Les origines des partis politiques modernes

Les partis politiques remplissent maintenant des fonctions qui excèdent le domaine électoral, comme nous le verrons plus loin. Les premiers partis créés poursuivaient des objectifs plus limités et plus intéressés. Les charges publiques (maires, députés, ministres, etc.) existaient déjà depuis longtemps à l'époque de l'avènement de la démocratie électorale. Elles s'obtenaient par naissance, contre de l'argent (on achetait une charge comme on achète aujourd'hui une franchise d'une chaîne de restaurants) ou par libre choix des pouvoirs publics. Sous les régimes monarchiques, les familles nobles utilisaient leurs réseaux afin d'obtenir des charges publiques et des honneurs.

L'extension du suffrage : un facteur déterminant

Devenus démocratiques avec l'extension du suffrage, comme nous l'avons vu au chapitre précédent, les États pourvoyaient à plusieurs de ces charges par le moyen d'élections. Dès lors, une personne qui aspirait à exercer une charge publique devait obtenir les suffrages de milliers de gens, et non pas s'adresser au roi ou encore à des personnages haut placés qu'il était parfois possible de soudoyer. Il devenait par conséquent nécessaire de se doter d'une organisation structurée pour gagner le plus de votes possible.

Le parlementarisme et l'expansion des partis sur la scène extraparlementaire

L'apparition des partis modernes a été en grande partie déterminée par la consolidation des régimes parlementaires au XIXᵉ siècle. Dès la fin du XVIIᵉ siècle, les députés du Parlement anglais se partageaient entre les Whigs et les Tories. Ces premiers groupements parlementaires étaient toutefois dépourvus de structure extraparlementaire. C'est peu à peu, avec l'extension du suffrage au XIXᵉ siècle, qu'ils se sont dotés d'organisations locales et nationales, qu'ils ont imposé une discipline de parti à leurs députés, en particulier en matière de vote, et qu'ils ont créé des comités électoraux dans les circonscriptions. Au Canada, les groupements politiques ont suivi la même évolution. Le premier congrès tenu par le Parti libéral du Canada, en 1919, a marqué le début des organisations nationales extraparlementaires des partis politiques. Ce congrès avait trois tâches essentielles à remplir :

1. Désigner le chef du parti ;
2. Établir un programme ;
3. Mettre en place une organisation extraparlementaire permanente, dotée d'une structure et d'une direction indépendantes[2].

Les autres partis politiques canadiens allaient bientôt lui emboîter le pas[3]. Cependant, c'est aux États-Unis que sont apparus les premiers partis politiques modernes. Dans les années 1810, les démocrates (qui s'appelaient alors les « républicains démocrates ») et les républicains (qui portaient le nom de « fédéralistes ») ont commencé à publier des journaux nationaux et régionaux, à former des comités électoraux dans chaque État et dans les principales villes, et à tenir des conventions nationales. Par le moyen des organisations extraparlementaires et nationales, les premiers partis ont assuré le lien entre l'électorat et la gestion de l'État.

Si les premiers partis politiques[4] ont une origine parlementaire, leur développement et leur modernisation sont liés à l'élargissement progressif de l'électorat par suite de l'abaissement de la franchise électorale, comme nous l'avons vu au début du chapitre 8. Plus le droit de vote s'étend, plus il devient opportun de canaliser les suffrages. Fondées dans ce but, les organisations nationales se chargent de mobiliser les militants et de recueillir des fonds. La figure **9.1** illustre le mécanisme de progression des partis politiques.

LE MÉCANISME DE PROGRESSION DES PARTIS POLITIQUES

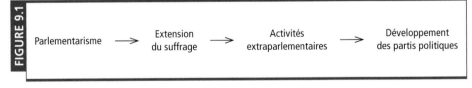

FIGURE 9.1

Parlementarisme → Extension du suffrage → Activités extraparlementaires → Développement des partis politiques

2. Carty, R.K. (1991). *L'action des partis politiques dans les circonscriptions au Canada*, Ottawa, Commission royale sur la réforme électorale et le financement des partis, vol. 23, p. 7 et suiv.
3. Pour une synthèse historique des partis politiques au Québec et au Canada, voir notamment Bernard, André (2005). *La vie politique au Québec et au Canada*, Montréal, Presses de l'Université du Québec, p. 89 à 171, et Pelletier, Réjean (2005). « Les partis politiques fédéraux », dans Manon Tremblay *et al.* (dir.), *Le parlementarisme canadien*, Québec, Presses de l'Université Laval, p. 151 à 196.
4. En ce qui concerne l'origine et le processus de formation des partis politiques dans les pays occidentaux, voir Braud, Philippe (2006). *Sociologie politique*, Paris, Librairie générale de droit et de jurisprudence (LGDJ), p. 447 à 534.

TABLEAU 9.1 | LA DATE DE CRÉATION DES PREMIERS PARTIS POLITIQUES OUVRIERS IMPORTANTS

Pays	Année	Pays	Année	Pays	Année
Allemagne	1863	Norvège	1887	Finlande	1899
Suisse	1870	Hongrie	1889	Royaume-Uni	1900
Suède	1889	Bulgarie	1891	Australie	1901
Danemark	1871	Italie	1893	Luxembourg	1902
Portugal	1875	Roumanie	1893	Irlande	1912
Espagne	1879	Pays-Bas	1894	Islande	1916
France	1879	Russie	1898	Malte	1920
Belgique	1885				

Source: Seiler, Daniel-Louis (1986). *De la comparaison des partis politiques*, Paris, Économica, p. 51.

TABLEAU 9.2 | L'OBTENTION DU SUFFRAGE UNIVERSEL MASCULIN ET FÉMININ DANS CERTAINS PAYS INDUSTRIALISÉS

Pays	Hommes	Femmes	Pays	Hommes	Femmes
Allemagne	1869	1919	Grèce	1877	1952
Australie	1901	1902	Italie	1912	1946
Autriche	1907	1918	Japon	1925	1945
Belgique	1893	1948	Norvège	1897	1913
Canada	1917	1918	Portugal	1911	1974
Danemark	1901	1915	Royaume-Uni	1918	1928
Espagne	1869	1976	Suède	1909	1921
États-Unis	1870	1920	Suisse	1919	1971
Finlande	1906	1906	Turquie	1923	1934
France	1848	1944			

Sources: Lane, Jan-Erik, David McKay et Kenneth Newton (1991). *Political Data Handbook: OECD Countries*, Oxford, Oxford University Press, p. 111 ; Nohlen, D. (1978). *Wahlsysteme der Welt: Daten und Analysen*. Munich: Piper. ONU (1991). Les femmes du monde 1970-1990. New York : ONU. ONU femmes. *Le progrès des femmes dans le monde*. [En ligne], http://progress.unwomen.org/pdfs/FR_Report-Progress.pdf (Page consultée le 4 avril 2013).

Parallèlement, d'autres partis politiques sont nés et se sont développés à l'extérieur des parlements. Ces partis politiques ont été mis sur pied au XIXᵉ siècle par des mouvements de défense de minorités nationales ou religieuses. La création du premier parti irlandais catholique, en 1829, et la création au Bas-Canada du Parti des patriotes de Louis-Joseph Papineau entrent dans cette catégorie. Ce sont toutefois les formations politiques issues du mouvement ouvrier qui ont connu, à la fin du XIXᵉ siècle et au début du XXᵉ siècle, la plus forte croissance (*voir le tableau 9.1*). En Europe, la révolution industrielle a donné naissance à une classe sociale dont les conditions d'existence furent misérables. L'établissement des syndicats ouvriers et l'extension du suffrage universel (*voir le tableau 9.2*) ont mené à la formation des premiers partis ouvriers.

Le concept de parti politique, comme celui de suffrage universel, a connu une large diffusion à travers le monde; il a été appliqué non seulement dans les pays communistes et fascistes, mais aussi dans de nombreux autres régimes autoritaires tels que ceux qui s'étaient instaurés en Égypte, en Algérie et en Syrie. On pourrait citer quantité d'autres exemples.

Alors que les premiers partis politiques visaient à sélectionner certaines personnes ou à les maintenir au pouvoir, les partis actuels jouent le rôle essentiel d'intermédiaire entre les dirigeants et les citoyens.

Les trois grandes fonctions des partis politiques

Au fil du temps, les partis politiques en sont venus à exercer diverses fonctions: mobilisation des électeurs et des masses, recrutement et formation des politiciens, intégration sociale et contrôle du débat public.

La mobilisation des électeurs et des masses

Nous avons vu, au chapitre 8, que les élections amenaient la population à exprimer son appui à l'État. Pour que celui-ci soit raffermi, il faut cependant que la grande majorité des électeurs aillent voter. Or, les gouvernements eux-mêmes ne peuvent convaincre chaque électeur de se rendre aux urnes. Comment doit-on alors s'y prendre? Le problème est particulièrement épineux dans les régimes à parti unique, car le résultat des élections est prévisible. Comment, dans ces conditions, persuader les électeurs de voter? Un parti politique est capable de mobiliser les électeurs et de les motiver à voter.

Au Québec et au Canada, les partis font des pieds et des mains pour inciter les électeurs à voter : identification partisane des électeurs (pointage), appels téléphoniques le jour du scrutin. En dehors des élections, les partis peuvent mobiliser la population par différentes activités de recrutement, de financement et, de plus en plus, par des campagnes de publicité autour des enjeux importants ou parfois pour souligner les faiblesses des adversaires, comme c'est le cas pour le Parti conservateur de M. Harper.

Les partis politiques peuvent aussi servir à mobiliser la population pour des causes précises. En Grèce et en Espagne, à l'automne 2012, les partis de l'opposition ont mobilisé des centaines de milliers de citoyens contre les mesures d'austérité du gouvernement. En France, en janvier 2013, les partis politiques se sont impliqués dans les manifestations pour ou contre le mariage et l'adoption pour tous.

Un parti peut enfin mobiliser les masses contre un régime. Dans les États en voie de développement, on trouve aujourd'hui un bon nombre de partis politiques qui avaient pour objectif initial de mettre fin au régime colonial. Tel est le cas du Parti du Congrès en Inde et du Front national de libération en Algérie. En Europe, pendant la Seconde Guerre mondiale, l'organisation de la résistance, qui a combattu clandestinement l'occupant allemand, a pris naissance au sein de l'Église et des partis politiques. C'étaient les seules structures capables de rassembler suffisamment de gens pour pouvoir combattre efficacement l'ennemi. Plus près de nous, lors du « printemps arabe » de 2011, des organisations politiques ont réussi à mobiliser des centaines de milliers de personnes afin de renverser les dirigeants de la Libye, de l'Égypte et de la Tunisie.

Lors du projet de loi controversé pour le mariage et l'adoption pour tous, des centaines de milliers de Français ont manifesté.

Le recrutement et la formation des politiciens

Qui, mieux qu'un parti politique, peut assurer le recrutement et la formation des politiciens dans une société ? Aucune autre organisation n'est mieux placée pour dépister les jeunes gens talentueux, leur donner la possibilité d'exploiter leurs talents et confier, très souvent, aux plus doués d'entre eux des tâches d'importance ainsi que la responsabilité de répandre certaines idées. Cependant, les démarches de recrutement et de formation des politiciens varient selon les systèmes politiques. Dans les régimes parlementaires comme ceux du Canada et du Royaume-Uni, les partis sont très structurés et constituent généralement la voie d'accès à la politique. Voici le cheminement habituel d'un dirigeant politique :

- La personne commence à militer dans un parti et occupe un poste subalterne.
- Si elle convoite un siège au Parlement, elle doit recevoir l'investiture de son parti dans une circonscription où elle a peu de chances de gagner.
- Si la personne fait preuve de persévérance et de combativité, on lui offrira de se présenter dans une circonscription où elle a de bonnes chances de gagner.
- Une fois élue, si elle possède les qualités souhaitées (éloquence, ardeur au travail et loyauté), on lui attribuera une fonction importante, comme porte-parole de l'opposition en matière de santé ou de justice, ou comme ministre.
- Ensuite, la personne pourrait viser à prendre la direction du parti, si elle est désignée par celui-ci. Si le parti est porté au pouvoir, elle occupera le poste de premier ministre.

L'appui des candidats défaits au nouveau chef est très important, car il assure la cohésion du parti.

Une pure fiction? Pas du tout. C'est le parcours de la première ministre Margaret Thatcher, qui a occupé le poste de première ministre du Royaume-Uni de 1979 à 1990. Voilà, en bref, la seule façon de faire une carrière politique au Royaume-Uni. Au Québec et au Canada, dans la majorité des cas, les dirigeants et les députés sont passés par la filière du parti, mais la voie à suivre est moins étroite qu'au Royaume-Uni. Ainsi, lors des élections au Canada, les chefs des partis politiques réservent habituellement un certain nombre de circonscriptions électorales à des candidats de prestige recrutés en dehors des rangs du parti. Cela permet de renouveler le parti et d'attirer des personnes de valeur.

Aux États-Unis aussi, les partis politiques s'occupent de recrutement et de formation. À la différence des partis britanniques et canadiens, ils sont peu structurés et ne constituent pas la seule voie d'accès à la politique. La plupart des politiciens américains ont commencé au bas de l'échelle, dans le Parti républicain ou le Parti démocrate. Le système électoral américain est ainsi fait qu'une personne peut s'adresser directement aux électeurs pour devenir candidat à des élections par le biais des élections primaires; c'est ainsi que des personnalités connues et populaires comme l'acteur américain Arnold Schwarzenegger ou l'astronaute John Glenn ont pu accéder à un poste politique important. En outre, le président des États-Unis a le droit d'admettre qui il veut dans son cabinet. Il peut donc choisir des personnes qui se sont illustrées dans un domaine autre que la politique et qui n'ont jamais été élues. Ainsi, le Parti démocrate et le Parti républicain ont dû accepter que John Kennedy (1917-1963) nomme son frère Robert procureur général et que George W. Bush choisisse la professeure de l'Université de Standford, Condoleezza Rice, comme conseillère à la sécurité nationale, de 2005 à 2011.

POUR ALLER PLUS LOIN

Margaret Thatcher (1925-2013)

Margaret Thatcher est issue d'un milieu modeste. Elle assume diverses fonctions au sein du Parti conservateur, dont celle de ministre de l'Éducation, et devient chef de ce parti en 1975. Elle occupe le poste de première ministre de 1979 à 1990. Surnommée la «Dame de fer», elle envoie des troupes britanniques chasser les Argentins des îles Malouines en 1982. Partisane du néolibéralisme, elle procède à une série de privatisations et affronte les puissants syndicats britanniques. En 1990, à la suite d'une rébellion au sein de son Conseil des ministres, elle est forcée de quitter la direction du Parti conservateur et démissionne de son poste de première ministre (*voir le texte à l'étude sur la démission forcée d'un premier ministre, au chapitre 11, page 202*).

L'intégration sociale et le contrôle du débat public

Les partis politiques structurent et contrôlent les débats publics. Ce rôle a grandement influé sur la vie politique au XXe siècle.

Dans les régimes démocratiques. Les fonctions de contrôle et d'intégration des partis politiques sont essentielles au bon fonctionnement des régimes démocratiques. Comme un parti a des ramifications à la fois dans la classe dirigeante et dans la population, il constitue un corps intermédiaire entre les citoyens et le pouvoir de l'État. Les partis politiques sont donc en mesure d'exercer un rôle d'intégration sociale. Les membres et les militants connaissent le député, et celui-ci connaît le ministre. Il existe ainsi un canal de communication et d'intégration.

Les partis diminuent les risques d'affrontement direct entre l'État et la société. Cette communication est réciproque. En écoutant les doléances des citoyens, les partis offrent à ces derniers un moyen de dépasser la récrimination solitaire. Les électeurs peuvent, par la voie des médias, faire part de leurs préoccupations aux députés ou aux représentants des partis. Les enjeux deviennent ainsi publics.

Cependant, les élus ne sont pas seulement de simples porte-parole ; ils modifient le message qu'ils transmettent. Les partis connaissent les limites du pouvoir en démocratie et les ressources de l'État. Ils peuvent donc canaliser les revendications, les dépouiller de tout ce qu'elles ont d'excessif et les rendre acceptables. Les partis politiques fournissent un exutoire pour le mécontentement et sont un rempart contre les mouvements déstabilisants provenant de la société. Les partis ne suppriment pas les conflits, ils les régularisent en réalisant des compromis.

Dans les régimes autoritaires et totalitaires. Dans les régimes autoritaires et totalitaires, les partis jouent surtout un rôle de contrôle et d'encadrement. Dans les régimes à parti unique, le parti permet à ses dirigeants de se rendre maîtres de l'État, et en particulier de secteurs clés comme celui de la défense. Dans les pays communistes, seuls des membres du Parti communiste étaient admis aux grades supérieurs de l'armée, et leur avancement dépendait de leur place au sein du parti.

Les partis politiques permettent aussi aux gouvernants d'encadrer les masses. Les régimes autoritaires et totalitaires cherchent généralement à restreindre l'activité intellectuelle, car la liberté de pensée peut se révéler dangereuse pour le pouvoir des gouvernants. Avec des membres de leur parti à la tête d'associations d'écrivains, d'universités, d'ordres professionnels et de médias, les gouvernants exercent une surveillance sur ce qui se pense et se dit dans le pays, comme c'est encore le cas à Cuba et en Chine.

La typologie des partis politiques

Les partis politiques sont, comme nous l'avons vu, des entités complexes. Pour faciliter leur compréhension, il peut être utile de les classer en espèces et en genres, comme un botaniste le fait pour les plantes. La typologie est l'étude des traits caractéristiques d'un ensemble de faits ou de phénomènes en vue de les classer par types. Il importe de se rappeler qu'une typologie est une construction abstraite qui n'embrasse jamais la totalité des réalités observables. Une typologie a pour finalité de nous guider dans l'analyse des phénomènes. Elle fait partie intégrante de la démarche scientifique. Les typologies ont cependant leurs limites. Elles peuvent entre autres devenir dépassées lorsque les conditions politiques et sociales connaissent des mutations profondes. On classe généralement les partis politiques en fonction de leur organisation, de leur structure et de leurs objectifs politiques, c'est-à-dire de leurs projets.

Les partis de cadres et les partis de masse

Les « partis de cadres » sont les plus anciens. Ils sont issus de groupes parlementaires, ainsi que nous l'avons déjà vu. Leur principal objectif est de mobiliser les électeurs, comme ce fut le cas pour les premiers partis américains et britanniques et le Parti libéral du Canada. Ils font peu de recrutement, sont dotés de structures souples, font prédominer le sommet sur la base (prééminence du groupe parlementaire sur les membres du parti) et conduisent au *statu quo* politique.

Thomas Mulcair, du Nouveau Parti démocratique (NPD). Le NPD canadien est considéré comme un parti de masse d'après la typologie classique du politologue français Maurice Duverger.

Les «partis de masse» sont apparus à la fin du xixe siècle en Europe. Ils sont issus du mouvement ouvrier (*voir le tableau* 9.1, *page 154*) et résultent de l'extension progressive du suffrage (*voir le tableau* 9.2, *page 154*). Ils ont pris le nom de «parti socialiste» ou de «parti social-démocrate» (*voir la définition du socialisme démocratique au chapitre 3, page 52*). Ils se distinguent des partis de cadres par un recrutement massif et une organisation très structurée, conditions de leur efficacité. Leur but est de donner une influence politique aux démunis, aux déshérités, aux prolétaires, etc., de façon à construire une société fondée sur l'égalité. Entrent notamment dans cette catégorie le Parti travailliste du Royaume-Uni, le Nouveau Parti démocratique du Canada et les partis socialistes français et scandinaves.

Cette distinction entre partis de cadres et partis de masse constitue l'essentiel de la typologie classique établie par le politologue français Maurice Duverger[5].

Les partis attrape-tout

Cette typologie ne tient cependant pas compte des changements survenus dans les pays développés depuis les 30 dernières années. L'amélioration du niveau de vie a eu pour effet de réduire les conflits sociaux et l'engagement politique. Ce nouvel univers politique, joint aux techniques de communication modernes, a entraîné l'apparition d'un nouveau type de parti, les partis attrape-tout. Ces partis visent moins à encadrer les individus qu'à les séduire, et ils font abstraction des divergences idéologiques pour ne pas effaroucher une partie de l'électorat. Ce type de parti mise beaucoup sur le charme, et plus précisément sur le charme des leaders[6].

Les partis à projet

De nos jours, d'autres partis ont pris la relève: des partis «à projet», tels les partis verts et les partis autonomistes et indépendantistes. Les partis autonomistes ont des objectifs politiques plus modérés. Bien qu'ils défendent une certaine forme de nationalisme régional, comme le Parti nationaliste basque ou la formation catalane Convergence et Union en Espagne, ils ne veulent pas la séparation complète de leur région du pays dont ils font partie; ils réclament une plus large autonomie. Les partis indépendantistes, pour leur part, ont comme objectif de faire de leur région un État souverain. Le parti basque Herri Batasuna, l'Unita nazionalista en Corse, le Scottish National Party d'Écosse[7] et le Parti québécois, par exemple, entrent dans cette catégorie.

Le financement des partis

Les partis politiques disposent de diverses sources de financement.

---

5. Voir Denquin, Jean-Marie (1992). *Introduction à la science politique,* Paris, Hachette, p. 89 à 116.
6. *Id.* (1996). *Science politique,* Paris, PUF, p. 242 et suiv.
7. Voir Hermet, Guy, *et al.* (2001). *Dictionnaire de la science politique,* Paris, Armand Colin, p. 222.

- Les fonds publics : La plupart des gouvernements paient une portion des dépenses électorales des partis politiques. La répartition du budget électoral d'un État est toujours problématique et elle avantage généralement les partis établis.

- Les cotisations des membres : Les cotisations des membres constituent une importante source de financement pour les partis, surtout pour ceux qui comptent un grand nombre de membres. Les partis socialistes et les partis de masse sont passés maîtres dans l'art de solliciter leurs membres ; c'est particulièrement le cas au Québec. En 1977, le Québec a adopté une loi qui encadre le financement des partis politiques. Les électeurs, et seulement eux, ont le droit de verser à un parti une contribution annuelle n'excédant pas 3 000 $, somme qui a été ramenée à 1 000 $ en 2011. Chaque année, les noms des personnes qui ont donné plus de 200 $ sont inscrits sur une liste publique. Au Canada, les partis politiques fédéraux, comme le Parti conservateur et le Parti libéral, ont toujours été largement financés par des entreprises. Le NPD, pour sa part, était financé par les syndicats. Cependant, en 2006, le Parlement canadien a établi des lois beaucoup plus restrictives qui s'inspirent de la *Loi régissant le financement des partis politiques* du Québec. Désormais, seuls les citoyens sont admis à verser aux partis enregistrés une contribution annuelle ne pouvant dépasser 1 100 $. Aucune autre personne ni aucun organisme (entreprise, syndicat, association) ne peuvent verser une contribution à un parti politique.

- Les pots-de-vin et les commissions occultes : Dans une dictature, le parti unique est lié si intimement au gouvernement qu'il peut se livrer à la corruption impunément. La corruption n'est toutefois pas l'apanage des régimes autoritaires. La concentration du pouvoir, le manque de moyens des réseaux d'information libres et indépendants (médias) et la faiblesse des partis d'opposition dans une démocratie favorisent aussi la corruption, comme l'a démontré la commission Charbonneau au Québec.

- Les dons des groupes d'intérêts : Aux États-Unis notamment, les regroupements de gens d'affaires, les syndicats et quelques autres groupes peuvent verser des contributions importantes aux partis politiques.

- Les profits d'entreprise : De nombreux partis, particulièrement en Europe, sont propriétaires de journaux, de banques et d'autres entreprises de services qu'ils exploitent pour le compte de leurs membres. Quelques-unes de ces entreprises sont rentables.

- Les subsides : Les États-Unis, l'Union soviétique, la Libye, la Chine, Israël, la France et le Japon, pour ne citer que ces pays, ont déjà apporté à des partis de pays étrangers un soutien financier qui était destiné, en fin de compte, à faire avancer leurs propres intérêts.

Les systèmes de partis

Nous avons étudié jusqu'ici les partis de façon isolée, c'est-à-dire leurs fonctions, leurs origines, les types de partis, leurs modes de financement, etc. Il importe maintenant d'examiner les relations conflictuelles ou les relations de coopération qui s'établissent entre les partis politiques, c'est-à-dire le type de système de partis. Les politologues classent généralement les systèmes de partis en fonction du nombre et de la taille relative de leurs éléments[8].

---

8. Guy Hermet *et al.*, *op. cit.*, p. 220.

Le système à parti unique

Dans un système à parti unique, un seul parti politique existe. C'est ce genre de système qui existait dans les États communistes d'Europe de l'Est, dans l'Allemagne nazie et dans l'Espagne franquiste, et qui existe encore à Cuba, en Chine et en Corée du Nord. Le parti unique et le gouvernement sont pour ainsi dire indissociables dans ce système, car le gouvernement interdit les autres partis. Le parti régit l'appareil gouvernemental, comme cela a été le cas dans les États communistes ou, au contraire, il est une création des gouvernants. Le parti consacre l'essentiel de ses ressources à la mobilisation, à la communication et au contrôle. Il lui est impossible de concevoir de nouvelles idées politiques, car il est inféodé aux gouvernants en place.

Le système à parti dominant

Dans un système à parti dominant, un parti politique exerce le pouvoir pendant une très longue période. Ce système diffère du système à parti unique par le fait qu'il admet l'existence d'autres partis. Dans ce système, un parti nettement plus puissant que les autres monopolise le pouvoir.

Le Mexique constitue un bon exemple de système à parti dominant, que l'on appelle aussi «parti hégémonique». Pendant 71 ans, jusqu'en 1997, le Parti révolutionnaire institutionnel (PRI) a remporté toutes les élections présidentielles avec des majorités de 60 à 70%. Il est de notoriété publique que les politiques déterminantes pour le pays étaient conçues au sein du PRI. Comme ce parti exerçait le pouvoir depuis longtemps, il avait la haute main sur toute la structure du gouvernement mexicain, depuis la fonction publique jusqu'aux plus hautes sphères du pouvoir.

On voit donc que le système à parti dominant a plusieurs points en commun avec le système à parti unique. Le fait qu'il existe d'autres partis entraîne néanmoins des différences importantes. Ces partis, en effet, critiquent le gouvernement et provoquent des débats, ce qui serait impossible dans un système à parti unique. Le système à parti dominant n'exclut pas la pluralité des opinions. Ainsi, le Parti de l'action nationale (PAN), qui représente les intérêts de la classe moyenne, a été pendant des années le principal parti d'opposition mexicain et a souvent reproché au PRI d'accorder trop d'attention aux travailleurs et aux pauvres.

Aux élections présidentielles de 1982, un groupe de partis socialistes plus à gauche que le PRI a obtenu environ 10% des suffrages; c'était la première fois que le PRI faisait face à une certaine concurrence. Six ans plus tard, il s'en est fallu de peu pour que le candidat de la gauche batte le candidat du PRI. La plupart des observateurs jugent d'ailleurs qu'il aurait été vainqueur s'il y avait eu moins de fraudes électorales.

Aux élections de 1994, la lutte a été plus loyale, et le PRI ne l'a pas emporté haut la main. Aux élections présidentielles de juillet 2000, le candidat du PRI, Ernesto Zedillo, a été battu. Le candidat du PAN (Parti d'action nationale), Vincente Fox, a été élu président du Mexique. Pour la première fois en 71 ans, le pouvoir changeait de mains.

Dans les États en développement, il arrive souvent que le parti dominant soit issu de la fusion de mouvements indépendantistes. Comme ces mouvements ont lutté pour la même cause, à savoir l'indépendance, il leur a été relativement facile de s'unir. Par ailleurs, un nouvel État fait face à des problèmes si difficiles que les gouvernants jugent bon d'oublier pour un temps les dissensions internes. Au

Ernesto Zedillo, issu du Parti révolutionnaire institutionnel, alors le parti hégémonique au Mexique, a occupé les fonctions de président de 1994 à 2000.

bout de quelques décennies, le parti dominant issu des mouvements indépendantistes s'affaiblit. Le groupe de dirigeants vieillissants devient corrompu. L'État, stabilisé, tolère mieux les désaccords, la question de l'indépendance perd de son importance tandis qu'apparaissent de nouveaux enjeux et obstacles qui sont de nature à diviser la vieille garde.

L'Inde et Israël ont vécu cette situation. L'Inde a obtenu son indépendance en 1947 et, durant les trois décennies qui ont suivi, a été gouvernée par le Parti du Congrès issu du mouvement d'indépendance de Mohandas K. Gandhi. Les élections tenues au cours de cette période ont toujours donné une majorité parlementaire au Parti du Congrès. Toutes les décisions politiques importantes étaient prises au sein de ce parti. Puis, en 1977, le Parti du Congrès a récolté moins de 50 % des suffrages, et une coalition de petits partis d'opposition a pris le pouvoir. Par la suite, le Parti du Congrès a exercé de nouveau le pouvoir, mais son hégémonie n'était plus aussi complète qu'au cours des années qui ont suivi l'accession à l'indépendance.

En Israël, le Parti travailliste (qui a été fondé par les dirigeants du mouvement sioniste, des Européens pour la plupart) est demeuré au pouvoir de 1948, année de la création de l'État d'Israël, jusqu'en 1977. Cette année-là, à la surprise générale, il a été défait par le Likoud, une coalition de partis d'opposition dirigée par Menahem Begin (1913-1992). Les problèmes créés par les changements démographiques qui s'opéraient dans le pays étaient venus s'ajouter à ceux qui étaient dus à un trop long exercice du pouvoir. Au cours des années 1950 et 1960, en effet, Israël avait accueilli des milliers d'immigrants juifs venus d'autres pays du Moyen-Orient, de sorte qu'en 1977, l'électorat était composé d'une moitié de citoyens d'origine européenne et d'une moitié de citoyens d'une autre origine. Le Parti travailliste, dirigé presque exclusivement par des Israéliens d'origine européenne, avait perdu contact avec la moitié de l'électorat.

Les exemples de systèmes à parti dominant ne sont pas seulement le cas des pays nouvellement indépendants ou en voie de développement : les démocrates chrétiens ont dirigé l'Italie de 1945 à 1993, le Parti social-démocrate a gouverné la Suède de 1932 à 1976 et le Parti libéral du Québec a tenu les rênes du pouvoir pendant près de 40 ans, de 1897 à 1936.

Un autre cas de parti dominant existe encore aujourd'hui au Canada, en Alberta. Depuis son adhésion à la fédération canadienne, cette province a été dirigée par des partis dominants qui se sont succédé sur de longues périodes. Le tableau 9.3 illustre les partis qui ont dominé cette province depuis 1905. Ils ont gouverné sur de longues périodes, en particulier le Crédit social et le Parti progressiste conservateur. Aux élections de 2012, ce dernier parti a remporté 62 des 87 sièges à l'Assemblée législative de l'Alberta.

Tous ces exemples montrent bien qu'il est impossible de confondre le système à parti dominant et le système à parti unique. Le premier reconnaît la liberté d'opinion, admet la coexistence de plusieurs partis politiques et tient des élections libres, même si l'alternance du pouvoir fait défaut.

TABLEAU 9.3 | LES PARTIS DOMINANTS EN ALBERTA

Parti dominant	Années
Parti libéral	1905 - 1921
Fermiers unis de l'Alberta	1921 - 1935
Crédit social	1935 - 1971
Parti progressiste conservateur	1971 jusqu'à nos jours

Le bipartisme

Le bipartisme se définit comme un système de partis fondé sur l'alternance au pouvoir, plus ou moins régulière, de deux partis à vocation majoritaire. Dans un système « bipartite » ou « bipolaire », les principaux partis récoltent habituellement plus de 90 % des suffrages à eux deux, mais il est rare que l'un d'entre eux en obtienne plus de 55 ou 60 %. Aux États-Unis, par exemple, seuls le Parti républicain et le Parti démocrate peuvent espérer exercer le pouvoir. Notons qu'un système bipolaire peut comprendre plus de deux partis. Une douzaine de partis présentent des candidats aux élections présidentielles américaines, mais ces partis sont condamnés à une défaite certaine. Le Royaume-Uni et l'Australie, par ailleurs, ont aussi des systèmes bipolaires, et ce, malgré la présence de petits partis. Le Québec a connu de longues périodes de bipartisme, de 1936 à 1970 et de 1976 à 2003.

À la différence du système à parti dominant, le système bipolaire propose à l'électorat un choix varié de politiques et de candidats. L'un des deux partis remporte habituellement une nette victoire qui lui permet de gouverner sans former de coalition ; il forme un gouvernement majoritaire. Le bipartisme se caractérise donc par la relative abondance des choix, ainsi que par un gouvernement stable et efficace.

Le multipartisme

On désigne par « multipartisme » un système de partis fondé sur l'absence, ou l'extrême rareté, de gouvernements formés par un seul parti. Dans ce type de système, les gouvernements de coalition constituent la règle. Comme son nom l'indique, le multipartisme, appelé aussi « système multipolaire », est formé de plus de deux grands partis. Ce système est appliqué en Norvège. Le Parlement (Storting) de ce pays était composé, après l'élection de 2009, de représentants de plusieurs partis, tel que le montre le tableau **9.4** .

TABLEAU 9.4 | LES PARTIS ÉLUS AU STORTING APRÈS L'ÉLECTION DE 2009

Parti	Nombre de sièges
Parti travailliste	64
Parti du progrès (opposé aux impôts)	41
Parti conservateur	30
Parti socialiste de gauche	11
Parti du centre (environnementaliste)	11
Parti démocrate-chrétien	10
Parti libéral	2
Total	**169**

Source : Centre d'étude de la vie politique (2013). *Résultats électoraux*, [En ligne], http://dev.ulb.ac.be/cevipol/fr/elections_norvege_nationales_2009.html (Page consultée le 15 février 2013).

Aucun parti n'avait remporté les 85 sièges nécessaires pour la formation d'un gouvernement majoritaire. Trois partis (le Parti travailliste, le Parti socialiste de gauche et le Parti du centre) ont formé un gouvernement de coalition avec 86 sièges. Le leader du Parti travailliste, Jens Stoltenberg, a été nommé premier ministre parce qu'il était à la direction du parti le plus important.

La plupart des démocraties ont adopté le multipartisme. L'établissement du bipartisme ou du multipartisme est largement fonction du mode de scrutin. Un scrutin de type majoritaire uninominal conduit presque inévitablement au bipartisme, tandis que la représentation proportionnelle débouche sur le multipartisme. Les causes de ce phénomène sont clairement expliquées dans le chapitre 8. Le scrutin majoritaire uninominal confère un net avantage aux deux grands partis et entraîne à moyen terme la disparition des petites formations.

Le système multipolaire offre plus de choix aux électeurs que le bipartisme, tant sur le plan du nombre de candidats que sur celui des choix politiques. Dans le système bipolaire, en effet, un parti doit remporter plus de la moitié des sièges au Parlement pour former le gouvernement, de sorte que les partis sont forcés de courtiser différents groupes en même temps. C'est ainsi qu'ils n'oseront pas faire trop de promesses aux agriculteurs, de peur de se mettre les citadins à dos, et aux régions de l'Est, de peur de perdre l'Ouest. Le problème ne se pose pas dans un système multipolaire. Puisque la formation d'une coalition est presque inévitable, un parti qui ne compte pas un grand nombre de députés peut être nettement avantagé. Le Parti travailliste de la Norvège, pour revenir à notre exemple, défend les intérêts des syndiqués, des pêcheurs et de divers autres groupes. Le Parti conservateur représente surtout la classe moyenne des villes, réfractaire aux augmentations d'impôt. Le Parti démocrate chrétien, qui regroupe les luthériens convaincus, prône la prohibition des boissons alcooliques et l'enseignement religieux à l'école, et proscrit l'avortement. Le Parti du centre est le porte-parole des agriculteurs. Le Parti socialiste a divers objectifs, mais il s'oppose d'abord et avant tout à l'adhésion de la Norvège à l'OTAN. Le Parti du progrès se situe à droite et lutte contre l'État providence et l'immigration. Les choix et les programmes politiques sont vraiment très variés.

Nous avons vu que le bipartisme favorise la stabilité du gouvernement. En revanche, comme il donne rarement une majorité parlementaire à l'une des formations politiques, le multipartisme entraîne la formation de coalitions. Il arrive que les gouvernements de coalition soient efficaces. La Suède, la Norvège, la Finlande, l'Allemagne et plusieurs autres pays ont été gouvernés par des coalitions stables depuis la Seconde Guerre mondiale. Mais qu'arrive-t-il si les partis politiques ont des positions inconciliables? S'ils parviennent à former une coalition, la méfiance généralisée la fera éclater tôt ou tard. L'Italie a été gouvernée par plus de 60 coalitions différentes depuis 1945.

POUR ALLER PLUS LOIN

Gouvernement minoritaire et gouvernement de coalition

Dans un régime parlementaire, le gouvernement doit avoir l'appui d'une majorité de députés du pouvoir législatif. Dans le cas où le gouvernement est minoritaire, il existe, selon le politologue canadien Stewart Hyson, cinq types d'entente possibles entre l'exécutif et le législatif: 1) la coalition (gouvernement de coalition), lorsque deux ou plusieurs partis se partagent les postes au Conseil des ministres et le pouvoir; 2) le pacte officiel, lorsque le chef du parti de l'opposition signe avec le gouvernement un accord en vertu duquel il donne à celui-ci son appui pour une période de temps déterminée en échange de certaines actions qui répondent aux intérêts de son parti; 3) l'entente officieuse, consistant dans le fait qu'un parti d'opposition soutient le gouvernement lorsque celui-ci dépose des projets de loi conformes à ses intérêts (il y a eu une entente de ce genre concernant le budget du gouvernement Martin, au printemps 2005, entre le NPD et le gouvernement libéral); 4) la majorité à géométrie variable, qui consiste pour le gouvernement à négocier l'appui des partis de l'opposition à un projet de loi déterminé; 5) l'entente tacite conjoncturelle, lorsque les partis de l'opposition s'entendent pour faire comme si le gouvernement était majoritaire parce que, par exemple, la conjoncture électorale favorise le gouvernement (des députés de l'opposition s'absentent alors au moment de voter les projets de loi).

Le PCC, un parti monstre pour régner sur 1,3 milliard de Chinois

FRANÇOIS BOUGON

Le nouveau président de la Chine est aussi le chef du Parti communiste, qui compte 82,6 millions d'adhérents.

«Le parti, c'est comme Dieu, Il est partout. Mais vous ne pouvez pas le voir.» Cette formule d'un professeur d'université de Pékin, cité dans *Le Parti. Le monde secret des dirigeants communistes chinois* (Penguin Books, 2010), publié par Richard McGregor, ancien correspondant du *Financial Times* à Pékin, résume bien le pouvoir en Chine. De son passé d'organisation clandestine, le Parti communiste chinois (PCC), fondé en 1920 par une poignée de militants révolutionnaires, a gardé le goût du secret. Toutes proportions gardées, seul le Vatican – avec lequel Pékin n'arrive d'ailleurs toujours pas à entretenir des relations diplomatiques – garde une opacité du même ordre dans la gestion de ses affaires.

Au sein de la deuxième économie mondiale, le pouvoir c'est le parti, et le parti c'est le pouvoir. Rien ne lui échappe. Il existe bien un gouvernement, le conseil des affaires de l'État («Guowuyuan»), avec son premier ministre, actuellement Wen Jiabao. Ou une Assemblée nationale populaire (ANP), présidée par Wu Bangguo, qui se réunit une fois par an à Pékin. Mais dans les faits, c'est le PCC qui dirige et MM.

TEXTE À L'ÉTUDE

▶

TEXTE À L'ÉTUDE

Wen et Wu ne tirent leur véritable influence que de leurs places au sein de l'appareil communiste, respectivement à la troisième et à la deuxième place. Le PCC commande également à l'armée (par la commission militaire centrale), aux grandes entreprises publiques (par le département de l'organisation), aux provinces ou aux médias (par le département de la propagande), et aux universités.

Malgré les réformes économiques et l'entrée de la Chine au sein du capitalisme mondial, le mode d'organisation du pays reste calqué sur le « hardware » léniniste, hérité du modèle soviétique, avec son bureau politique, son comité central et son comité permanent. Des structures qui sont renouvelées tous les cinq ans à l'occasion du congrès national du PCC, qui se rassemble au Palais du Peuple de Pékin, place Tiananmen, dans un décorum de drapeaux rouges et au son de *L'Internationale*. C'est le socialisme aux caractéristiques chinoises, qui a réussi à s'adapter aux temps nouveaux et se décline à tous les échelons, du sommet aux villages. Grande nouveauté, le PCC est même présent sur les réseau sociaux : son organe officiel, *Le Quotidien du peuple*, tout comme l'agence Chine nouvelle (Xinhua) sont présents sur Weibo, les microblogs chinois, pour diffuser la bonne parole et argumenter auprès des centaines de millions d'internautes.

Le comité permanent du bureau politique et ses neuf membres – peut-être sept à l'issue du 18e congrès [...] – représentent le cœur du pouvoir. Officiellement, les heureux élus sont désignés selon une procédure « démocratique » par les échelons inférieurs (bureau politique, comité central, congrès, etc.), mais dans les faits, la décision est prise par une poignée de dirigeants influents, en fonction des différents courants et des groupes d'intérêts. Les décisions sont prises par un cercle restreint de hauts dirigeants, à la fois ceux qui vont céder le pouvoir mais aussi les anciens qui gardent une forte influence, comme l'ancien secrétaire général Jiang Zemin.

Pour lui succéder, Hu Jintao avait une préférence pour Li Keqiang, entré au comité permanent en 2007 et qui appartient au courant de la « Ligue de la jeunesse » (« Tuanpai »), la base du pouvoir de M. Hu. Cependant, c'est Xi Jinping – qui a également accédé au comité permanent il y a cinq ans – qui a finalement été désigné, car il est l'homme du consensus entre les factions du parti et les « anciens », également proche de l'armée et des grands groupes publics, membre surtout du clan des « princes héritiers » (« Taizidang »), les enfants de familles révolutionnaires, la noblesse rouge. Son père, Xi Zhongxun, qui avait fondé les bases révolutionnaires communistes dans le nord-est de la Chine dans les années 1930, avait été limogé par Mao en 1962 avant d'être réhabilité à la fin des années 1970 pour devenir l'une des figures de la politique de réformes et d'ouverture lancée par Deng Xiaoping.

Li Keqiang devrait remplacer Wen Jiabao, en mars 2013, au poste de premier ministre, lors de la prochaine session de l'ANP. Un autre « prince héritier », Bo Xilai, a tenté de s'imposer en mettant en avant la nécessaire lutte contre les inégalités, jouant sur la nostalgie maoïste. Mais il a été écarté, accusé de corruption et de luxure, ainsi que d'avoir cherché à protéger sa femme condamnée pour meurtre.

Pour les plus critiques, le PCC s'apparente à une mafia qui distribue, entre les membres des différentes familles, les fruits de la formidable croissance chinoise et des rentes de situation. Une thèse que sembleraient accréditer les révélations successives sur les fortunes accumulées par les proches de Xi Jinping et de Wen Jiabao. Pour d'autres, après avoir tenté, sous Mao, de détruire l'« ancienne » Chine, le PCC a su habilement et efficacement reprendre le cours de la Chine impériale avec son « armée » de mandarins lettrés qui gérait un immense pays. Le parti de 82,6 millions d'adhérents (pour 1,3 milliard d'habitants) a mené le pays au deuxième rang économique mondial. Avec un programme « croissance et stabilité ». ◄

Source : Bougon, François (7 novembre 2012). « Le PCC, un parti monstre pour régner sur 1,3 milliard de Chinois », *Le Monde*, p. 18.

CONCEPTS CLÉS

EXERCICES

Questions d'approfondissement

1. Discutez l'affirmation suivante : « Les partis politiques dits modernes ne ressemblent en rien aux regroupements politiques qui avaient cours avant le XIXe siècle. »

2. Système à parti unique et système à parti dominant sont synonymes. Vrai ou faux ? Pourquoi ?

3. Dans le système bipartite, il n'y a que deux partis politiques qui présentent des candidats aux élections. Vrai ou faux ? Pourquoi ?

4. Discutez l'affirmation suivante : « Les partis de cadres sont aujourd'hui des exceptions. »

5. Pourquoi le Parti communiste joue-t-il un rôle central en Chine ?

Sujets de discussion

1. Discutez l'affirmation suivante : « Tous les partis politiques québécois sont des partis attrape-tout. »

2. Peut-on dire qu'une formation politique qui ne cherche pas à prendre le pouvoir n'est pas véritablement un parti politique ? Pourquoi ?

3. Discutez de la pertinence pour une démocratie d'avoir une loi sur le financement des partis politiques (*voir à cet égard le cas de la démocratie québécoise, page 159*).

WWW

http://mabibliotheque.cheneliere.ca

LECTURES SUGGÉRÉES

BAKVIS, Herman. *Les partis politiques au Canada. Représentativité et intégration*, vol. 14, Ottawa, Commission royale sur la réforme électorale et le financement des partis, 1991.

BERNARD, André. *Vie politique au Canada*, Montréal, Presses de l'Université du Québec, 2005.

BRAUD, Philippe. *Sociologie politique*, Paris, Librairie générale de droit et de jurisprudence (LGDJ), 2006.

DUVERGER, Maurice. *Les partis politiques*, Paris, Seuil, coll. « Essais », 1992.

HUDON, Raymond, et Christian POIRIER. *La politique, jeux et enjeux*, Québec, Presses de l'Université Laval, 2011.

PELLETIER, Réjean. « Les partis politiques fédéraux et québécois », dans Manon Tremblay *et al.* (dir.), *Le parlementarisme canadien*, Sainte-Foy, Presses de l'Université Laval, 2009.

PELLETIER, Réjean (dir.). *Les partis politiques québécois dans la tourmente*, Québec, Presses de l'Université Laval, 2012.

SEILER, Daniel-Louis. *Les partis politiques*, Paris, Armand Colin, coll. « Cursus », 1993.

Les groupes d'intérêts

Les groupes d'intérêts et la représentation

Dans le chapitre précédent, nous avons distingué les partis politiques, qui «ont une finalité unique et déclarée : conquérir, exercer et conserver le pouvoir[1]», des groupes d'intérêts, qui sont des «groupements de citoyens […], des organisations qui expriment certains intérêts et exercent des pressions pour parvenir à leurs fins […]. Afin de promouvoir leurs intérêts, ces groupes dirigent leurs pressions vers le Parlement, le gouvernement et l'administration. Ils attendent de l'État des avantages de toutes natures[2].»

Toutes sortes de groupements structurés et organisés peuvent se constituer en groupes d'intérêts. Certains, tels les groupes écologistes, visent à défendre une cause unique auprès des gouvernements. Quelques-uns sont aussi très actifs sur le plan politique. Les syndicats, par exemple, ont pour fonction première de négocier avec les employeurs, mais la plupart s'occupent aussi de politique. D'autres enfin ne mènent une action politique qu'à l'occasion. Ainsi, une université se consacre d'abord et avant tout à l'enseignement et à la recherche, mais elle peut charger des lobbyistes de défendre ses intérêts auprès du gouvernement.

Nous avons vu, dans le chapitre 9, que les partis ont une fonction d'intégration sociale et de communication entre les citoyens et les pouvoirs publics. Dans ce cas, pourquoi des groupes d'intérêts se forment-ils ? «À la différence des partis politiques, les groupes de pression ne visent pas à s'emparer des postes de pouvoir[3]», mais plutôt à influencer ceux qui les occupent. Pourquoi les partis politiques ne suffiraient-ils pas à exercer un rôle de représentation des demandes de la société aux gouvernants ?

Les groupes d'intérêts constituent probablement l'un des meilleurs moyens de rendre compte de l'opinion publique. Ils sont une «courroie de transmission

1. Denquin, Jean-Marie (1989). *Science politique : droit politique et théorique,* Paris, PUF, p. 284.
2. Gow, J.I., M. Barrette, S. Dion et M. Fortmann (1992). *Introduction à l'administration publique : une approche politique,* Montréal, Gaëtan Morin, p. 264.
3. Monière, Denis, et Jean-H. Guay (1987). *Introduction aux théories politiques,* Montréal, Québec Amérique, p. 95.

entre la société et le système politique[4] ». Ils permettent d'exercer une influence réelle sur les autorités gouvernementales. L'opinion publique ne peut utiliser les partis politiques à cette fin, puisque ceux-ci visent à conquérir le pouvoir et « ont d'autant plus tendance à se cantonner dans le domaine des généralités qu'ils cherchent à plaire au plus grand nombre possible d'électeurs[5] ». Un parti politique est incapable d'exprimer « en même temps tous les besoins qui se manifestent dans une société[6] », car il a pour tâche essentielle de faire converger diverses tendances en une large coalition d'intérêts généraux. Un parti cherche à atténuer les différences, tandis qu'un groupe d'intérêts est libre d'énoncer les demandes de ses membres de manière claire et précise. Il incombe donc aux groupes d'intérêts de faire connaître les désirs parfois contradictoires de la population.

Les facteurs influant sur la représentation

En règle générale, les groupes d'intérêts défendent efficacement les intérêts de leurs membres auprès des autorités politiques. Trois facteurs peuvent cependant moduler cette fonction, en l'occurrence, leur degré d'organisation et leurs ressources politiques, leur statut et le caractère plus ou moins démocratique de leur organisation.

L'organisation et les ressources. Les groupes d'intérêts n'ont pas tous le même degré d'organisation ni les mêmes ressources politiques. Ainsi, les groupes les plus organisés peuvent occuper dans le système politique une place disproportionnée par rapport à leur effectif. Par exemple, dans presque tous les pays occidentaux, les groupes de gens d'affaires, comme le Conseil du patronat du Québec, ont une influence disproportionnée par rapport au nombre de leurs membres. Cette situation est due à plusieurs facteurs :

- Ils possèdent des ressources financières considérables qu'ils peuvent utiliser à des fins politiques (par exemple, dans d'autres pays que le Canada où cela est maintenant interdit par la loi, ils peuvent verser des contributions à des partis politiques).
- Ils bénéficient d'une expertise en matière de publicité et d'organisation.

Par ailleurs, les groupes dont les membres sont très actifs sur le plan politique ont également tendance à obtenir plus d'avantages que les autres. D'autres facteurs favorisent en outre le recrutement :

- La concentration géographique des membres potentiels (par opposition à la dispersion) ;
- L'existence d'enjeux économiques fondamentaux (des travailleurs, par exemple, se mobiliseront si le prix de la matière première qu'ils exploitent ou transforment menace leur emploi) ;

POUR ALLER PLUS LOIN

Le lobbyisme

Un lobbyiste (ou démarcheur) est une personne ou un groupe qui représente les intérêts d'un lobby (groupe de pression) qui cherche à influencer les législateurs dans un domaine déterminé. En 2002, le Québec a institué la *Loi sur la transparence et l'éthique en matière de lobbyisme*. Cette loi régit les activités de lobbyisme, crée une toute nouvelle fonction, celle de commissaire au lobbyisme, et oblige les lobbyistes à s'enregistrer. La loi du Québec diffère de celles du Canada et des autres provinces en ce qu'elle permet de rendre public l'objet des activités de lobbyisme exercées non seulement auprès des ministres, députés, membres du personnel du gouvernement du Québec et des autres organismes publics, mais aussi auprès des titulaires de charges publiques dans le domaine municipal.

---

4. *Ibid.*, p. 99.
5. Bernard, André (1986). *La politique au Canada et au Québec*, Sainte-Foy, Presses de l'Université du Québec, p. 251.
6. *Ibid.*, p. 251.

- La syndicalisation (le tableau **10.1** présente le taux de syndicalisation dans différents secteurs du Québec en 2010. Les employés de la fonction publique, syndiqués à 80,8 %, et les travailleurs de la construction, syndiqués à 57,3 %, ont un poids politique beaucoup plus grand que les employés du commerce de détail et ceux de l'hôtellerie et de la restauration, respectivement syndiqués à 18,8 et 11,5 %).

Il s'ensuit que certains groupes d'intérêts ont beaucoup de crédibilité, donc beaucoup de capacité d'influence, tandis que d'autres peinent à se faire entendre à cause de leur faible représentativité, perçue comme une absence de légitimité. Par conséquent, les divers intérêts ne sont pas également représentés.

Le statut particulier. Certains groupes d'intérêts jouissent d'un statut particulier qui leur donne un poids excessif dans le système politique. Les exemples suivants le montrent bien.

TABLEAU 10.1 | LA PART DE L'EMPLOI, LE TAUX DE PRÉSENCE SYNDICALE ET LA CONTRIBUTION DE CHAQUE SECTEUR D'ACTIVITÉ AU TAUX GLOBAL DE PRÉSENCE SYNDICALE AU QUÉBEC, 2001, 2009, 2010

Secteurs d'activité	Part de l'emploi (%)			Taux de présence syndicale (%)			Contribution en points de pourcentage		
	2001	2009	2010	2001	2009	2010	2001	2009	2010
Secteur primaire	**1,0**	**0,8**	**0,8**	**36,5**	**32,8**	**33,5**	**0,4**	**0,3**	**0,3**
Foresterie, pêche, mine et extraction de pétrole et de gaz	1,0	0,8	0,8	36,5	32,8	33,5	0,4	0,3	0,3
Secteur secondaire	**23,6**	**20,2**	**19,5**	**42,2**	**41,9**	**42,6**	**9,9**	**8,5**	**8,3**
Construction	3,3	4,7	5,2	54,3	57,8	57,3	1,8	2,7	3,0
Fabrication	20,3	15,5	14,4	40,2	37,0	37,4	8,2	5,7	5,4
Secteur tertiaire	**75,4**	**79,0**	**79,7**	**40,5**	**39,6**	**38,9**	**30,6**	**31,3**	**31,0**
Administrations publiques	7,3	6,9	7,1	77,8	78,4	80,8	5,7	5,4	5,8
Autres services	3,4	3,7	3,4	16,8	16,2	13,3	0,6	0,6	0,5
Commerce	16,0	17,2	17,0	19,9	19,6	18,8	3,2	3,4	3,2
Finance, assurances, immobilier et location	5,5	5,7	6,0	21,5	20,4	18,7	1,2	1,2	1,1
Hébergement et services de restauration	6,1	6,4	6,7	11,5	11,5	11,5	0,7	0,7	0,8
Information, culture et loisirs	4,4	4,4	4,4	33,1	31,0	32,1	1,5	1,4	1,4
Services aux entreprises, services relatifs aux bâtiments et autres services de soutien	2,8	3,2	3,2	28,5	29,4	26,1	0,8	1,0	0,8
Services d'enseignement	7,4	7,5	7,4	78,6	77,7	74,7	5,8	5,9	5,6
Services professionnels, scientifiques et techniques	4,9	5,6	6,0	8,3	8,9	6,9	0,4	0,5	0,4
Services publics	1,0	1,1	1,0	79,9	76,2	75,3	0,8	0,8	0,8
Soins de santé et assistance sociale	11,6	12,8	13,0	65,1	64,5	65,6	7,6	8,3	8,5
Transport et entreposage	5,0	4,4	4,2	49,2	51,0	50,5	2,4	2,3	2,1
Ensemble	**100,0**	**100,0**	**100,0**	**40,9**	**40,0**	**39,6**	**40,9**	**40,0**	**39,6**

Sources: Labrosse, Alexis (avril 2011). *La présence syndicale au Québec en 2010,* Ministère du Travail, p. 7; Statistique Canada (2011). *Revue chronologique de la population active 2010,* cat. n° 71F0004XVB.

- La prospérité de certaines entreprises est liée de si près à celle du pays qu'on accorde une attention particulière à des groupes de gens d'affaires.

- Dans les régimes politiques instables, les regroupements de grands propriétaires ont souvent une énorme influence politique du fait de leurs accointances avec des officiers supérieurs de l'armée, toujours prêts à intervenir en leur faveur.

- Dans presque tous les pays côtiers, l'industrie de la pêche a acquis une influence disproportionnée parce que ses membres sont concentrés dans des régions souvent stratégiques politiquement et qu'ils sont prêts à tout pour conserver leur source de revenus et leur mode de vie traditionnel.

Des membres de la Human Society of the United States observent la chasse aux phoques, annuellement au centre de plusieurs controverses et le point de mire de revendications de groupes d'intérêts.

Le caractère démocratique de l'organisation. Les dirigeants des groupes d'intérêts ne sont pas nécessairement à l'écoute des opinions de leurs membres. Ils parviennent généralement à consolider leurs appuis au sein de la structure administrative du groupe, ce qui leur permet de conserver leur poste. Même dans les organisations où les membres élisent le dirigeant (comme c'est le cas dans la plupart des syndicats), un cercle d'initiés occupe le haut du pavé et fixe les règles, de telle sorte que la même personne peut être élue année après année. Par ailleurs, de nombreux groupes d'intérêts ne prévoient même pas la tenue d'élections périodiques et désignent le chef de façon presque arbitraire.

Lorsque la structure des groupes d'intérêts n'est pas très démocratique, les dirigeants peuvent avoir les coudées franches et être tentés de satisfaire leurs propres ambitions politiques. Seul le principe de « responsabilité », c'est-à-dire l'obligation de rendre des comptes aux membres, peut alors les contraindre à agir dans l'intérêt général.

Les limites de la concurrence entre les groupes

On pourrait s'attendre à ce que la concurrence entre divers groupes d'intérêts encourage les dirigeants à agir dans l'intérêt du groupe. En effet, pourquoi les membres insatisfaits de l'orientation adoptée par leur dirigeant ne quitteraient-ils pas le groupe pour se joindre à une organisation rivale ? Par exemple, les organismes voués à la protection de l'environnement ne manquent pas, et si un membre du Sierra Club du Canada est en désaccord avec les prises de position de ses dirigeants, rien ne l'empêche de se tourner vers la Fondation Greenpeace.

En fait, les membres sont peu touchés par la concurrence que se livrent les groupes, en particulier ceux qui ont une vocation économique, car leur adhésion n'est pas nécessairement fonction des positions politiques du groupe. Ainsi, la plupart des travailleurs syndiqués s'attendent avant tout à ce que leur syndicat négocie efficacement et avantageusement avec l'employeur. Ils tiennent aussi aux avantages sociaux que le syndicat leur procure : assurances collectives, programmes de formation et de perfectionnement, congés de maladie, etc. Ils se préoccupent donc peu de l'activité politique du syndicat[7].

---

7. Olson, Mancur (1965). *The Logic of Collective Action,* Havard University Press, Cambridge. Voir la traduction française : Olson, Mancur (2011). *Logique de l'action collective,* trad. de l'anglais par Pierre Desmarez, Bruxelles, Éditions de l'Université de Bruxelles.

Les avantages sociaux que les dirigeants d'un groupe peuvent utiliser pour conserver leur effectif sont appelés «mesures d'incitation sélectives» (elles incitent les membres à demeurer dans le groupe et sont sélectives dans la mesure où elles sont destinées à certains membres du groupe). Si ces mesures sont suffisamment incitatives, elles permettent aux dirigeants d'agir librement en matière de politique. C'est ainsi que les chefs syndicaux ont pu prendre des positions très à gauche, particulièrement au Québec, et ne rencontrer aucune véritable opposition tant qu'ils signaient des ententes de travail avantageuses.

La représentativité des groupes d'intérêts

Les groupes d'intérêts ne sont pas nécessairement représentatifs des aspirations de la population dans son ensemble, car certaines catégories de personnes sont plus enclines que d'autres à se regrouper. Par ailleurs, même si les groupes sont en concurrence pour obtenir de nouveaux membres, leurs dirigeants ont souvent les coudées franches. Il peut donc exister un écart considérable entre les visées politiques des dirigeants de groupes d'intérêts et les aspirations de la population. Par conséquent, les demandes de ces groupes peuvent être très éloignées de celles du public en général. Par exemple, cédant aux instances de groupuscules religieux, El AL, la ligne aérienne nationale d'Israël, a interdit les vols le jour du sabbat (le samedi), même si cette décision entraîne des pertes financières et déplaît à la majorité des Israéliens.

Les catégories de groupes d'intérêts

Les groupes d'intérêts peuvent être classés de multiples façons. Une des typologies les plus souvent utilisées est celle qu'a élaborée le politologue américain Gabriel Almond. Elle a l'avantage d'indiquer les critères servant à établir les types d'organisations qui constituent des groupes d'intérêts[8].

Les groupes anomiques

Manifestation populaire contre le projet de contrôle thermique du Suroît en 2004. Des gestes de ce genre, qui ne sont pas accomplis par des groupes d'intérêts organisés, peuvent avoir un certain effet politique.

On qualifie d'«anomiques» les groupes d'intérêts qui n'ont ni chef désigné ni structure organisationnelle établie, qui ne sont formés que pour un temps et qui ne mènent pas à proprement parler d'action concertée. Il «s'agit de regroupements spontanés et éphémères, comme les groupes formés dans les émeutes, les manifestations[9]». On peut ranger dans cette catégorie les émeutes étudiantes de mai 68 à Paris et la manifestation de février 2008, à Montréal, de quelques milliers de personnes qui demandaient un moratoire sur la réforme scolaire au Québec. Dans ces deux événements, les manifestants constituaient des groupes d'intérêts anomiques. Bien que ces groupes soient dépourvus de structure, ils peuvent avoir un certain effet sur le plan politique.

---

8. Vous trouverez cette classification sous une forme plus détaillée dans Almond, Gabriel (1974). *Comparative Politics Today*, Boston, Little Brown, p. 73 à 88. Certains auteurs proposent d'autres typologies. Ainsi, Jean-Marie Denquin distingue les groupes qui défendent surtout des intérêts d'ordre économique, comme les syndicats de salariés et les organisations patronales, des groupes qui défendent plutôt des intérêts d'ordre moral, comme les organisations féministes. Voir son *Introduction à la science politique* (1992). Paris, Hachette, p. 127 à 135.

9. Monière, Denis, et Jean-H. Guay, *op. cit.*, p. 95.

Les groupes d'intérêts non associatifs

Si, comme nous l'avons dit, un groupe d'intérêts se définit comme un regroupement structuré de citoyens qui a notamment pour but d'amener l'État à pratiquer certaines politiques, alors un groupe non associatif ne constitue pas à proprement parler un groupe d'intérêts. En effet, un groupe d'intérêts non associatif « se caractérise par un faible degré d'organisation, mais par un grand degré de spécialisation[10] ». Il est constitué d'individus que la société considère comme représentant les intérêts d'un ensemble de personnes, même s'ils ne se sont donné aucun mandat de représentation.

Les groupes d'intérêts non associatifs sont plutôt rares dans les pays développés, car les causes y sont la plupart du temps défendues par des groupes organisés. Dans les pays en émergence, en revanche, le gouvernement sollicite souvent l'avis de certaines personnes sur des questions politiques. Il consultera par exemple les aînés d'un village au sujet d'un problème touchant leur région. Ces aînés ne se sont pas constitués en groupe d'intérêts pour représenter leur région, mais le gouvernement considère qu'ils en forment un. « D'ailleurs, ces groupes [non associatifs] se constituent sur la base de l'appartenance familiale, religieuse, régionale ou ethnique [...]. Ces groupements informels et non volontaires [ont une] activité épisodique et peu structurée[11]. »

Les groupes d'intérêts institutionnels

Les groupes institutionnels « sont des organisations statutaires qui sont [...] très organisées mais spécialisées quant à leurs fonctions [...]. Ils exercent différentes fonctions et se livrent parfois à la défense d'intérêts[12]. » Ces groupes continueraient d'exister même s'ils se retiraient de l'arène politique. Ils ne mènent une action politique que lorsqu'il leur apparaît nécessaire de défendre leurs propres intérêts auprès des décideurs politiques. Parmi les groupes d'intérêts institutionnels importants, citons l'armée, qui a pour but premier de défendre l'État, mais qui peut agir sur le plan politique pour servir les intérêts de ses membres. Un centre hospitalier peut lui aussi devenir un groupe d'intérêts institutionnel s'il engage des lobbyistes pour obtenir de l'aide financière du gouvernement.

Les groupes d'intérêts institutionnels sont présents dans tous les États. Ils ont une importance cruciale dans les régimes autoritaires qui, tels la Chine et Cuba, interdisent les groupes d'intérêts associatifs.

Les groupes d'intérêts associatifs

Les groupes d'intérêts associatifs font de l'activité politique une de leurs priorités, même s'ils peuvent poursuivre simultanément d'autres objectifs. Les syndicats, par exemple, exercent une action politique lorsqu'ils font pression sur le gouvernement. L'activité politique est l'un des buts premiers pour lesquels les groupes associatifs sont créés. Ils correspondent exactement à la définition du concept de groupe d'intérêts énoncée au début du chapitre; d'ailleurs, c'est à ce type de groupe que l'on pense spontanément lorsque l'on parle de groupe d'intérêts.

---

10. *Ibid.*, p. 95.
11. *Ibid.*, p. 95 et 96.
12. *Ibid.*, p. 96.

LE TAUX DE PRÉSENCE SYNDICALE, QUÉBEC, ONTARIO, RESTE DU CANADA
ET ÉTATS-UNIS, 2001 À 2010

FIGURE 10.1

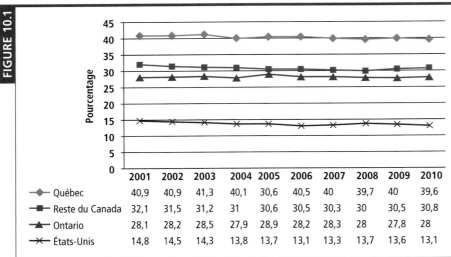

	2001	2002	2003	2004	2005	2006	2007	2008	2009	2010
Québec	40,9	40,9	41,3	40,1	30,6	40,5	40	39,7	40	39,6
Reste du Canada	32,1	31,5	31,2	31	30,6	30,5	30,3	30	30,5	30,8
Ontario	28,1	28,2	28,5	27,9	28,9	28,2	28,3	28	27,8	28
États-Unis	14,8	14,5	14,3	13,8	13,7	13,1	13,3	13,7	13,6	13,1

Source: Labrosse, Alexis (avril 2011). *La présence syndicale au Québec en 2010,* Ministère du Travail, p. 7.

L'influence des groupes d'intérêts associatifs varie, bien sûr, d'un pays à l'autre. Comme l'indique la figure **10.1**, le poids de la présence syndicale en 2010 au Québec (39,6 %), dans le reste du Canada (30,8 %) et en Ontario (28,0 %) est beaucoup plus élevé qu'aux États-Unis (13,1 %). Cela explique en partie pourquoi, au Canada, et particulièrement au Québec, les gouvernements sont très interventionnistes et très progressistes en ce qui concerne les mesures de protection sociale. Toutefois, il faut aussi noter que depuis 2001, le taux de présence syndicale a légèrement diminué dans chacune de ces entités politiques.

POUR ALLER PLUS LOIN

La logique de l'action collective

Mancur Olson a publié un des ouvrages théoriques les plus intéressants jamais écrits dans le domaine des sciences sociales: *Logique de l'action collective* (Bruxelles, Éditions de l'Université de Bruxelles, 2011). La thèse d'Olson peut s'appliquer aux groupes d'intérêts. Olson considère en effet que les groupes organisés font face au problème de l'intérêt général. Une chambre de commerce locale, par exemple, fait bénéficier tous les gens d'affaires de son action politique, qu'ils soient membres ou non de l'organisme.

Olson postule donc que les membres potentiels du groupe seront tentés de rester à l'écart. En effet, pourquoi dépenseraient-ils de l'argent pour se joindre au groupe puisque, d'une manière ou d'une autre, ils récoltent les bénéfices de son action? Or, ce qui est rationnel pour l'individu peut se révéler néfaste pour le groupe. Si tous les membres potentiels se montraient rationnels, il n'y aurait ni groupe d'intérêts, ni profit pour qui que ce soit.

Olson distingue quatre moyens de surmonter le problème de l'intérêt général et de faciliter la formation d'un groupe:
1. Former un petit groupe. Dans un petit groupe, la contribution de chaque membre compte; tous les membres potentiels sont ainsi en mesure de voir que leur inaction nuirait à l'intérêt général du groupe.

2. Mettre en œuvre des mesures d'incitation sélectives. On pourrait par exemple offrir exclusivement aux membres des programmes avantageux d'assurance vie et des forfaits voyages.

3. Contraindre les membres potentiels à l'adhésion. Dans le domaine des relations de travail, la clause d'atelier fermé constitue un moyen d'obliger les travailleurs à adhérer au syndicat, sans quoi ils ne pourront conserver leur emploi. Par ailleurs, dans les systèmes néocorporatistes (*voir page 179*), le gouvernement peut exiger la formation d'un groupe qui veillera à l'application des politiques gouvernementales.

4. Susciter l'adhésion d'un important membre potentiel. Un membre potentiel qui a plus de poids que les autres peut se rendre compte que sa participation favoriserait l'intérêt général du groupe. Ce membre adhère alors au groupe et le fait progresser, quitte à ce que son action profite aux non-membres de moindre importance. Le plus grand magasin d'une ville, par exemple, ne peut s'abstenir de se joindre à la chambre de commerce locale. Dans un autre ordre d'idées, les États-Unis sont le fer de lance de l'OTAN et font bénéficier leurs alliés moins puissants de leurs immenses ressources militaires.

Les groupes d'intérêts à caractère économique et non économique

Il importe de distinguer les groupes d'intérêts à caractère économique (aussi appelés « sectoriels », car ils défendent les intérêts d'un secteur de l'activité économique) des groupes d'intérêts à caractère non économique. Alors que les premiers défendent des intérêts économiques (tel est le cas d'une association de manufacturiers ou d'une chambre de commerce), les seconds défendent une idée ou une cause : l'avancement d'une minorité culturelle ou ethnique, la reconnaissance de l'égalité entre les sexes, la protection de l'environnement, le respect de valeurs religieuses, etc. Ces groupes sont évidemment très diversifiés.

Il semble que les groupes d'intérêts associatifs à caractère non économique aient beaucoup plus d'importance aux États-Unis qu'ailleurs dans le monde. Aux États-Unis, les partis politiques sont plus faibles et moins cohérents sur le plan de l'élaboration des politiques que dans les autres pays. Les élus n'ont pas à suivre la ligne de parti comme c'est le cas au Canada, ce qui donne une plus grande marge de manœuvre aux groupes pour tenter de les convaincre[13]. Par ailleurs, le bipartisme a pour effet d'écarter les idées marginales : « Les deux grands partis américains, en vertu même de leur recherche du plus grand dénominateur commun, ne peuvent arriver à représenter convenablement tous les groupes et toutes les factions[14]. » Chez nos voisins du Sud, les personnes qui veulent défendre une idée n'ont souvent pas d'autre choix que de former un groupe d'intérêts afin d'influencer les gouvernants.

Par ailleurs, comme l'économie est la base de toute société, les groupes d'intérêts à caractère économique trouvent facilement accès auprès du gouvernement. Par conséquent, leur présence et leur activité varient moins d'un État à l'autre que celles des groupes à caractère non économique. Les corporations professionnelles, les associations de consommateurs et les groupes d'affaires sont très présents et très actifs dans presque tous les pays, tandis que les groupes associatifs non économiques (par exemple, les groupes pacifistes) sont parfois inexistants dans certains États où la liberté d'association n'est pas toujours respectée par le pouvoir en place, même si elle est reconnue comme un droit fondamental par la *Déclaration universelle des droits de l'homme.*

Les nombreux recours de groupes d'intérêts à caractère non économique ont eu raison de groupes puissants à caractère économique, telle l'Association des producteurs de tabac. Ces pressions ont culminé avec, entre autres, l'interdiction de fumer dans les bars.

Les tactiques des groupes d'intérêts

Les tactiques d'un groupe d'intérêts sont fonction de ses ressources et de la liberté d'action permise par le système politique. Voici une présentation des différentes tactiques :

- Un groupe constitué d'un nombre élevé de membres, mais pauvre sur le plan pécuniaire, optera pour des tactiques qui font appel à des ressources humaines plutôt que financières. L'organisation d'une grande manifestation pour s'opposer à une décision du gouvernement ou pour amener un enjeu au programme politique est une tactique souvent employée. Par exemple, chaque année, de nombreux groupes de défense des droits des femmes se

---

13. Ainsi que nous le verrons dans le chapitre 12, les partis politiques américains sont davantage une somme d'« individus/candidats » aux idées diverses que des lieux de débats idéologiques, en raison entre autres d'un manque de discipline de parti.

14. Bourassa, Guy (1987). « Les groupes d'intérêt », dans Edmond Orban *et al.* (dir.), *Le système politique des États-Unis,* Montréal, Presses de l'Université de Montréal, p. 101.

réunissent pour la Marche mondiale des femmes contre la pauvreté et la violence faite aux femmes. Les médias sociaux (Facebook, Twitter, etc.) permettent d'organiser ces rassemblements de plus en plus facilement.

• Un groupe peu nombreux, mais financièrement puissant, se servira des fonds dont il dispose. Il pourra par exemple préparer des publicités pour la télévision ou acheter du temps d'antenne à la radio. Ainsi, en 2010, la Fédération des médecins omnipraticiens du Québec a lancé une campagne publicitaire sur YouTube et à la télévision pour encourager les Québécois à communiquer au gouvernement leur besoin d'un médecin de famille.

• Des groupes dont les ressources s'équivalent, mais qui font face à des structures et à des régimes politiques différents n'emploieront vraisemblablement pas les mêmes tactiques. Les syndicats, par exemple, ne sont pas assujettis aux mêmes règles partout. Dans la majorité des pays démocratiques, ils peuvent contribuer au financement des partis politiques. C'est le cas notamment au Royaume-Uni, en Inde et au Japon. Au contraire, certains pays comme les États-Unis et le Canada interdisent que les syndicats fassent des dons aux partis politiques.

Nous étudierons ci-après les différentes tactiques que les groupes d'intérêts utilisent dans une démocratie et pourquoi ils choisissent une ou plusieurs d'entre elles.

POUR ALLER PLUS LOIN

Lech Walesa (1943-): syndicaliste et homme d'État

Lech Walesa devient une figure emblématique de la résistance contre le régime communiste de Pologne lors des grèves des chantiers navals de Gdansk, au début des années 1980. En 1983, il reçoit le prix Nobel de la paix. À la tête du mouvement Solidarité, il contribue à ébranler les bases du communisme non seulement en Pologne, mais aussi dans l'ensemble des pays d'Europe de l'Est. À la suite de l'effondrement du régime communiste, il est élu président de la République polonaise en 1990, mais est défait aux élections suivantes, en 1995.

Le monopole de l'information et de l'expertise

Parfois, les membres d'un groupe d'intérêts possèdent des renseignements importants dont le gouvernement a besoin. « […] Les compétences techniques dont un groupe peut disposer constituent pour lui un autre élément de force, après les ressources financières […]. L'État, en intervenant dans presque tous les secteurs de l'activité humaine, n'arrive pas toujours à recruter des spécialistes de chaque secteur[15]. » Pour établir une politique qui concerne un groupe d'intérêts particulier, le gouvernement doit nécessairement s'adresser à ses membres pour obtenir l'information et l'expertise voulues : « Les associations peuvent alors prêter des experts ou fournir des éléments d'information requis[16]. » Le groupe tire un certain pouvoir d'une telle situation : il peut « chercher à obtenir [pour lui-même] des privilèges de représentation au sein des organismes consultatifs[17] » du gouvernement. Donc, si les membres d'un groupe d'intérêts sont les seules personnes à renseigner le gouvernement, les résultats de l'action qui aura été menée refléteront leur point de vue et leurs intérêts.

L'efficacité de cette tactique dépend de la rareté de l'information et de l'expertise. Certains groupes commanditeront une étude auprès de leurs membres afin de recueillir de l'information dont le gouvernement pourrait avoir besoin pour créer une nouvelle politique. Il peut s'agir de groupes provenant de tous les milieux : environnement, personnes âgées, consommateurs, etc.

15. Bernard, André, *op. cit.*, p. 274.
16. *Ibid.*, p. 274.
17. *Ibid.*, p. 274.

Au contraire, les syndicats, les groupes religieux et les clubs de loisirs ne peuvent l'employer, car en raison de leur notoriété, il est facile d'avoir accès à l'information et au genre de compétences qu'ils possèdent.

L'action politique : les campagnes électorales

La participation aux campagnes électorales est particulièrement appropriée pour un groupe dont les effectifs sont nombreux et les membres, très militants. Ce groupe peut collecter des fonds auprès de ses membres pour contribuer à la caisse électorale d'un parti[18] ou d'un candidat, prêter des bénévoles à un candidat et même lui promettre les votes de ses membres. Ainsi, le groupe d'intérêts crée un lien privilégié avec un éventuel élu, qui lui sera favorable et reconnaissant une fois qu'il sera en fonction. La tactique sera infructueuse si les membres du groupe refusent de suivre les « recommandations » électorales de leurs dirigeants. Des syndicats, de grandes organisations religieuses, des communautés culturelles et ethniques ainsi que des associations spécialisées ont utilisé cette tactique lorsque leurs dirigeants appuyaient publiquement un parti ou une politique. Ainsi, en 2012, à la suite du mouvement de protestation contre l'augmentation des frais de scolarité initiée par le gouvernement du Parti libéral du Québec (mouvement nommé « printemps érable »), la Fédération étudiante universitaire du Québec (FEUQ) et la Fédération étudiante collégiale du Québec (FECQ) ont lancé une campagne dans les médias sociaux pour encourager les jeunes à aller voter, mettant de l'avant l'idée qu'un gouvernement différent serait plus à l'écoute de leurs demandes. Le 4 septembre 2012, notamment grâce à l'augmentation de la participation des jeunes, le Parti québécois a pris la tête d'un gouvernement minoritaire.

Martine Desjardins de la FEUQ et Léo Bureau-Blouin de la FECQ durant le printemps érable. Photo : Jacques Nadeau – *Le Devoir*.

La menace économique

Un groupe d'intérêts qui a un rôle économique névralgique dans la société a de fortes chances d'obtenir gain de cause auprès du gouvernement s'il menace de mettre fin aux activités de l'entreprise. Les syndicats qui occupent une position stratégique, spécialement ceux des postiers et des cheminots, ont souvent réussi à faire fléchir le gouvernement en faisant planer la menace d'une grève à l'échelle nationale, grève qui aurait pu être catastrophique pour la société. De même, au niveau municipal, les menaces de perturbation ou de grève des cols bleus de la Ville de Montréal ont permis à ces derniers d'obtenir des salaires et des conditions de travail qui sont considérés comme les meilleurs au Canada.

Dans les cas extrêmes, les syndicats peuvent même déclencher une grève générale dans un pays pour obliger un gouvernement impopulaire à démissionner. C'est ce qui s'est produit en Allemagne dans les années 1920 et en France en 1968. De leur côté, les grandes entreprises et les multinationales obtiennent des avantages fiscaux en menaçant les gouvernements nationaux ou provinciaux, voire les administrations municipales, d'aller s'installer ailleurs.

---

18. Au Québec, depuis 1977, et au Canada, depuis 2004, les lois interdisent aux groupes d'intérêts et à toute personne morale de contribuer de quelque façon que ce soit au financement d'un parti politique.

Même les équipes de sport professionnel profèrent de telles menaces pour que les villes et les gouvernements leur accordent des subventions ou leur construisent un nouveau stade.

La tactique qui consiste à user de son pouvoir économique ne peut être utilisée avec succès que si l'enjeu est considérable. Le groupe doit donc être capable de perturber un vaste secteur de l'économie, comme ce fut le cas au Venezuela, en décembre 2002. Afin de forcer le président Hugo Chavez à démissionner, des groupes d'intérêts associatifs, et en particulier des associations patronales, ont paralysé l'industrie pétrolière, qui représentait à elle seule 82 % des exportations du Venezuela en 2000. Par la suite, les partisans ont mobilisé des milliers de personnes pour permettre le retour du président quelques jours plus tard. Cette tactique est ainsi réservée aux grandes entreprises et aux groupes formés de très nombreux membres qui ont peu d'importance économique individuellement, mais qui sont prêts à unir leurs efforts pour nuire à l'économie en déclenchant une grève ou un boycott. Il est toutefois difficile d'entreprendre une action collective de cette envergure, car elle suppose qu'un grand nombre de personnes consentent au sacrifice économique que représentent un arrêt de travail ou la privation du bien ou du service boycotté. Ce genre de tactique exige la mobilisation d'une masse critique d'individus, et ceux-ci doivent être également déterminés à l'appliquer afin d'obtenir les résultats souhaités.

La mobilisation de masse

Les groupes d'intérêts à caractère non économique et pouvant mobiliser un grand nombre d'individus sans grands moyens financiers peuvent lancer

des campagnes d'opposition à certaines politiques du gouvernement ou pousser celui-ci à mettre en place des politiques favorables à leurs intérêts. En organisant de grands rassemblements, ces groupes peuvent occuper un espace non négligeable dans les médias et ainsi sensibiliser la population à leur cause et l'amener à joindre le mouvement. Plus la mobilisation obtient d'attention, plus cela met de la pression sur le gouvernement. En 2006, le gouvernement Charest a décidé de vendre une partie du parc national du Mont-Orford, en Estrie, à un promoteur privé. Cette décision a donné naissance à la coalition SOS Parc Orford, composée de groupes environnementaux et de milliers de citoyens du Québec. Après quatre années d'actions, dont trois grands rassemblements populaires, un projet de loi décrétant la réintégration des hectares vendus a été adopté par l'Assemblée nationale.

Des citoyens manifestent contre la privatisation du parc national du Mont-Orford, à Montréal, en 2006. Photo: Robert Skinner - *La Presse*.

L'organisation de campagnes d'information publique

Un groupe qui, sans compter un grand nombre d'individus, a accès aux médias peut tenter d'influer sur les politiques en amenant l'opinion publique à s'opposer au gouvernement. Nous avons vu que les campagnes publicitaires, notamment, sont une tactique parfois utilisée par les groupes disposant de moyens financiers plus importants.

Les groupes moins fortunés utilisent quant à eux de plus en plus les médias sociaux, comme Facebook ou Twitter, pour communiquer avec leurs membres, préparer des rassemblements populaires, coordonner des manifestations. C'est une tactique particulièrement utile lorsque les membres sont dispersés à travers la province, le pays, ou même dans différents pays. Le mouvement *Occupy*, à l'automne 2011, a pu se répandre dans près de 100 villes à travers 82 pays grâce aux médias sociaux, qui ont relayé information, photos, vidéos et commentaires. De même, de courtes vidéos diffusées sur YouTube peuvent être vues très rapidement par un nombre exponentiel d'individus, qui le partagent avec leurs connaissances sur les réseaux sociaux. En 2010, un collectif d'artistes québécois a participé à une vidéo de trois minutes contre l'exploitation des gaz de schiste telle que proposée par le gouvernement Charest. En quelques mois, l'enregistrement avait été visionné près d'un demi-million de fois sur YouTube.

POUR ALLER PLUS LOIN

Occupy Wall Street

Le mouvement *Occupy*, avec son slogan « Nous sommes les 99 % » (en référence à la concentration de la richesse entre les mains de 1 % de la population), a débuté à New York en septembre 2011, avec l'occupation d'un parc public par des centaines de personnes qui y ont installé leur tente. Rapidement, le mouvement s'est étendu à plusieurs villes, sur tous les continents. Les causes de l'indignation variaient parfois d'un pays à l'autre, mais la colère des citoyens était la même partout, et nourrissait le mouvement qui s'est poursuivi durant plusieurs semaines.

Les perturbations, l'action violente et le sabotage

Un groupe d'intérêts peut menacer de recourir aux perturbations, à l'action violente ou au sabotage pour amener les dirigeants politiques à acquiescer à leurs demandes. Des actions perturbatrices mais non violentes peuvent permettre à un groupe d'intérêts de capter l'attention du public, surtout s'il a pour seule ressource le militantisme de ses membres, comme c'est le cas des policiers et des pompiers qui, en vertu de la loi, ne peuvent faire la grève.

Ces actions sont parfois illégales. Des groupes de défense des animaux peuvent ainsi pénétrer dans des laboratoires de recherche et s'emparer des animaux qui servent à des fins expérimentales. Quelques groupes de défense de l'environnement pratiquent l'écosabotage, c'est-à-dire la destruction de biens contre des entreprises qui pratiquent l'exploitation forestière ou la culture d'organismes génétiquement modifiés (OGM), par exemple.

La violence est un moyen de pression assez répandu. Elle peut surgir spontanément, dans les groupes anomiques, par exemple, ou faire l'objet d'une planification (groupes terroristes). Le terrorisme n'est pas un moyen efficace, car le public le désapprouve et il entraîne d'énergiques mesures de répression de la part des autorités. Les groupes qui ont la moindre chance d'atteindre leurs objectifs par d'autres moyens n'ont pas recours au terrorisme. Cependant, deux types de groupes sont susceptibles de choisir la voie du terrorisme :

- Un groupuscule, ou une faction, dont les membres sont extrêmement engagés et militants. Un groupe vraiment peu nombreux (c'est-à-dire composé de 50 à 100 personnes) a rarement la capacité de provoquer des changements politiques importants. Si les autres tactiques ne lui paraissent pas efficaces, il sera tenté d'user du terrorisme comme moyen d'action. Une poignée d'individus peut attirer l'attention du public en dévalisant des banques, en posant des bombes ou en commettant une série d'enlèvements ou d'assassinats. Ils ne peuvent être assurés que la publicité ainsi acquise leur permettra d'atteindre leurs objectifs politiques, mais s'ils sont des militants fanatiques, ils risqueront le tout pour le tout. Par exemple, le FLQ a utilisé cette tactique au cours des années 1960, culminant avec l'enlèvement d'un diplomate britannique et du ministre du Travail (Pierre Laporte). Celui-ci fut assassiné par des membres du groupe en octobre 1970.

- Un groupe séparatiste, dans le cas où une région désire se séparer du reste du pays ou, du moins, modifier son rapport juridique avec le gouvernement central. La violence peut amener les habitants de la région à sympathiser avec la cause séparatiste, car elle entraîne un durcissement des lois et une intensification de l'action policière. L'action violente a profité à de nombreux mouvements séparatistes, notamment à l'Armée républicaine irlandaise et à l'aile extrémiste du mouvement nationaliste basque (ETA), en Espagne.

Le recours aux tribunaux

Depuis quelques années, les groupes d'intérêts s'adressent régulièrement aux tribunaux lorsqu'ils ne peuvent exercer un droit qu'ils considèrent comme garanti soit par la Constitution (dans le cadre d'une démocratie), soit par la charte des droits (comme au Canada). C'est le cas des associations de consommateurs, des groupes écologistes, des groupes féministes, des associations antitabac ou des groupements constitués de membres des communautés culturelles et ethniques. Les procès intentés sont habituellement longs et lourds de conséquences pour l'ensemble de la société lorsqu'ils sont gagnés par les groupes d'intérêts. Pensons, par exemple, aux répercussions financières des jugements contre les fabricants de cigarettes aux États-Unis, ces dernières années, ou à la victoire juridique remportée par l'Alliance de la fonction publique du Canada (AFPC) contre Postes Canada, à l'automne 2011, au sujet de l'équité salariale. Toutefois, le recours aux tribunaux est parfois infructueux, comme l'a montré l'échec des opposants aux fusions municipales, au Québec, au début des années 2000.

Le degré de collaboration avec le gouvernement et l'administration

Nous avons vu que les gouvernants doivent souvent s'adresser à des groupes d'intérêts qui détiennent une information ou une expertise déterminées. Ils peuvent, par exemple, convoquer à l'occasion les représentants d'un groupe d'intérêts ou consulter l'une des publications de ce groupe pour y trouver un renseignement. Ils peuvent agir de manière systématique et, par exemple, intégrer des représentants d'un groupe d'intérêts à leurs comités consultatifs. Ce procédé « de collaboration avec l'État […] n'implique pas que des avantages pour les groupes. Ainsi, comme inconvénient, mentionnons une réduction possible de l'autonomie: en échange d'une garantie de ressources ou d'une représentativité reconnue, l'État demande aux groupes de limiter leurs exigences et de prendre en charge de nouvelles contraintes[19] ».

Ainsi, selon le degré d'organisation et le degré de collaboration avec le gouvernement, on distingue deux systèmes de groupes d'intérêts: le pluralisme et le néocorporatisme. Dans l'étude du fonctionnement des groupes d'intérêts dans une démocratie, il est essentiel de tenir compte de ces deux notions.

---

19. Gow, G.I., M. Barrette, S. Dion et M. Fortmann, op. cit., p. 270.

Le pluralisme

Le pluralisme est un système qui admet la formation et la libre concurrence des groupes d'intérêts. Le gouvernement est réceptif aux revendications des groupes d'intérêts, et la politique s'articule autour de la concurrence que ces derniers se livrent pour faire avancer leurs intérêts. Le pluralisme se caractérise par :

- un fort degré d'organisation ;
- un faible degré de collaboration entre les groupes d'intérêts et le gouvernement.

Le concept de pluralisme étant une abstraction, il n'existe pas d'État parfaitement pluraliste. Les États-Unis sont, de tous les pays, celui qui est le plus pluraliste (« en vertu de la proximité et de la suprématie des États-Unis, le Canada tend à se rapprocher du modèle américain pour l'établissement de sa politique économique, c'est-à-dire du pluralisme[20] »).

Selon les partisans du pluralisme, « la multiplicité des centres de pouvoir est essentielle à la démocratie, et l'organisation des groupes va dans ce sens[21] ». Les nouvelles idées et les divers courants d'opinion peuvent alors être exprimés. Le gouvernement, qui subit simultanément l'influence de plusieurs groupes concurrents, sera enclin à la négociation et au compromis. La politique devrait alors être marquée par le pragmatisme et la modération.

Les avantages du pluralisme. Le pluralisme favorise généralement l'harmonie sociale. En réagissant aux diverses pressions qui s'exercent simultanément sur lui, le gouvernement finit par arriver à établir un certain équilibre. Avec un minimum de distorsion, il parvient à appliquer les politiques globales prônées par les divers groupes politiques.

Les inconvénients du pluralisme. L'ensemble des groupes d'intérêts ne peut représenter convenablement la population dans un État réel (par opposition à un idéal abstrait), car les groupes ne sont pas tous également capables de s'organiser et de se livrer à la concurrence. « Les tenants de la théorie élitiste font valoir que ce n'est pas tellement la multiplicité des groupes qui importe, mais bien plutôt que la plupart d'entre eux n'ont guère de poids et qu'en fin de compte le pouvoir est entre les mains de quelques groupes[22]. » Si l'on admet cette objection, on est amené à conclure que le pluralisme est très discutable. En effet, les politiques issues de délibérations pluralistes profiteraient toujours aux groupes qui sont efficaces.

POUR ALLER PLUS LOIN

Le pluralisme

Le pluralisme est un courant de pensée libéral issu du monde anglo-saxon, et en particulier des États-Unis. Ainsi, comme le conseille Madison (quatrième président des États-Unis) : « Étendez la sphère du pluralisme à la République, elle comprendra une plus grande variété de partis politiques et de groupes d'intérêts, et vous aurez moins à craindre de voir une majorité avoir un motif commun pour violer les droits des autres citoyens. » Le pluralisme est donc explicitement considéré comme un instrument de défense de la liberté qui est propre à favoriser l'autogouvernement du peuple, à empêcher l'apparition d'un pouvoir unique qui se justifierait en affirmant qu'il répond à la volonté générale, et à détruire aussi à l'avance la prétention éventuelle d'un État à régenter la société de l'extérieur[23].

Le néocorporatisme

Le néocorporatisme est, comme le pluralisme, un autre modèle théorique. Dans ce système, tous les intérêts sont organisés, et le gouvernement agit conjointement avec les groupes concernés à tous les stades de l'élaboration et

---

20. Thorburn, Hugh G. (2001). « Les groupes d'intérêt et le système parlementaire canadien », dans Manon Tremblay, Réjean Pelletier et Marcel R. Pelletier (dir.), *Le parlementarisme canadien,* Sainte-Foy, Presses de l'Université Laval, p. 181.
21. Bourassa, Guy, *op. cit.*, p. 95.
22. Hermet, Guy, Bertrand Badie, Pierre Birnbaum et Philippe Braud (2001). *Dictionnaire de la science politique et des institutions politiques,* Paris, Armand Colin, coll. « Cursus », p. 95.
23. *Ibid.*, p. 240.

de la mise en œuvre d'une politique. «Dans ce cadre néocorporatiste, les dirigeants de groupes d'intérêts s'intègrent donc au processus de décision étatique, et à la mise en œuvre des politiques publiques en réussissant à l'orienter, et à bénéficier dès lors de rétributions spécifiques ainsi que d'avantages divers[24].» Le néocorporatisme se caractérise donc par:

- un fort degré d'organisation;
- un fort degré de collaboration directe entre les groupes d'intérêts et le gouvernement.

Non seulement le gouvernement amène les groupes d'intérêts à se joindre au processus décisionnel, au dire des néocorporatistes, mais certains secteurs de l'appareil gouvernemental agissent aussi comme s'ils étaient des groupes d'intérêts. Ceux-ci ne se contentent pas de réclamer des augmentations de budget ou des améliorations de leurs conditions de travail (comme ils le feraient s'ils étaient des groupes d'intérêts institutionnels), mais participent plutôt activement aux débats concernant certaines politiques. Une partie de l'administration peut ainsi se donner le mandat de représenter la population et formuler des demandes politiques. Ces fonctionnaires amorcent un mouvement, puis tentent de gagner la population à leur cause[25]. Le système néocorporatiste atténue l'écart entre le gouvernement et les groupes d'intérêts.

Les pays scandinaves, et en particulier la Suède, sont fortement marqués par le modèle néocorporatiste. Les faits ci-dessous le montrent bien:

- La Constitution suédoise oblige le gouvernement à expédier des copies des projets de loi à tous les groupes d'intérêts concernés et à solliciter leur avis tout au long du processus législatif.
- Tous les projets de loi importants sont étudiés et débattus par une commission spéciale formée de représentants de tous les groupes d'intérêts concernés.
- Le gouvernement confie souvent l'administration d'une loi au groupe d'intérêts concerné. Par exemple, les politiques relatives au prix des œufs sont administrées par un office de commercialisation constitué de coopératives d'aviculteurs, et non par un organisme gouvernemental.
- En règle générale, les politiques sont établies dans un esprit de coopération et de concertation.

Les avantages du néocorporatisme. Le premier avantage du néocorporatisme est son caractère coopératif. De fait, ce système ne saurait exister sans collaboration, et le simple fait de le mettre sur pied peut contribuer à faire naître un esprit de coopération.

Par ailleurs, la question de l'inégalité du degré d'organisation des groupes devient plutôt secondaire dans un système néocorporatiste, alors qu'elle est importante dans un système pluraliste puisque la multiplicité des groupes et l'efficacité inégale de ses membres favorisent les plus organisés. En fait, selon l'approche néocorporatiste, il arrive même que le gouvernement rédige les lois

---

24. Hermet, Guy, Bertrand Badie, Pierre Birnbaum et Philippe Braud, *op. cit.,* p. 202 et 203.
25. Le Marché commun européen, devenu depuis l'Union européenne, a été institué de cette manière en 1957. La campagne pour l'unification de l'Europe était dirigée non pas par des chefs de parti, mais par des fonctionnaires.

de telle manière que leur administration nécessite la création d'un groupe, puisqu'il forme et organise lui-même le groupe[26].

Les inconvénients du néocorporatisme. Le système néocorporatiste est fragile, car il repose sur la coopération et la bonne volonté générale. Il met en présence des personnes qui revendiquent chacune la part qui leur revient, de sorte que lorsqu'un groupe empiète sur les intérêts d'un autre groupe ou les menace, il met le système en danger.

Ce défaut du néocorporatisme en entraîne un autre. Puisque le néocorporatisme sanctionne un ensemble de groupes et de revendications (propres à chacun) et institutionnalise le processus de consultation de l'État, il tend à figer les conflits d'intérêts dans le temps: en reconnaissant de façon permanente un ensemble donné de groupes d'intérêts, le gouvernement empêche de nouveaux différends d'éclater, car les situations évoluent au fil du temps, et les vieilles querelles s'apaisent. Avec sa structure organisationnelle complexe formée de groupes d'intérêts établis et «autorisés», le système néocorporatiste ne s'adapte que difficilement au changement et aux nouveaux enjeux de la société. Une des plus sérieuses difficultés que la politique suédoise a eu à surmonter au cours des 30 dernières années a été de permettre l'examen public de nouvelles problématiques comme l'énergie nucléaire et la protection de l'environnement.

Climat – 1570 lobbyistes à l'assaut du fédéral

LOUIS-GILLES FRANCOEUR

TEXTE À L'ÉTUDE

Les positions du gouvernement Harper dans le dossier des changements climatiques reflètent les énormes pressions exercées sur lui depuis 1996 par rien de moins que 1570 lobbyistes professionnels différents, payés par les industriels et en particulier les pétrolières, qui craignent la mise en place d'un plan obligatoire de réduction de leurs émissions de gaz à effet de serre (GES).

C'est ce que révèle une étude du Consortium international du journalisme d'enquête (ICIJ), un organisme qui travaille de pair avec des journalistes enquêteurs de partout dans le monde et en collaboration avec le Center for Public Integrity des États-Unis. Au Québec, une partie de l'enquête a été effectuée par un journaliste du quotidien *The Gazette*, William Marsden, alors que les compilations des rendez-vous des lobbyistes auprès des ministres et des hauts fonctionnaires ont été méthodiquement analysées par M. B. Bell et Aaron Mehta.

Selon ce nouveau rapport du ICIJ, qui porte sur le Canada cette fois, la bataille des changements climatiques oppose des forces totalement inégales, avec, d'un côté, des groupes écologistes aux moyens modestes et, de l'autre, une armée invisible de lobbyistes payés à grands frais par l'industrie pétrolière et manufacturière et par plusieurs autres secteurs comme l'agriculture, les transports, les mines et le charbon, qui sont appuyés dans leurs efforts par les «sceptiques climatiques» et les «négationnistes».

En 1996, selon le registre du commissaire au lobbying d'Ottawa, seulement 13 entreprises avaient embauché des professionnels pour empêcher l'adoption de lois et de règlements en matière d'émissions de gaz à effet de serre, pour assouplir les règles existantes ou pour influencer l'évolution des politiques. En 2009, le nombre de clients fortunés des lobbyistes spécialisés dans des interventions sur le climat est passé à 109.

Des 1570 lobbyistes enregistrés dans les dossiers du climat et de l'énergie, il faut en soustraire en réalité une quarantaine qui travaillent pour le nouveau mais tout petit lobby industriel des énergies alternatives.

▶

---

26. Telle est probablement la principale différence entre le pluralisme et le néocorporatisme. Dans un système pluraliste, on suppose que l'appareil d'État ne fait que réagir au système de groupes d'intérêts (donc aux plus structurés et aux plus organisés), tandis que dans un système néocorporatiste, on considère que l'État possède une autonomie considérable. Dans une certaine mesure, il crée le système des groupes d'intérêts et détermine son fonctionnement.

Après avoir poussé pour atténuer les répercussions financières des politiques sur le climat, les lobbyistes se spécialisent désormais dans l'obtention de subventions gouvernementales pour leurs clients, souvent des multinationales milliardaires. Leur dernière priorité : le financement de la recherche pour stocker leurs émissions de GES dans le sous-sol du pays. Au dernier budget, elles ont obtenu un programme de près de 100 millions, et les écologistes ajoutent qu'Ottawa a détourné vers les pétrolières l'argent qu'il consacrait auparavant aux sources d'énergie renouvelables.

DES LIENS INCESTUEUX

Mark Rudolph est un vétéran dans le domaine. Il représente aujourd'hui Suncor Energy Ltd. Il a déclaré aux journalistes enquêteurs qu'en Alberta les pétrolières n'avaient pas besoin de lobbyistes, puisque le gouvernement était clairement de leur côté et qu'il adoptait encore presque entièrement le point de vue des négationnistes à propos des changements climatiques.

Rudolph a travaillé comme chef de cabinet du ministre fédéral de l'Environnement en 1983 et 1984. En plus de représenter Suncor, un des principaux exploitants des sables bitumineux de l'Alberta, il représente la Clean Air Renewable Energy Coalition, qu'il a fondée en 2000 et qui regroupe aussi Conoco Phillips Canada, Enbridge Inc, Shell Canada et des groupes écologistes comme les Amis de la Terre et le Fonds mondial pour la nature (WWF). Il espère ainsi mettre tout ce monde au même diapason.

Mais il a aussi les pieds bien installés dans le camp des pétrolières, car il représente l'Association canadienne des producteurs de pétrole (CAPP).

La CAPP emploie aussi Global Public Affairs, une entreprise d'Ottawa et ses huit lobbyistes. Cet organisme a aussi enregistré ses 42 employés comme lobbyistes fédéraux. De ses 50 lobbyistes actifs, la CAPP en compte 17 qui sont d'anciens employés du gouvernement, dont un a même été membre du cabinet de Stephen Harper quand celui-ci était dans l'opposition.

Six autres ont travaillé pour l'Office national de l'énergie (ONE), et trois autres, pour le ministère des Ressources naturelles (MRN) du Canada. D'août 2008 à octobre 2009, la CAPP a aussi recouru à 98 reprises aux services de David Collyer, un ancien directeur de l'ONE. Ce dernier a ainsi rencontré à deux reprises Michael Martin, le négociateur en chef du Canada dans le dossier du climat, deux ministres fédéraux (Environnement et Ressources naturelles), des députés et même des membres du Conseil privé.

Le négociateur canadien a aussi révélé dans cette enquête qu'il avait rencontré à trois reprises des membres de la direction de Shell, qui, eux, ont rencontré à sept reprises le ministre de l'Environnement, Jim Prentice. Selon le registre des lobbyistes, les représentants d'Exxon Mobil ont eu droit à 11 rencontres avec le ministre Prentice et à une avec le premier ministre. De plus, le lobbyiste Tim Kennedy, de Global Public Affairs, qui a travaillé pour le Reform Party de 2000 à 2002 et plus tard pour le Parti conservateur, a rencontré à sept reprises, du 25 mars au 7 octobre dernier, des conseillers du premier ministre au profit de la CAPP.

ACCÈS DIRECT

Les plus haut dirigeants des pétrolières ont aussi des accès directs aux plus hautes sphères fédérales.

Toujours selon le Consortium international du journalisme d'enquête, de juillet 2008 à août 2009, Richard George, le président de Suncor Energy, a enregistré 48 réunions entre son personnel et de hauts fonctionnaires fédéraux. Des membres de la direction de Suncor ont eu sept rencontres avec le ministre Prentice, une avec le premier ministre Harper et huit avec les titulaires successifs du MRN, Gary Lunn et Rita Raitt.

En comparaison, les groupes écologistes ont parfois eu accès au négociateur canadien – la fondation Suzuki a eu 11 rencontres avec Michael Martin dans des conférences tenues en dehors du Canada – mais une seule avec le premier ministre Harper... quand il était dans l'opposition, raconte Dale Marshall. Ce dernier a précisé que son groupe se colle généralement à des groupes d'affaires pour avoir accès au négociateur canadien.

En plus de son personnel déclaré lobbyiste, Suncor a utilisé 56 lobbyistes de l'extérieur depuis 1997, selon l'enquête journalistique. Les exploitants des sables bitumineux utilisent maintenant 12 membres de leur personnel comme lobbyistes enregistrés, qui ont déclaré 20 % de leurs heures de travail en interventions effectuées auprès des autorités fédérales. Des six lobbyistes issus de l'extérieur que cette société emploie depuis quelque temps, quatre étaient d'anciens hauts fonctionnaires spécialisés dans la conception de politiques fédérales.

L'un d'eux, Ken Boessenkool, du groupe GCI Groupe Canada de Toronto, a été étroitement associé au premier ministre Harper, pour qui il a notamment agi comme conseiller électoral et conseiller politique quand il était le chef de l'opposition. Le registre des lobbyistes indique qu'il a fait le tour des ministres et des hauts fonctionnaires affectés au dossier, y compris le personnel du bureau du premier ministre. ◄

Source : Francoeur, Louis-Gilles (5 décembre 2009). « Climat - 1570 lobbyistes à l'assaut du fédéral », *Le Devoir*.

CONCEPTS CLÉS

Groupe anomique **p. 170**

Groupe d'intérêts **p. 166**

Groupe d'intérêts institutionnel **p. 171**

Groupe d'intérêts non associatif **p. 171**

Néocorporatisme **p. 179**

Pluralisme **p. 179**

Tactique des groupes d'intérêts **p. 173**

EXERCICES

Questions d'approfondissement

1. Discutez de l'affirmation suivante : « Une démocratie sans groupes d'intérêts est impossible. »

2. À l'aide d'exemples concrets tirés de l'actualité récente (nationale ou internationale), illustrez la phrase suivante : « Les groupes anomiques peuvent avoir un impact politique. »

3. Que veut dire exactement Mancur Olson lorsqu'il affirme que les groupes d'intérêts sont aux prises avec le problème de l'intérêt général ?

4. Discutez de l'affirmation suivante : « Le pluralisme, comme modèle théorique, est préférable au néocorporatisme. »

Sujets de discussion

1. Discutez de l'affirmation ci-après en vous référant à la situation politique québécoise ou canadienne : « Certains groupes d'intérêts ont un poids excessif dans le système politique. »

2. Discutez de l'affirmation suivante : « Un groupe doit obligatoirement avoir une stratégie médiatique pour faire valoir ses intérêts. »

3. Discutez de l'affirmation suivante : « Aux États-Unis, les groupes d'intérêts exercent un pouvoir d'influence plus important qu'ailleurs dans le monde. »

WWW

http://mabibliotheque.cheneliere.ca

LECTURES SUGGÉRÉES

BÉLAND, Claude. « Extension et radicalisation de la démocratie participative », *Éthique publique*, vol. 7, n° 1, 2005, p. 64 à 71.

DENQUIN, Jean-Marie. *Introduction à la science politique*, Paris, Hachette, 1992.

DUPUIS-DÉRY, Francis (dir.). *Québec en mouvements*, Montréal, Lux Éditeur, 2008.

HUDON, Raymond. « Les groupes d'intérêt aux États-Unis », dans Edmond ORBAN et Michel FORTMANN (dir.), *Le système politique américain*, Montréal, Presses de l'Université de Montréal, 2001.

LAWSON, K. « Partis politiques et groupes d'intérêt », *Pouvoirs*, n° 79, novembre 1996.

SEIDLE, Leslie F. *Les groupes d'intérêt et les élections au Canada*, Ministère des Approvisionnements et Services Canada, vol. 2, collection d'études réalisées pour le compte de la Commission royale d'enquête sur la réforme électorale et le financement des partis, 1991.

CHAPITRE

11

Le régime parlementaire

Les caractéristiques du régime parlementaire

Le régime parlementaire est plus répandu et, sur le plan institutionnel, plus simple que le régime présidentiel (que nous étudierons au chapitre 12). Comme l'indique la figure **11.1**, la majorité des États européens ainsi qu'une bonne partie des pays africains et asiatiques ont un régime parlementaire. Le régime parlementaire relève généralement du modèle britannique (appelé aussi « modèle de Westminster »). Celui-ci, parce qu'il est le plus ancien, a influencé de nombreuses autres assemblées parlementaires à travers le monde. Ainsi, le Canada, l'Australie et la Nouvelle-Zélande possèdent tous trois un régime parlementaire de type britannique.

En tant que régime politique, le système parlementaire s'est largement répandu et a pris diverses formes. En 1889, au moment de la création de l'Union interparlementaire (UIP)[1], neuf pays étaient représentés ; on en comptait 162 en 2012.

LES RÉGIMES PARLEMENTAIRES ET PRÉSIDENTIELS

FIGURE 11.1

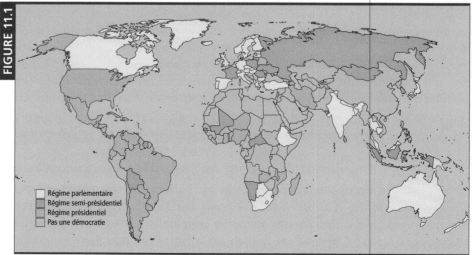

- Régime parlementaire
- Régime semi-présidentiel
- Régime présidentiel
- Pas une démocratie

Source : Gerring, John, Strom C. Thacker et Carola Moreno (6 octobre 2005). « Are Parliamentary Systems Better ? », tableau 1 (article non publié).

---

1. L'UIP regroupe les assemblées représentatives sur une base volontaire et universelle. Elle siège à Genève, en Suisse. Site Internet : www.Ipu2012uip.ca/fr (Page consultée le 29 janvier 2013).

Il faut aussi mentionner que les régimes présidentiels, comme celui des États-Unis, ont aussi un Parlement. Nous verrons, dans ce chapitre et le suivant, les caractéristiques propres à chaque régime parlementaire et présidentiel.

Le terme « Parlement » n'est pas universellement utilisé pour désigner une assemblée représentative élue au suffrage universel. En effet, on emploie le terme « Knesset » en Israël, « Diète » au Japon, « Cortes » en Espagne, « Bundestag » en Allemagne, « Assemblée nationale » au Québec et « Parlement » au Canada. La composition et le nombre de membres de ces assemblées parlementaires varient d'un pays à l'autre : par exemple, la Chambre des communes du Parlement britannique compte 659 membres et le Parlement de la Chine en dénombre 2 978 (*voir le tableau* 11.1). Bien qu'il puisse présenter certaines particularités, le régime parlementaire repose sur les principes fondamentaux suivants :

- Les citoyens élisent en général une centaine de représentants ou plus. L'assemblée de ces représentants forme le Parlement, le seul organe élu de l'État à posséder le pouvoir législatif.

- Le pouvoir exécutif (la gestion de la fonction publique, les relations avec les autres États, etc.) appartient au Cabinet, constitué d'un groupe de ministres relevant du Parlement et chargé de conduire les affaires de l'État. Tous les ministres, ou la grande majorité d'entre eux, sont des députés qui assument des fonctions exécutives en plus de leurs fonctions législatives.

- Le Cabinet exerce son pouvoir exécutif tant qu'il a la « confiance » du Parlement, c'est-à-dire tant qu'il recueille une majorité des voix. Il doit démissionner si la majorité des députés votent contre lui sur une question essentielle ou s'ils jugent impossible de faire adopter un projet de loi important. C'est ce qu'on appelle le « principe du gouvernement responsable » ou « de la responsabilité ministérielle » (*voir la rubrique « Pour aller plus loin », page suivante*).

- Le Cabinet est tributaire du Parlement, mais le chef du gouvernement (appelé « premier ministre », « chancelier », « président du conseil », etc.) a normalement le droit de dissoudre le Parlement, ce qui entraîne la tenue d'élections et une nouvelle répartition du pouvoir.

TABLEAU 11.1 │ LE NOMBRE DE SIÈGES ET LA DURÉE DU MANDAT DE CERTAINS PARLEMENTS

État	Parlement	Nombre de sièges	Durée du mandat
Canada	• Chambre des communes • Sénat	308 105	5 ans Jusqu'à l'âge de 75 ans
Chine	• Congrès populaire national	2 978	5 ans
France	• Assemblée nationale • Sénat	577 321	5 ans 9 ans
Indonésie	• Chambre des représentants du peuple	500	5 ans
Japon	• Chambre des représentants • Chambre des conseillers	480 252	4 ans 6 ans
Royaume-Uni	• Chambre des communes	659	5 ans
États-Unis	• Chambre des représentants • Sénat	435 100	2 ans 6 ans

Source : Adapté de Turner, Barry (dir.) (1999). *The Statesman's Yearbook 1998-1999,* New York, St. Martin's Press.

Le régime parlementaire versus le régime présidentiel

Dans un régime parlementaire, il n'y a pas de séparation nette entre le pouvoir exécutif et le pouvoir législatif. Les membres du pouvoir exécutif (Cabinet) sont membres du Parlement. En revanche, dans un régime présidentiel du type américain (*voir le chapitre 12*), les membres du Cabinet et le président ne peuvent être membres des assemblées représentatives. Autrement dit, le régime présidentiel est basé sur la séparation des pouvoirs ou encore sur la fragmentation des pouvoirs entre le pouvoir exécutif et le pouvoir législatif, alors que dans un régime parlementaire, il y a collaboration des pouvoirs, avec une prédominance du pouvoir exécutif. Le tableau **11.2** met en parallèle le régime présidentiel américain et le régime parlementaire canadien.

En principe, dans un régime parlementaire, la collaboration des pouvoirs simplifie et accélère le processus de prise de décisions politiques. Le Cabinet et le Parlement s'entendent sur les questions importantes (sinon le Cabinet serait défait), et aucune instance ne peut faire obstacle à leur volonté.

POUR ALLER PLUS LOIN

La confiance du Parlement

Dans un gouvernement responsable, les ministres faisant partie du Conseil des ministres ou du Cabinet doivent jouir de la confiance du Parlement pour pouvoir exercer le pouvoir. Si le Parlement lui retire sa confiance, le gouvernement est forcé de démissionner ou de déclencher des élections. Dans un régime parlementaire de type britannique, comme au Canada et au Québec, ce principe relève d'une convention constitutionnelle. La responsabilité ministérielle est le caractère distinctif du gouvernement responsable. Elle signifie que le gouvernement est responsable devant l'assemblée des représentants du peuple. Ces derniers doivent majoritairement lui accorder leur appui et leur confiance. Le gouvernement reste en fonction tant que cette confiance lui est acquise. Insistons sur le fait qu'un gouvernement n'est pas remis en question chaque fois qu'il perd un vote en Chambre. Par contre, si le gouvernement cesse d'avoir la confiance du Parlement, entre autres sur des questions d'importance (par exemple, un vote sur les crédits budgétaires, une mission militaire à l'étranger ou un projet de loi important), et qu'il est défait, alors il doit démissionner. Cette responsabilité a une contrepartie : le premier ministre peut en tout temps dissoudre l'Assemblée et procéder à de nouvelles élections. Soulignons toutefois qu'au cours des dernières années, la plupart des Parlements provinciaux (par exemple, ceux de la Colombie-Britannique et de l'Ontario) et le Parlement canadien ont fait adopter le principe des élections quadriennales à date fixe, privant le premier ministre de la prérogative dont il jouissait.

Les avantages du régime parlementaire

Par rapport au régime présidentiel, un régime parlementaire assure deux avantages : des actions politiques diligentes et une distribution limpide des responsabilités politiques.

La rapidité d'action. Puisque le gouvernement est prédominant, celui-ci peut réagir promptement aux événements. À la suite de la pénurie de pétrole des années 1970, par exemple, de nombreux régimes parlementaires comme le Canada se sont donné des politiques énergétiques nationales, tandis que les systèmes fragmentés comme celui des États-Unis n'y sont pas parvenus. Dans un régime parlementaire, il est relativement simple d'adopter une loi, car il suffit d'avoir la majorité des sièges au Parlement. Par contre, de nombreuses barrières ralentissent ou empêchent l'adoption d'une

TABLEAU 11.2 | LES POINTS DE COMPARAISON ENTRE LE PARLEMENT CANADIEN ET LE CONGRÈS AMÉRICAIN

	Parlement canadien	Congrès américain
Structure du Parlement	*Bicaméralisme* • Sénat : 105 membres nommés par le gouverneur général, sur recommandation du premier ministre • Délibérations non télédiffusées • Chambre des communes : 308 membres élus par scrutin populaire pour une période maximale de cinq ans, selon la Constitution • Délibérations télédiffusées depuis 1977 • Parité législative, sauf en matière financière	*Bicaméralisme* • Sénat : 100 membres élus par scrutin populaire pour une période de six ans • Délibérations télédiffusées depuis 1986 • Chambre des représentants : 435 membres élus par scrutin populaire pour une période de deux ans • Délibérations télédiffusées depuis 1979 • Pouvoirs non identiques
Chef de l'État	*Reine du Canada*	*Président*
Chef de l'exécutif	*Premier ministre* • Élu en tant que député • Mandat constitutionnel non fixe ne pouvant excéder cinq ans • Ministres issus de la Chambre des communes, parfois du Sénat • Responsabilité du Cabinet devant la Chambre des communes	*Président* • Élu par un collège électoral • Mandat fixe de quatre ans renouvelable une seule fois • Membres du Cabinet non issus du Congrès • Pas de responsabilité ministérielle, mais un pouvoir de destitution du président détenu par le Congrès et un *veto* présidentiel
Système de partis	*Multipartisme* • Parti libéral, Parti conservateur, Nouveau Parti démocratique et Bloc québécois • Partis disciplinés	*Bipartisme* • Parti démocrate et Parti républicain • Peu de discipline de parti
Régime électoral	*Mode de scrutin et élections* • Système majoritaire uninominal à un tour • Élections à date non fixe, déclenchées par le premier ministre, ou à date fixe	*Mode de scrutin et élections* • Système majoritaire uninominal à un tour • Élections à date fixe, selon la Constitution
Comités	*Comités parlementaires* • Peu de pouvoirs réels	*Commissions du Congrès* • Pouvoir de déterminer le programme législatif

Source : Adapté de Pelletier, Marcel R., et Manon Tremblay (dir.) (1996). *Le système parlementaire canadien,* Sainte-Foy, Presses de l'Université Laval, p. 245.

loi dans un régime présidentiel de type américain : le droit de *veto* du président, le peu de **discipline des partis** au Congrès, les difficiles compromis entre la Chambre des représentants et le Sénat, ainsi que la composition du Congrès, souvent formé en majorité de membres du parti opposé à celui du président.

La clarté dans la distribution des responsabilités. Les responsabilités dans un régime parlementaire sont clairement distribuées. Les élections ont d'autant plus de sens que les électeurs savent exactement à qui reprocher une politique impopulaire : au parti ou aux partis au pouvoir. Les partis peuvent difficilement manquer à leurs promesses électorales, car une fois qu'ils sont au pouvoir, ils ont les coudées franches pour les réaliser. Dans un système présidentiel comme celui des États-Unis, il y a tellement d'organes indépendants du pouvoir que les citoyens ne peuvent en blâmer un en particulier. Le président peut imputer la faute au Congrès, tandis que celui-ci la rejette sur la Cour suprême ou encore sur le président. Lors de la campagne présidentielle de 2008, le candidat démocrate, Barack Obama, avait promis la mise en place d'un

Discipline de parti
Position commune qui est imposée aux députés d'un même parti et qui touche les politiques et la façon de voter. Elle consiste à maintenir la cohésion du groupe parlementaire et à ce que les députés fassent preuve d'assiduité.

régime d'assurance maladie universel. En 2009, lors des débats sur son projet de loi, qui ont duré près d'un an, le Sénat, bien qu'il soit à majorité démocrate, a édulcoré son projet de loi en enlevant l'option d'une assurance maladie publique et universelle, qui était pourtant un des éléments fondamentaux de son projet. Ce genre de situation se produit rarement dans un régime parlementaire.

Les inconvénients du régime parlementaire

Le régime parlementaire comporte deux inconvénients : peu de recours vis-à-vis des décisions et une instabilité gouvernementale lorsque le gouvernement est minoritaire.

La faiblesse des recours. Le régime parlementaire offre peu de recours à une minorité qui s'estime lésée. Dans un régime présidentiel, en revanche, une minorité qui a perdu sa cause à l'Assemblée législative peut toujours s'adresser au président pour qu'il impose son *veto* (ou vice versa) et obtenir ce qu'elle veut. Il s'ensuit que l'appui de la majorité à l'Assemblée ne suffit habituellement pas pour faire adopter une loi.

On peut voir, dans cette caractéristique du régime parlementaire, un avantage aussi bien qu'un inconvénient. Il s'agit en fait de la contrepartie d'une de ses qualités, qui est la simplicité du processus législatif. Dans un régime parlementaire, lorsque le gouvernement jouit d'une forte majorité, il est pratiquement impossible de l'empêcher de prendre des décisions incohérentes ou impopulaires.

L'instabilité gouvernementale en l'absence de gouvernement majoritaire. Le régime parlementaire peut favoriser l'instabilité gouvernementale. Si aucun parti ne recueille la majorité des sièges, alors deux partis ou plus doivent former une coalition et se partager les ministères. Par exemple, le Parti A nomme le premier ministre, le ministre des Finances, le ministre des Affaires étrangères et le ministre de l'Agriculture, tandis que le Parti B désigne le ministre de la Défense et le ministre de l'Industrie. Ces partis conviennent alors de toujours accepter les projets de loi proposés par le Cabinet.

Tout va pour le mieux si les partis s'entendent sur la plupart des questions. Leur alliance, cependant, est condamnée s'ils ont contracté un mariage de raison et s'opposent trop fréquemment. L'un des partis finira par se désister (le Parti socialiste parce qu'il n'obtient pas le programme de création d'emplois qu'il réclame, le Parti vert parce que les centrales nucléaires productrices d'électricité sont toujours tolérées, etc.). Le gouvernement sera alors défait, et il faudra former une nouvelle coalition ou déclencher des élections.

La situation est tolérable si les désaccords sont occasionnels. Après tout, le gouvernement doit changer tôt ou tard. Il peut cependant arriver que la répartition des sièges et les relations entre les partis soient telles que les coalitions se succèdent. Le gouvernement devient alors à ce point instable et impuissant que la population finit par lui retirer sa confiance. Tel est le problème qu'a connu l'Allemagne de 1918 à 1933, année où Hitler a renversé une démocratie déjà chancelante. De son côté, le Canada a eu 18 gouvernements dont la durée moyenne a été limitée à 30 mois. La plupart des gouvernements canadiens ont ainsi été majoritaires. Le problème de l'instabilité gouvernementale dans les pays occidentaux est bien documenté[2]. En 45 ans, l'Italie a vu défiler

2. Lane, Jan-Erick, David McKay et Kenneth Newton (1991). *Political Data Handbook : OECD Countries*, Oxford, Oxford University Press, p. 116.

43 gouvernements différents, la France, 44 (tout particulièrement de 1945 à 1958, avant l'instauration du régime semi-présidentiel), et la Finlande, 38. La durée moyenne d'un gouvernement a été, durant cette période, de 12,3 mois en Italie, de 11,9 mois en France et de 13,6 mois en Finlande. Le cas de l'Italie est l'un des plus extrêmes : sur une période de 66 ans, de 1945 à 2011, les Italiens ont connu 61 gouvernements différents.

Pour sa part, le Canada n'a pas connu de gouvernement de coalition depuis 1945. Par contre, comme l'indique le tableau 11.3, le Canada a connu, depuis 1945, 9 gouvernements minoritaires, dont la durée moyenne a été de 18 mois. Il n'est pas dans la tradition canadienne de former des gouvernements de coalition. Le gouvernement minoritaire survit grâce à une sorte d'entente officieuse entre le parti au pouvoir et un parti d'opposition sur des projets de loi répondant aux priorités de celui-ci, ou encore à une entente tacite, conjoncturelle, conclue entre les partis d'opposition pour faire comme si le gouvernement était majoritaire, notamment lorsque la conjoncture électorale favorise le gouvernement, comme cela a été le cas pour le gouvernement minoritaire de Stephen Harper. Toutefois, comme nous l'avons indiqué au chapitre 8, l'instabilité gouvernementale varie grandement selon le type de système électoral. Le système proportionnel engendre plus d'instabilité que le système majoritaire.

L'autorité du Cabinet

Pour qu'un régime parlementaire se maintienne, le Cabinet doit avoir la confiance du Parlement (principe du gouvernement responsable). Si les députés pouvaient défaire le gouvernement au gré de leurs humeurs, l'instabilité serait telle que personne n'y trouverait son compte. Dans le cas d'un gouvernement de coalition, chaque parti désigne un nombre de ministres correspondant au nombre de votes qu'il peut garantir au gouvernement. Si le

TABLEAU 11.3 | L'HISTORIQUE DES GOUVERNEMENTS MINORITAIRES AU CANADA

	Premier ministre	Minorité lors de l'entrée en fonction	Longévité du gouvernement	Durée des travaux parlementaires
2008-2011	Stephen J. Harper	10	31 mois	29 mois
2006-2008	Stephen J. Harper	30	35 mois	32 mois
2004-2006	Paul Martin	38	14 mois	—
1979-1980	Joe Clark	10	9 mois	3 mois
1972-1974	Pierre Elliott Trudeau	46	20 mois	16 mois
1965-1968	Lester B. Pearson	3	31 mois	27 mois
1963-1965	Lester B. Pearson	7	31 mois	28 mois
1962-1963	John Diefenbaker	33	9 mois	4 mois
1957-1958	John Diefenbaker	41	9 mois	4 mois
1926	Arthur Meighen	13	3 mois	3 jours
1925-1926	William L. Mackenzie King	47	9 mois	7 mois
1921-1925	William L. Mackenzie King	3	48 mois	42 mois

Sources : Pelletier, Réjean, et Manon Tremblay (dir.). (2005). *Le parlementarisme canadien,* Presses de l'Université Laval, p. 292.
Les données de 2006 à 2011 proviennent d'Élections Canada, [En ligne], www.électionscanada.ca (Page consultée le 10 avril 2013).

Cabinet était incapable de compter sur les votes de l'un des partis, les autres se sentiraient trahis, et la coalition se romprait. Parfois, un certain nombre de partis d'un régime démocratique ont une influence et un poids politiques tels qu'ils peuvent amener une situation que certains politologues appellent « partitocratie ». C'est là une des causes qui expliquent l'instabilité gouvernementale chronique que connaît l'Italie.

Dans de nombreux régimes parlementaires stables comme celui du Canada[3], le Cabinet a la prédominance sur le Parlement. Habituellement, le Cabinet présente les projets de loi, et le Parlement les étudie, ce qui permet aux partis de l'opposition d'exprimer leurs points de vue. Les projets de loi ont cependant toutes les chances d'être adoptés, moyennant quelques amendements. Le Parlement, en réalité, ne fait que sanctionner les initiatives du Cabinet, et les membres du Cabinet, les ministres, sont tenus à la **solidarité ministérielle**.

Solidarité ministérielle
Principe en vertu duquel les ministres s'engagent publiquement à appuyer les décisions du Conseil des ministres ou du Cabinet, ou à démissionner.

Il peut paraître paradoxal que le Parlement soit dominé par un organe qu'il a constitué et qu'il peut renverser. Dans les régimes parlementaires où le gouvernement est formé d'une coalition de partis, la situation est logique puisque les ministres sont les chefs de file de leur parti. En adroits politiciens, ils s'efforcent d'avoir la haute main sur le Parlement afin de conserver leurs prérogatives.

Nous avons vu, au chapitre 9, que les partis politiques unissent un certain nombre de personnes et donnent à quelques-unes d'entre elles les moyens de contrôler les autres. Cette caractéristique des partis permet au Cabinet d'imposer sa volonté au Parlement. Les ministres participent aux débats parlementaires, ils votent et, par-dessus tout, ils occupent des positions importantes au sein de leur parti. Or, ce sont les dirigeants des partis qui décident du temps de parole accordé aux députés, qui forment les comités et qui désignent les ministres. Les députés qui ne coopèrent pas avec les dirigeants de leur parti peuvent voir leur avenir politique menacé. Ils se conforment donc à la discipline du parti et maintiennent le Parlement sous le contrôle du Cabinet.

Au Canada et dans les régimes parlementaires du type britannique, la concentration du pouvoir entre les mains du chef du parti et premier ministre est très forte. Selon le politologue québécois André Bernard[4], « le pouvoir qu'exerce le premier ministre sur son parti et son Cabinet s'apparente à une monocratie, c'est-à-dire un système politique dans lequel le pouvoir est exercé par une seule personne. En effet, au Canada comme au Québec, le premier ministre exerce de nombreux pouvoirs ; il contrôle le parti, nomme les ministres, les adjoints parlementaires et les hauts fonctionnaires de l'État, décide dans plusieurs cas de la date des élections, contrôle les comités parlementaires, etc. Il est le maître du pouvoir exécutif et peut imposer ses décisions au Cabinet. » Cependant, comme l'affirme Louis Massicotte, un politologue québécois, une telle manière de voir est quelque peu excessive, car le premier ministre ne peut se maintenir au pouvoir que s'il garde la confiance de ses collègues du Cabinet et du **caucus**[5]. Ainsi, le premier ministre

Caucus
Terme d'origine amérindienne signifiant « conseil » ou « assemblée ». Réunion de tous les députés d'une même formation politique durant les sessions de la Chambre ou de l'Assemblée. Au Parlement canadien, les sénateurs prennent part à ces réunions.

---

3. Pour une étude du régime parlementaire canadien, voir l'excellent ouvrage de Réjean Pelletier et Manon Tremblay (dir.) (2005). *Le parlementarisme canadien*, Sainte-Foy, Presses de l'Université Laval. Voir aussi l'étude d'André Bernard (2005). *Vie politique au Canada*, Sainte-Foy, Presses de l'Université du Québec, et l'ouvrage de Gérald-A. Beaudoin (2004). *La constitution au Canada*, Montréal, Wilson & Lafleur.
4. Bernard, André (1995). *Les institutions politiques au Québec et au Canada*, Montréal, Boréal, p. 65 et suiv.
5. Pelletier, Réjean, et Manon Tremblay (dir.), *op. cit.*, p. 330.

Jean Chrétien a dû annoncer son départ à l'automne 2002 à la suite des pressions exercées sur lui par les membres de son propre parti et de son caucus (*voir à ce propos le texte à l'étude, page 194*).

Le rôle du Parlement

En matière législative, le rôle d'un Parlement se limite le plus souvent à sanctionner les projets de loi présentés par le Cabinet. On estime que dans l'ensemble des Parlements, 90 à 95 % des lois votées émanent du gouvernement : 98 % aux Pays-Bas, 90 % en Grande-Bretagne et en Norvège, etc.[6]. Ainsi, lors de la session parlementaire de 2006-2007 tenue par le Parlement britannique, 97 % des projets de loi soumis par le Cabinet ont été approuvés par la Chambre des communes.

En théorie, tous les législateurs ont le pouvoir de proposer des projets de loi, mais ils ont peu de chances de les faire adopter. Dans les faits, le pouvoir exécutif ou le Cabinet prédominent sur l'instance législative. Selon de nombreux observateurs, cette situation serait à l'origine de la crise que subit le parlementarisme et du déclin du Parlement. Manifestement, le Parlement joue un rôle de second plan en matière législative. Il est convenu que l'élaboration des lois et l'initiative à cet égard relèvent du Cabinet.

Le Parlement ne serait-il alors qu'un appendice inutile du gouvernement ? Même si les coûts de fonctionnement des Parlements sont, toutes proportions gardées, relativement élevés, comme l'indique le tableau **11.4** portant sur les coûts de certains Parlements au Canada, un Parlement remplit un certain nombre de fonctions importantes.

La fonction de débats

Le Parlement constitue un forum où les projets de loi sont publiquement débattus. Les partis de l'opposition ont la possibilité d'exprimer leur position avant l'adoption d'un projet de loi, de déclencher un débat, d'alerter l'opinion publique

TABLEAU 11.4 | LES COÛTS DE CERTAINS PARLEMENTS AU CANADA*

Parlement	Budget (1999-2000)	Population	Coût au prorata de la population
Chambre des communes	254 778 520 $	30 243 200	8,44 $
Sénat	50 389 300 $	30 243 200	1,66 $
Nouvelle-Écosse	8 447 800 $	902 670	9,36 $
Nouveau-Brunswick	11 599 800 $	747 500	15,52 $
Québec	85 688 000 $	7 877 400	10,87 $
Ontario	143 335 800 $	10 280 700	14,01 $
Saskatchewan	15 455 000 $	993 890	15,50 $
Alberta	22 254 982 $	2 970 890	7,65 $

* Les coûts incluent l'entretien des édifices, le personnel technique et de recherche, les pensions, indemnités et allocations des députés, etc.

Source : Guy, James John (2001). *People, Politics and Government : A Canadian Perspective,* Toronto, Prentice-Hall, p. 207.

---

6. Colliard, Jean-Claude (1978). *Les régimes parlementaires contemporains,* Paris, Presses de la Fondation nationale des sciences politiques, p. 244 et suiv.

et, à la limite, de la mobiliser contre le projet de loi. L'opposition peut employer une tactique d'obstruction systématique (*filibuster*), qui consiste à allonger le plus longtemps possible le temps des débats. Ainsi les procédures de la Chambre des communes au Canada concernant en particulier les comités parlementaires permettent aux députés de s'exprimer aussi longtemps qu'ils le veulent et de soumettre les amendements qu'ils désirent.

La fonction d'étude

Le Parlement (c'est-à-dire les membres des partis gouvernementaux et de l'opposition) étudie avec soin les projets de loi et, le cas échéant, appelle ensuite l'attention du Cabinet sur leurs lacunes. Bien que les députés puissent rarement modifier la ligne de conduite du gouvernement ou retarder un projet de loi, ils peuvent influencer la législation par le moyen des comités parlementaires, des débats en chambre, des réunions du caucus (assemblée des députés d'un même parti) et des contacts personnels avec des ministres[7].

La fonction de surveillance

Le Parlement est l'un des rares éléments de l'appareil gouvernemental qui a intérêt à examiner d'un œil critique l'application des politiques publiques. Cela constitue sa fonction de surveillance. Bien entendu, les partis de l'opposition s'acquittent de cette tâche avec soin, mais la tradition veut aussi que le Cabinet rende compte de ses actes au Parlement à intervalles réguliers. Il peut recourir à différents moyens pour ce faire. Au Canada, par exemple, le gouverneur général prononce un discours devant les deux Chambres à l'ouverture des sessions ; il fait alors le bilan de la situation et présente le programme législatif du gouvernement pour la session. Suit un débat sur le discours du Trône (appelé « discours inaugural » au Québec). Le Parlement tient en outre des périodes de questions pendant lesquelles les députés interrogent les ministres à propos de leur gestion. Leurs réponses suscitent fréquemment des débats animés.

Le Parlement s'acquitte moins bien de cette fonction de surveillance du pouvoir exécutif dans un régime parlementaire que dans un régime présidentiel.

Vue extérieure de l'Assemblée nationale à Québec. L'Assemblée nationale est le Parlement de la nation québécoise.

Le manque de moyens des comités ou des commissions parlementaires en est la principale raison. Constitués de législateurs ou de députés, les comités ou les commissions parlementaires examinent des sujets déterminés et étudient en détail les projets de loi. Dans un régime parlementaire, si le gouvernement est majoritaire, l'exécutif (Cabinet ou Conseil des ministres) exerce une surveillance sur ces comités ou ces commissions. Ces derniers sont donc faibles, de sorte que la fonction de surveillance échoit principalement à des députés qui ne sont généralement pas de taille à affronter les experts des équipes ministérielles.

Par contre, dans un régime présidentiel comme celui des États-Unis, les comités ont le pouvoir de tenir des audiences et de citer des témoins à comparaître.

7. Voir à ce propos Trent, John (1996). « Les fonctions du Parlement : la théorie en pratique », dans Marcel R. Pelletier et Manon Tremblay (dir.), *Le système parlementaire canadien*, Sainte-Foy, Presses de l'Université Laval, p. 251-272.

Ils sont habilités à mener des enquêtes approfondies. Nous avons vu que le Parlement doit se contenter de persuader le Cabinet de modifier les lois et qu'il est incapable de surveiller efficacement le pouvoir exécutif, mais qu'il peut en revanche déclencher des débats publics sur les projets de loi. Somme toute, ses attributions sont plus limitées que celles de la législature dans le régime présidentiel. Faut-il alors en conclure que le Parlement est une entité accessoire ? La description de sa quatrième fonction nous permettra de répondre à cette question.

La fonction d'apprentissage

La fonction d'apprentissage constitue la quatrième fonction remplie par le Parlement. Elle consiste à préparer les députés à exercer le rôle de ministre et à fournir un champ d'action au pouvoir exécutif.

Dans un régime parlementaire, les ministres sont choisis en fonction de nombreux critères : provenance régionale, sexe, compétence, etc. Toutefois, l'un des critères essentiels demeure l'expérience politique et parlementaire et les années de service en Chambre. La Chambre, comme n'importe quelle organisation, impose des règles de conduite à ses membres ; elle influe subtilement sur leur comportement. Les députés participent aux débats en Chambre, aux comités parlementaires et aux autres activités du Parlement. Ils rencontrent régulièrement leurs collègues ministres et se familiarisent à leur contact avec les exigences du pouvoir.

Le Parlement a donc pour tâche de préparer de futurs ministres, de les former, de les sélectionner et de leur donner l'occasion de faire leurs preuves.

Les Parlements dans les régimes non démocratiques

De nombreux États qui ne sont pas démocratiques possèdent tout de même un Parlement. Certains systèmes autoritaires se dotent d'un Parlement comme d'autres tiennent des élections (*voir le chapitre 8*). Un Parlement, somme toute, n'est rien d'autre qu'un groupe de personnes qui doivent en théorie représenter les citoyens. Il peut aussi remplir d'autres fonctions. C'est le cas notamment du Parlement chinois, l'Assemblée nationale populaire (ANP).

L'Assemblée nationale populaire du peuple chinois doit adopter tous les projets de loi du gouvernement. L'ANP n'est pas une assemblée élue. Ses membres sont désignés par les municipalités et les provinces dont les membres ne sont pas élus eux non plus. À tous les niveaux, le choix des membres est contrôlé par le seul parti reconnu et légal, le Parti communiste. De plus, le parti s'assure que le moins de personnes non conformistes soient désignées.

L'ANP n'a pas pour objectif de contrôler le processus législatif et la politique en Chine. Il est évident que compte tenu de ces 300 membres et du fait qu'il se réunit une fois l'an durant deux semaines, le Congrès n'a ni le temps ni les moyens de contrôler le programme politique. Près de 70 % de ses membres sont des fonctionnaires du gouvernement et n'ont pas intérêt à créer des remous en posant trop de questions. Les réunions de l'Assemblée consistent essentiellement à écouter les discours, à voter pour des projets du gouvernement, qui sont toujours adoptés, et à entériner les nominations.

Plénière de l'Assemblée nationale populaire de Chine siégeant dans le Palais du peuple à Beijing, Chine.

Cette institution est-elle simplement décorative? Le Congrès ne fait pas les lois, mais il poursuit d'autres objectifs. Plusieurs de ses membres, particulièrement ceux qui ne sont pas des fonctionnaires du gouvernement, proposent des projets de loi; ces derniers ne seront sans doute pas adoptés, mais ils permettent d'ouvrir des débats. Cela permettra aux autorités du parti de percevoir les préoccupations de la population. Un millier de ces propositions sont soumises chaque année[8].

Le Congrès, comme le parti lui-même, est un outil utile pour prendre conscience des préoccupations de la population. Dans un système politique qui ne reconnaît ni la liberté de presse, ni la présence d'organisations rivales, le gouvernement doit avoir une rétroaction au sujet des sentiments et des besoins de la population. Le Congrès permet ainsi de maintenir un certain contact avec la population. Depuis 1998, le gouvernement publie un certain nombre de ses projets de loi avant de les soumettre au Congrès, ceci afin de permettre à l'opinion publique chinoise de commenter certains d'entre eux. Habituellement, ces commentaires sont ignorés, mais il arrive que des rectifications soient apportés[9].

Une seconde fonction du Congrès est de projeter l'image d'une nation unifiée. Les 3 000 délégués, venus de toutes les régions de Chine, symbolisent la volonté populaire de l'État chinois.

La démission forcée d'un premier ministre: les précédents

LOUIS MASSICOTTE

TEXTE À L'ÉTUDE

L'histoire est utile, entre autres, parce qu'elle nous aide à prendre la mesure d'un événement contemporain. À la lumière de l'histoire politique canadienne, la décision annoncée par le premier ministre Chrétien le 21 août 2002 constitue un événement tout à fait exceptionnel, quoique plus fréquent dans les autres démocraties pratiquant le régime parlementaire à la Westminster. En plus, elle pose un précédent tout à fait inédit dont il reste à voir s'il fera école, celui d'un chef de gouvernement en sursis pour 18 mois, un intervalle que Jean Chrétien trouvera sans doute court et que Paul Martin risque de trouver fort long.

On savait depuis longtemps que les chefs de partis d'opposition étaient vulnérables, comme s'en souviennent John Turner, Joe Clark, Stockwell Day, Michel Gauthier, Claude Ryan et Pierre Marc Johnson. Mais beaucoup croyaient qu'une fois arrivé au pouvoir, un chef de parti qui détenait de tels pouvoirs était immunisé contre les mutineries.

En plus d'apaiser – provisoirement? – une controverse dont les effets délétères sur la gestion des affaires publiques étaient reconnus de tous, la décision de Jean Chrétien ébranle la sagesse conventionnelle des dernières années, qui présentait le premier ministre comme un monarque tout-puissant et pratiquement indélogeable exerçant, sous les apparences du gouvernement de cabinet, un pouvoir intégralement personnel. C'était l'impression qui se dégageait de la lecture des ouvrages de Donald Savoie et de Jeffrey Simpson sur le sujet. Le second écrivait en 2001 qu'un coup comme celui qui avait emporté Margaret Thatcher en 1990 constituait «a risk unknown to a Canadian Prime Minister» (*The Friendly Dictatorship*, p. 6). Les événements des derniers mois mettent en lumière les limites de cette vision et nous rappellent que la position du premier ministre, en effet très forte, demeure plus fragile qu'on ne le croit.

▶

8. «In China's Congress, A New Sense of Responsiveness» (8 mars 2005). *New York Times*, p. A8.
9. Batson, Andrew, et Jason Dean (17 octobre 2007). «Communists Move to Adapt their Rule to a Richer China», *Wall Street Journal*, p. A1.

ON N'EST PAS AUX ÉTATS-UNIS

Dissipons d'emblée un mythe véhiculé à plaisir ces derniers mois: un premier ministre n'a pas de droit absolu à «compléter son mandat» du simple fait qu'il a remporté les élections générales. Pour commencer, il n'y a pas de «mandat de premier ministre» au Canada comme il y a un «mandat présidentiel» aux États-Unis. Un président américain obtient du peuple – ou plutôt, comme l'élection de 2000 nous l'a opportunément rappelé, du collège électoral –, un mandat personnel dont la durée est fixe et qui n'est renouvelable qu'une seule fois. À lui seul, il détient le pouvoir exécutif et ses ministres, opportunément appelés «secrétaires», dépendent entièrement de lui. Leur avis, même unanime, ne saurait en aucun cas l'emporter sur sa conviction propre.

Nul n'a mieux résumé la relation entre le président et son cabinet que le président Lincoln: confronté un jour à la totalité des membres de son cabinet, il conclut la discussion en des termes demeurés célèbres: «Sept non, un oui – les oui l'emportent!» Abstraction faite d'un décès ou d'une démission volontaire, seule la procédure d'*impeachment* peut mettre fin à un mandat présidentiel, et ce, pour des raisons d'ordre pénal.

Notre régime repose sur des principes totalement différents. Malgré l'impression fausse que génère l'attention disproportionnée accordée aux chefs de parti dans la couverture des campagnes électorales, une élection canadienne est juridiquement une élection de députés dans toutes les circonscriptions électorales du pays. Les députés appartiennent à des partis politiques, et le chef du parti qui recueille une majorité de sièges aux communes devient premier ministre.

À partir de ce moment, cependant, son maintien en fonction dépend de l'appui constant de la Chambre et de son parti. Si son parti se brise en cours de législature ou lui retire sa confiance, il n'a plus qu'à quitter son poste. [...]

QUELQUES CAS ÉTRANGERS

Ces réalités sont bien comprises dans les autres démocraties qui pratiquent le régime parlementaire à la Westminster. Lorsqu'un premier ministre perd la confiance de son parti, il n'a plus qu'à tirer sa révérence. Sans abonder, les précédents ne sont pas rarissimes.

Le cas le mieux connu est sans doute celui de Margaret Thatcher. Dopée par trois victoires électorales consécutives, la Dame de fer avait annoncé qu'elle continuerait son travail «*on and on*». Devenue impopulaire à cause de la controversée Poll Tax, elle fut renversée par son caucus en 1990, après avoir exercé sa fonction pendant plus

longtemps qu'aucun de ses prédécesseurs depuis Lord Liverpool, démissionnaire en... 1827! Un tel renversement n'était pas sans précédent: Asquith avait été acculé à la démission en 1916, tout comme son successeur Lloyd George en 1922. Et Neville Chamberlain avait dû s'effacer devant Churchill en 1940, après que nombre de ses partisans lui eurent fait défaut lors d'un vote de censure et que les travaillistes eurent refusé de servir sous ses ordres. [...]

En fait, si le Canada détonne à cet égard, c'est par la rareté de semblables épisodes dans son histoire parlementaire, fédérale et provinciale. Aucun, jusqu'ici, ne s'est implanté dans la mémoire collective comme un précédent à invoquer.

Pour trouver une mutinerie à peu près réussie au niveau fédéral contre un premier ministre en fonction, il faut remonter jusqu'à l'époque de la reine Victoria. Malgré son appartenance bien connue à l'Ordre d'Orange, Sir Mackenzie Bowell avait décidé, en 1896, de proposer au Parlement l'adoption d'une loi remédiatrice rétablissant les droits de la minorité catholique manitobaine, abolis par le gouvernement provincial: le 4 janvier, la moitié de ses ministres remirent leur démission pour protester contre cette décision. Bowell eut beau fulminer contre cette «bande de traîtres», il ne réussit à réintégrer les dissidents et à conserver son poste qu'en promettant secrètement de le céder à Sir Charles Tupper, juste avant les élections prévues pour le mois de juin, le temps pour le Parlement d'adopter le projet de loi controversé qui, comme on le sait, fut victime de l'obstruction des libéraux de Laurier.

Au Québec, l'exemple unique est celui du premier ministre Simon-Napoléon Parent en 1905. Parent est en compétition serrée avec son prédécesseur, le vieux notaire Marchand, à titre de plus faible premier ministre du Québec. À cette époque, la discipline partisane s'était relâchée considérablement et le premier ministre perdait fréquemment des votes à l'Assemblée. Sous Parent, près de 70 % des projets de loi d'intérêt public adoptés par l'Assemblée émanaient de simples députés. Bien qu'une situation semblable corresponde aux espoirs de plusieurs réformateurs parlementaires d'aujourd'hui, il semble qu'elle fut plutôt interprétée alors comme un manque de leadership du premier ministre. Le 3 février 1905, trois de ses sept ministres démissionnèrent avec fracas, le caucus se scinda en deux et Parent démissionna le 21 mars. Ironiquement, l'énorme succès de Parent aux élections de novembre 1904 n'empêcha pas son éviction. [...]

Parmi les coups d'État manqués, il faut noter le putsch contre John Diefenbaker en 1963. L'erratique personnage

TEXTE À L'ÉTUDE

avait perdu sa majorité parlementaire aux élections de 1962 et accumulait depuis des erreurs de jugement découlant souvent de son anti-américanisme foncier. En février 1963, une motion de censure renversa son gouvernement et Diefenbaker comptait déclencher des élections. Plusieurs ministres influents voulaient le remplacer par Donald Fleming avant la tenue des élections. L'ordre du jour de la journée suivant le vote de censure prévoyait une séance du cabinet à 9 heures, suivie d'une réunion du caucus conservateur à 11 heures.

Ayant eu vent de ce qui se tramait au sein du cabinet, et sachant que ses appuis demeuraient majoritaires au caucus, Diefenbaker intervertit la séquence des deux réunions : les mutins furent confondus au sein du caucus et acculés à une reddition humiliante. Suite à quoi le parti fit bloc derrière son chef, le chef des factieux osant même déclarer aux journalistes : « Best caucus we ever had ! »

Pourquoi si peu de premiers ministres ont-ils été victimes de mutineries au Canada ? Comme l'a souligné Ken Carty, nos chefs de parti doivent leur fonction non au vote des membres du caucus, mais à celui des délégués d'une convention ou encore au suffrage direct des militants. Ce n'était pas le cas en Grande-Bretagne avant la démocratisation des procédures de choix du chef conservateur, et ce n'est toujours pas le cas en Australie et en Nouvelle-Zélande, où le caucus peut défaire celui qu'il a choisi antérieurement. On voit bien maintenant que la grogne des militants peut avoir raison d'un premier ministre.

En général, les mutineries sont néfastes pour les partis qui les connaissent, parce que les cicatrices qu'elles laissent risquent de durer longtemps. [...]

LA DURÉE DU SURSIS

Ce qui vient de se produire au Canada est donc un événement très rare à l'échelle canadienne, mais il n'a rien d'insolite en régime parlementaire. En revanche, le dénouement provisoire de la crise qui secoue le Parti libéral est tout à fait inédit sur un point : confronté à la perspective d'une défaite certaine lors du vote sur son leadership en février prochain, Jean Chrétien a pris tout le monde par surprise en annonçant sa retraite politique... pour février 2004 ! C'est du jamais vu en politique canadienne.

Normalement, le congrès au leadership survient environ quatre mois après l'annonce par le premier ministre de sa retraite, et le nouveau chef devient premier ministre dans les deux semaines qui suivent son élection. Mackenzie King était resté en fonction trois mois après le choix de St-Laurent comme chef du parti, mais il l'avait fait à la demande même de son successeur. [...]

Les réactions préliminaires des partisans de Paul Martin [à la démission de Jean Chrétien] suggèrent qu'ils acceptent cette solution. Il reste cependant beaucoup de points à clarifier. Quand, par exemple, aura lieu le congrès à la direction du parti ? Autre point obscur : la promesse de retraite sera-t-elle affectée par le déclenchement d'élections générales entre-temps ?

Les réactions préliminaires de la population suggèrent que cet intervalle de 18 mois est jugé trop long. Lorsque la date du départ d'un chef est connue, son autorité au sein du cabinet et de la machine gouvernementale risque de s'étioler. C'est ce que suggère la situation des présidents américains en fin de mandat. [...] ◄

Source : Massicotte, Louis (26 août 2002). « La démission forcée d'un premier ministre : les précédents », *Le Devoir*.

Le régime parlementaire canadien

EUGÈNE A. FORSEY

TEXTE À L'ÉTUDE

SES ORIGINES

La Nouvelle-Écosse (qui, jusqu'en 1784, englobait l'actuel Nouveau-Brunswick) a été la première région du Canada à se doter, en 1758, d'une assemblée représentative élue au scrutin populaire. L'Île-du-Prince-Édouard devait suivre en 1773, puis successivement le Nouveau-Brunswick en 1784 (à sa création), le Haut-Canada et le Bas-Canada (qui devaient devenir respectivement l'Ontario et le Québec) en 1791, et Terre-Neuve en 1832.

En janvier 1848, la Nouvelle-Écosse a également été la première région du Canada à obtenir un gouvernement responsable, c'est-à-dire qui doit répondre à l'assemblée et qui est révocable par la majorité de celle-ci. Devaient suivre le Nouveau-Brunswick en février, la province du Canada (née de la fusion, en 1840, du Haut-Canada et du Bas-Canada) en mars, et l'Île-du-Prince-Édouard et Terre-Neuve, en 1851 et 1855 respectivement.

►

En 1867, lorsque est née la Confédération, ce système était en place depuis près de 20 ans dans la majeure partie de ce qui est maintenant le Centre et l'Est du Canada. Les Pères de la Confédération ont simplement maintenu le système qu'ils connaissaient, système qui fonctionnait déjà et qui avait fait ses preuves.

Pour l'ensemble du pays, il y avait un Parlement, avec un gouverneur général représentant la reine ; une Chambre haute, le Sénat, dont les membres étaient nommés ; et une Chambre basse élective, la Chambre des communes. Dans chaque province, il y avait un lieutenant-gouverneur représentant la reine et, sauf en Ontario, une Chambre haute dont les membres étaient nommés, appelée *conseil législatif*, et une Chambre basse, l'assemblée législative, dont les membres étaient élus. À sa création par le Parlement du Canada en 1870, la province du Manitoba fut dotée d'une Chambre haute. La Colombie-Britannique, qui s'est jointe au Canada en 1871, ainsi que la Saskatchewan et l'Alberta, en 1905, n'ont jamais eu de Chambre haute. Il en est de même pour Terre-Neuve, qui a adhéré au Canada en 1949. Aujourd'hui, le Manitoba, l'Île-du-Prince-Édouard, le Nouveau-Brunswick, la Nouvelle-Écosse et le Québec ont tous aboli leur Chambre haute.

SON FONCTIONNEMENT

Le gouverneur général et le lieutenant-gouverneur de chaque province exercent leurs pouvoirs par l'entremise d'un Cabinet, lequel est dirigé par un premier ministre. Si, par suite d'une élection nationale ou provinciale, un parti opposé à celui constituant le Cabinet en place obtient la majorité absolue (plus de la moitié des sièges) à la Chambre des communes ou à l'assemblée législative, le Cabinet donne sa démission. Le gouverneur général ou le lieutenant-gouverneur demande alors au chef du parti victorieux de devenir premier ministre et de former un nouveau Cabinet. Le premier ministre choisit les autres ministres, lesquels sont ensuite installés dans leurs fonctions par le gouverneur général ou, dans chaque province, par le lieutenant-gouverneur. Si aucun parti n'obtient la majorité absolue, le Cabinet qui était en place avant et durant les élections a deux possibilités : il peut démissionner, auquel cas le gouverneur général ou le lieutenant-gouverneur demandera au chef du parti d'opposition le plus important numériquement de former un Cabinet ; ou encore, il peut demeurer en place et essayer d'affronter l'assemblée nouvellement élue – cela doit toutefois se faire sans délai. De toute façon, c'est aux représentants du peuple composant l'assemblée nouvellement élue qu'il appartiendra de décider si le gouvernement « minoritaire » (dont le parti a obtenu moins de la moitié des sièges) sera maintenu ou révoqué.

Si un Cabinet est battu à la Chambre des communes par suite d'une motion de censure ou de défiance, il doit soit démissionner, auquel cas le gouverneur général demandera au chef de l'opposition de former un nouveau Cabinet, soit demander la dissolution du Parlement, c'est-à-dire la tenue d'élections.

Le gouverneur général pourrait, dans des circonstances très exceptionnelles, refuser la tenue d'élections. Ainsi, si un appel aux urnes ne donnait à aucun parti une majorité absolue et si le premier ministre demandait la tenue de nouvelles élections sans même permettre au nouveau Parlement de se réunir, le gouverneur général devrait refuser. En effet, dans tout régime parlementaire digne de ce nom, la Chambre des communes nouvellement élue doit au moins avoir la possibilité de se réunir et de déterminer si elle est en mesure de s'occuper des affaires de l'État. De même, si un Cabinet minoritaire était battu sur une motion de défiance très tôt dans la première session d'une nouvelle législature, et s'il existait une possibilité raisonnable qu'un autre parti puisse former un gouvernement et obtenir l'appui de la Chambre des communes, le gouverneur général pourrait refuser la tenue de nouvelles élections. La même chose vaut pour les lieutenants-gouverneurs à l'échelon provincial.

Au Canada, aucune charge élective au-dessus de celle de maire n'est assortie d'une durée fixe. Les députés fédéraux et provinciaux sont normalement élus pour une période maximale de cinq ans, mais il peut arriver – la chose s'est déjà produite – qu'un Parlement ou une assemblée législative soit en place pendant moins d'un an. Le premier ministre peut demander la tenue d'élections n'importe quand, bien que, comme nous l'avons souligné, il se puisse que son vœu ne soit pas exaucé. Le Cabinet non plus n'a pas de mandat à durée précise : il est en place entre le moment où le premier ministre est assermenté et celui où il donne sa démission ou décède. Ainsi, Sir John A. Macdonald a été premier ministre de 1878 jusqu'à sa mort en 1891, après avoir traversé avec succès des élections en 1882, 1887 et 1891. Sir Wilfrid Laurier a occupé la même charge de 1896 à 1911 (il a démissionné à la suite d'une défaite électorale), après avoir remporté la victoire en 1900, 1904 et 1908. La même chose s'est produite dans plusieurs provinces. Aux États-Unis, le président ou le gouverneur d'un État doit, s'il est réélu, être assermenté de nouveau. Cette règle ne s'applique pas aux premiers ministres canadiens.

TEXTE À L'ÉTUDE

Lorsque le premier ministre donne sa démission ou décède, le Cabinet est dissous. Si le parti d'allégeance du premier ministre détient toujours la majorité aux Communes ou à l'assemblée législative, le gouverneur général ou le lieutenant-gouverneur doit alors nommer sans délai un successeur. Un premier ministre démissionnaire ne peut conseiller le gouverneur général ou le lieutenant-gouverneur quant au choix de son successeur à moins d'y être invité et, même alors, son avis n'est pas contraignant. Si le premier ministre démissionne parce qu'il a été défait, le représentant de la reine doit demander au chef de l'opposition de former un gouvernement. Si le premier ministre décède ou démissionne pour des raisons personnelles, le gouverneur général ou le lieutenant-gouverneur consulte les membres éminents du parti majoritaire pour savoir qui pourrait vraisemblablement former un gouvernement qui puisse commander une majorité à l'assemblée. Il fait appel à la personne dont il juge les chances les meilleures. Bien entendu, ce nouveau premier ministre ne demeurera en fonction que jusqu'à ce que son parti choisisse un nouveau chef lors d'un congrès national ou provincial. Ce chef sera ensuite appelé à former un gouvernement.

Le Cabinet regroupe un certain nombre de ministres. De nos jours, ce nombre varie entre 20 et 40 à l'échelon national et de 10 à plus de 30 à l'échelon provincial. La plupart des ministres sont chargés de « portefeuilles », c'est-à-dire qu'ils sont responsables de ministères (Finances, Affaires étrangères, Environnement, Santé, etc.) et qu'ils doivent en répondre à la Chambre des communes ou à l'assemblée législative. Il peut également y avoir des ministres d'État qui normalement aident les ministres du Cabinet en assumant certaines responsabilités ou la charge d'un élément particulier d'un ministère. À l'occasion, il y a eu des ministres sans portefeuille et des ministres d'État responsables de la gestion d'organismes axés sur les politiques, appelés ministères d'État. Au cours des années 90, les membres du Conseil privé chargés d'assister certains ministres répondaient au titre de secrétaires d'État, à ne pas confondre avec les ministres autrefois chargés d'importants ministères et qu'on désignait comme secrétaire d'État du Canada et secrétaire d'État aux Affaires extérieures.

Collectivement, les ministres sont responsables devant la Chambre des communes ou l'assemblée législative des politiques et activités de l'ensemble du Cabinet. Si un ministre n'est pas d'accord avec une politique ou une initiative du gouvernement, il doit soit l'accepter quand même et, au besoin, la défendre, soit démissionner. C'est ce que l'on appelle la « responsabilité collective du Cabinet », l'un des principes fondamentaux de notre système de gouvernement.

C'est le Cabinet qui est à l'origine de la plupart des lois. Il est le seul à pouvoir élaborer et déposer des projets de loi en prévision de dépenses publiques ou d'impôt. Ces projets de loi doivent toujours être déposés d'abord à la Chambre des communes, et la Chambre ne peut ni présenter un tel projet ni augmenter le montant de l'impôt ou de la dépense envisagée sans une recommandation royale, sous la forme d'un message du gouverneur général. Le Sénat ne peut augmenter ni un impôt ni une dépense. Cependant, tout membre de l'une des Chambres peut présenter (ou soumettre) une motion visant à diminuer un impôt ou une dépense, et cette Chambre peut l'adopter, encore que cela n'arrive que très rarement. ◄

Source : Forsey, Eugène A. (2012). *Les Canadiens et leur système de gouvernement,* 8e éd., Ottawa, Service d'information de la Bibliothèque du Parlement, [En ligne], www.parl.gc.ca/About/Parliament/SenatorEugeneForsey/book/chapter_1-f.html (Page consultée le 6 mars 2013).

CONCEPTS CLÉS

Cabinet **p. 185**

Caucus **p. 190**

Coalition **p. 188**

Comité et commission parlementaire **p. 192**

Conseil des ministres **p. 186**

Discipline de parti **p. 187**

Discours du Trône **p. 192**

Discours inaugural **p. 192**

Gouvernement minoritaire **p. 189**

Gouvernement responsable **p. 186**

Partitocratie **p. 190**

Solidarité ministérielle **p. 190**

Questions d'approfondissement

1. Commentez l'affirmation suivante : « La discipline de parti est indispensable dans un régime parlementaire. »

2. Commentez l'affirmation suivante : « Dans un régime parlementaire, quand le gouvernement jouit d'une forte majorité, rien ne peut bloquer ses décisions. »

3. Un premier ministre peut dissoudre le Parlement dans une démocratie. Vrai ou faux ? Pourquoi ?

4. En vous référant au texte à l'étude du politologue Louis Massicotte, à la page 194, dites s'il est possible d'affirmer qu'un premier ministre est un monarque « indélogeable ».

Sujets de discussion

1. Discutez de l'affirmation suivante : « Les députés, dans un régime parlementaire, ne sont que des figurants. »

2. Discutez de l'affirmation suivante : « En régime parlementaire, un gouvernement de coalition n'a que des inconvénients. »

3. En vous référant au tableau 11.1, à la page 185, discutez de la durée variable des mandats de certains Parlements.

WWW

http://mabibliotheque.cheneliere.ca

LECTURES SUGGÉRÉES

BEAUDOIN, Gérald-A. *La constitution au Canada*, Montréal, Wilson & Lafleur, 2004.

BERNARD, André. *Vie politique au Canada*, Sainte-Foy, Presses de l'Université du Québec, 2005.

DUVERGER, Maurice. *Institutions politiques et droit constitutionnel*, tome 1, Paris, PUF, 1990.

GOLDENBERG, Eddie. *Comment ça marche à Ottawa*, Fides, 2007.

GOSSELIN, Guy, et Marcel FILION. *Régimes politiques et sociétés dans le monde*, Québec, Presses de l'Université Laval, 2007.

GUY, James John. *People, Politics and Government: A Canadian Perspective*, Toronto, Prentice-Hall, 2001.

LAUNDY, Philip. *Les parlements dans le monde contemporain*, Lausanne, Éditions Payot, 1989.

LERUEZ, Jacques. *Le système politique britannique*, Paris, Armand Colin, coll. « Cursus », 1994.

PELLETIER, Réjean, et Manon TREMBLAY (dir.). *Le parlementarisme canadien*, Sainte-Foy, Presses de l'Université Laval, 2005.

TREMBLAY, Martine. *Derrière les portes closes, René Lévesque et l'exercice du pouvoir (1976-1985)*, Montréal, Québec Amérique, 2006.

12

Le régime présidentiel

Les caractéristiques du régime présidentiel

Le régime présidentiel a été inventé par les Américains, qui l'ont enchâssé dans la Constitution de 1787. Comme l'indique la figure **11.1**, à la page 184, on trouve des variantes de ce régime en Amérique latine, en Afrique, au Moyen-Orient et en Europe. Dans certains de ces pays, les partis sont plus unis et la coordination est plus grande qu'aux États-Unis. Au Mexique, la Constitution confère une très grande indépendance au président, de sorte que le processus d'élaboration des politiques est simplifié. En règle générale, cependant, les pouvoirs exécutif et législatif sont beaucoup moins solidaires dans un régime présidentiel que dans un régime parlementaire.

Le régime présidentiel est une forme de gouvernement démocratique où les pouvoirs législatif et exécutif sont distincts, autonomes et élus séparément. Bien qu'ils soient indépendants l'un de l'autre, ces pouvoirs sont tous deux responsables de l'élaboration des politiques, ce qui les place fréquemment en position de concurrence, voire de conflit. Ils ne sont pas obligés de coopérer ensemble, contrairement à ce qui se passe dans un régime parlementaire, où ils doivent tous deux élaborer et adopter des projets de loi.

Une dynamique de parti peu rigide

Le régime présidentiel américain n'oblige pas le président et les membres élus de son parti au Congrès à maintenir une forte unité partisane, comme c'est le cas entre un premier ministre et ses députés dans un régime parlementaire (*voir le principe de la discipline de parti, page 201*). Toutefois, le lien partisan entre le président et des membres du Congrès peut atténuer les conflits qui peuvent exister dans un régime présidentiel entre le pouvoir législatif et le pouvoir exécutif. Ainsi, aux États-Unis, le président est le chef de l'un des deux grands partis[1] et, à ce titre, il peut compter sur un grand nombre de partisans au Congrès (pouvoir législatif). Une telle situation favorise une meilleure coopération entre l'exécutif et le législatif, surtout lorsque le parti du président est

---

1. Le régime présidentiel américain constitue un bon exemple de bipartisme, c'est-à-dire de système dominé par deux partis politiques (Parti démocrate et Parti républicain).

majoritaire au Congrès. Par contre, une telle coopération est beaucoup plus difficile à obtenir dans la situation inverse.

Une séparation nette des pouvoirs

Le régime présidentiel est caractérisé par un équilibre des pouvoirs (principe du *checks and balances* ou politique de restriction et d'équilibre) qui résulte de leur séparation étanche. Aux États-Unis, les pouvoirs exécutif, législatif et judiciaire relèvent d'institutions distinctes et autonomes, soit la présidence, le Congrès et la Cour suprême, respectivement (*voir la figure* **12.1**). Ainsi, contrairement à ce qui se passe dans un régime parlementaire, où le pouvoir législatif (le Parlement) se conforme aux décisions du Cabinet – si le gouvernement est majoritaire –, dans un régime présidentiel, le pouvoir législatif est autonome.

Une faible discipline de parti

Les partis sont moins unifiés dans un régime présidentiel que dans un régime parlementaire. Dans un régime parlementaire, le premier ministre et le Cabinet imposent aux députés de leur parti (majoritaire en chambre) la discipline de parti, en raison du principe du gouvernement responsable (*voir le chapitre 11, page 185*). Dans un régime présidentiel, le président a peu d'influence sur les

LE RÉGIME PRÉSIDENTIEL AUX ÉTATS-UNIS

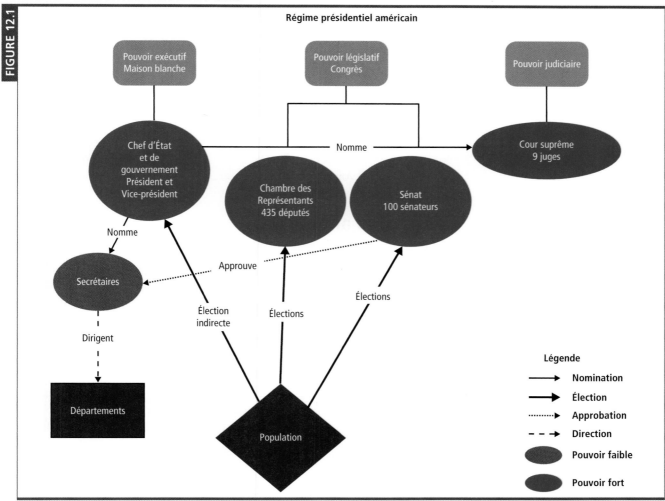

FIGURE 12.1

Régime présidentiel américain

membres de la législature et il ne peut les obliger à coopérer. Même lorsque son parti occupe la majorité des sièges à la législature, le président est incapable d'agir sur le législatif avec la même autorité que le Cabinet dans un régime parlementaire, entre autres à cause de la complète indépendance des pouvoirs exécutif et législatif (*pour une comparaison entre le Congrès américain et le Parlement canadien, voir le tableau* **11.2** *, à la page 187*). Par exemple, malgré le fait que le Parti démocrate détenait la majorité des sièges dans les deux Chambres du Congrès, le président Obama a connu beaucoup de difficultés à faire adopter la réforme de l'assurance maladie en 2009 et il a dû faire un certain nombre de concessions.

Une initiative législative indirecte

En ce qui concerne l'élaboration des lois, le président n'a pas l'initiative, comme c'est le cas dans un régime parlementaire tel que celui qui est établi au Canada, où 99 % des projets de loi émanent du Conseil des ministres (pouvoir exécutif). Le président peut cependant contourner la difficulté en faisant déposer des projets par des membres du Congrès. De plus, une fois par année, au mois de février, le président prononce le discours sur l'état de l'Union devant les Chambres du Congrès réunies. Dans ce discours, il dresse un état de la situation du pays et indique ses priorités politiques, lesquelles devraient se traduire par des projets de loi soumis au Congrès. Généralement, le Congrès travaille en priorité sur ces projets de loi.

Un gouvernement et un Congrès opposés

Le parti auquel appartient le président n'est pas nécessairement majoritaire à la législature, car les élections présidentielles et les élections législatives sont dissociées. Aux États-Unis, une telle situation est fréquente et elle a été vécue notamment entre 1993 et 2001, sous la présidence de Bill Clinton, entre 2007 et 2009, par George W. Bush, et entre 2011 et 2013, par Barack Obama (la Chambre des représentants était majoritairement républicaine, mais pas le Sénat). De telles situations affectent et limitent la coopération entre le pouvoir législatif et le pouvoir exécutif.

Le Congrès américain

Le Congrès (*voir la figure* **12.1**, *page précédente*) des États-Unis se compose de deux chambres : la Chambre des représentants (Chambre basse) et le Sénat (Chambre haute). Les sièges de la Chambre des représentants sont répartis en fonction de la population des États (attribution proportionnelle : un représentant élu par tranche d'environ 700 000 habitants, pour un total de 435). Le Sénat, pour sa part, regroupe les États membres de la fédération. Les États sont représentés de manière égale au Sénat : deux sièges par État, pour un total de 100 membres. Cette distribution montre le caractère fédéral de la division des pouvoirs[2].

Les deux Chambres du Congrès exercent conjointement le pouvoir législatif et ont des pouvoirs sensiblement égaux, définis dans la Constitution. Toutefois, certaines de leurs compétences diffèrent. Le contrôle des finances publiques,

---

2. Pour une synthèse sur l'origine, le fonctionnement, l'influence des partis au Congrès américain et les relations entre le Congrès et le président, voir Walter, Harold M. (2001). « Le Congrès », dans Edmond Orban *et al.* (dir.), *Le système politique américain*, Montréal, Presses de l'Université de Montréal, p. 193 à 221.

l'élaboration des lois fiscales et l'initiative de mettre en accusation des hauts fonctionnaires (et même le président américain) soupçonnés de fraude (*impeachment*) relèvent de la Chambre des représentants.

De son côté, le Sénat a la prérogative exclusive de critiquer les décisions du président, d'entériner ou de rejeter les choix de ce dernier relativement aux nominations de ses conseillers, des secrétaires d'État (les ministres), des ambassadeurs, des hauts fonctionnaires et des juges de la Cour suprême, de ratifier, moyennant l'obtention des deux tiers des voix, les traités internationaux et de prononcer le jugement de destitution, le cas échéant.

POUR ALLER PLUS LOIN

Impeachment

L'*impeachment* est une procédure judiciaire – d'origine anglo-saxonne – engagée par un organe législatif qui s'érige en tribunal contre un haut responsable politique ou un haut fonctionnaire accusé de fautes graves dans l'exercice de ses fonctions (abus de pouvoir, trahison, violation de la Constitution, corruption). Aux États-Unis, l'*impeachment* s'applique à la fois au niveau fédéral et au niveau des États. Au niveau fédéral, la Chambre des représentants ouvre, à la suite d'un vote à majorité simple, le procès contre le président, tandis que le Sénat s'institue en tribunal. Le juge en chef de la Cour suprême est appelé à présider ce tribunal exceptionnel. Il est alors nécessaire d'obtenir le vote des deux tiers des sénateurs pour destituer le président. Le président Andrew Johnson a été le premier chef d'État américain jugé. En 1868, il a échappé de justesse à la destitution par une seule voix au Sénat. En 1974, Richard Nixon a préféré démissionner plutôt que de subir un procès au Sénat. Enfin, Bill Clinton, en 1998, a été le dernier président à subir cette procédure qui n'a pas abouti à sa destitution.

Les deux Chambres du Congrès sont chacune dirigées par un président (*speaker*). Le *speaker*, élu à la majorité absolue par les membres de la Chambre des représentants, a pour fonction de diriger les débats et de maintenir la discipline à l'intérieur de la Chambre.

Le vice-président des États-Unis préside le Sénat de droit, c'est-à-dire de manière officielle, protocolaire et exceptionnelle. Les sénateurs élisent donc un président *pro tempore*, qui dirige le Sénat en l'absence du vice-président. Ce président est habituellement le doyen des sénateurs du parti majoritaire au Sénat. Toutefois, c'est le leader de la majorité, élu par les membres du parti majoritaire au Sénat et relevant de l'autorité du président *pro tempore*, qui détient véritablement l'autorité.

Ces personnalités politiques, les plus importantes après le président des États-Unis, peuvent exercer une influence considérable en raison de leur pouvoir de persuasion et des prérogatives dont elles jouissent. En effet, le *speaker* de la Chambre des représentants et le leader de la majorité au Sénat sont habilités à voter pour départager un vote égal et, surtout, ils ont la responsabilité formelle de confier l'étude des projets de loi aux diverses commissions du Congrès.

Les présidents des Chambres ne peuvent pas imposer leurs volontés. Les commissions, qu'elles soient permanentes, spéciales, mixtes ou de conciliation, sont en effet indépendantes « aussi bien des leaders des deux chambres que du pouvoir exécutif [la présidence]. L'indépendance des commissions [...] découle en grande partie de la faiblesse des partis

Le Capitole abrite les deux chambres du Congrès américain, c'est-à-dire le Sénat et la Chambre des représentants.

politiques […] et de leur incapacité d'imposer une discipline partisane au Congrès[3]. » Les commissions sont chargées d'élaborer et d'étudier les projets de loi avant leur présentation en Chambre. Le pouvoir est donc très décentralisé au Congrès. Il est réparti entre les présidents des Chambres, les commissions et les partis, de sorte qu'il est impossible de déterminer qui domine véritablement cette institution.

Nous avons vu au chapitre précédent qu'une majorité de députés peut défaire un cabinet dans un régime parlementaire et que le principe du gouvernement responsable constitue un des motifs qui poussent les députés à se conformer à la position officielle du parti auquel ils appartiennent, c'est-à-dire à la discipline de parti. Au Congrès américain, il est très difficile de maintenir une ligne de parti parce que ceux qui soumettent un projet de loi ont besoin de l'appui de l'autre parti pour le faire adopter et que les élus se soucient plus de leurs électeurs que de la direction de leur parti[4]. Au cours des années 1990, moins de la moitié des projets de loi adoptés par la Chambre des représentants ont fait l'objet d'un vote de parti.

Le régime présidentiel versus le régime parlementaire

Quelles sont, dans les faits, les différences entre un régime parlementaire et un régime présidentiel ? Les principales sont les suivantes :

- Un président possède plus de prestige, d'autorité politique et de leadership qu'un premier ministre, mais sa capacité d'agir peut être plus faible que celle d'un premier ministre qui dirige un gouvernement majoritaire.
- Il est plus difficile de déterminer les responsables des politiques dans un régime présidentiel que dans un régime parlementaire.
- Il est plus difficile de formuler des politiques globales dans un régime présidentiel que dans un régime parlementaire.
- Le recrutement des membres du pouvoir exécutif ne se fait pas de la même façon dans les deux régimes.
- Dans un régime présidentiel, la surveillance et le contrôle du pouvoir exécutif comportent des exigences particulières, en raison de l'absence du principe de la responsabilité ministérielle.
- Les pouvoirs symboliques et politiques de l'exécutif sont confondus dans un régime présidentiel, où le président est à la fois le chef de l'État et le chef du gouvernement, alors qu'ils sont séparés dans le régime parlementaire, qui comprend un chef d'État doté d'un pouvoir symbolique et un chef de gouvernement détenant les pouvoirs politiques.
- Il semble que la révision constitutionnelle soit plus nécessaire dans un régime présidentiel, comme dans tous les régimes caractérisés par une séparation étanche des pouvoirs.
- Dans un régime présidentiel, il n'y a pas de responsabilité ministérielle, ni possibilité de renverser le gouvernement comme dans un régime parlementaire.

3. Frank, Joseph (2001). « Le Congrès », dans Edmond Orban *et al.* (dir.), *Le système politique américain,* Montréal, Presses de l'Université de Montréal, p. 158.
4. Walter, Harold M., *op. cit.,* p. 200 à 203.

- Dans un régime présidentiel, le président n'a pas la possibilité de dissoudre le pouvoir législatif puisque, par exemple, les élections législatives et présidentielles sont séparées et à date fixe aux États-Unis, selon la Constitution américaine.

- Dans un régime présidentiel, le président peut s'opposer à une loi votée par le Congrès en utilisant son droit de *veto*, ce qui n'existe pas dans un régime parlementaire.

L'autorité et le leadership dans un régime présidentiel

Étant donné que le président est investi d'un mandat électoral personnel, il peut intervenir plus directement que le font les ministres dans un régime parlementaire. Les ministres d'un cabinet ont été choisis par le premier ministre et ils doivent se montrer solidaires de ce dernier. Le président, pour sa part, est personnellement élu par l'ensemble de l'électorat américain, à la différence de tous les autres élus, et il est par le fait même la personnalité prédominante de la scène politique (en matière d'autorité, de leadership et de prestige) du régime ; il est le leader moral et le symbole de la nation. Ainsi, lors de l'attaque terroriste du World Trade Center du 11 septembre 2001, tous les regards des citoyens américains se sont tournés vers la Maison-Blanche. Trois jours après, à Ground Zero, le président George W. Bush a exprimé l'indignation et la colère du peuple américain comme personne d'autre n'aurait pu le faire.

Barack Obama est le 45e président des États-Unis. Chaque année, au mois de février, le Président livre un discours au Congrès sur l'état de l'Union.

Dans un régime parlementaire, les ministres sont des têtes d'affiche du parti et leur admission au Cabinet est souvent presque incontournable. Pour sa part, le président admet dans son Cabinet des personnes qui lui sont redevables personnellement. D'ailleurs, nombre de ses secrétaires d'État (l'équivalent des ministres dans un régime parlementaire) ont peu d'expérience en politique. Au cours des dernières années, les cabinets des présidents américains ont été formés entre autres de professeurs d'université, d'avocats, de hauts gestionnaires et de personnalités étrangères à la politique. Généralement, le Cabinet n'est pas composé de politiciens en vue, ce qui a pour effet de concentrer l'attention sur le président et son entourage.

Dans la plupart des régimes présidentiels, la Constitution confère au président diverses fonctions : chef d'État, chef de gouvernement, commandant en chef des forces armées et chef de la diplomatie (*voir le tableau* 12.1). Il peut aussi gouverner seul, par des décrets-lois, en cas de guerre ou en situation d'urgence. Il est responsable de la politique étrangère.

Mentionnons que le régime présidentiel favorise la cohérence et l'unité du leadership politique, qui peuvent être absentes dans un régime parlementaire non britannique, surtout lorsque le Cabinet est formé par une coalition de partis politiques, ce qui entraîne souvent une certaine instabilité gouvernementale.

TABLEAU 12.1 | LE PRÉSIDENT AMÉRICAIN

Fonctions du président

- Chef de l'État
- Chef de l'exécutif et chef du gouvernement
- Commandant en chef des forces armées
- Responsable de la politique étrangère

Conditions d'éligibilité

Avoir 35 ans révolus, être citoyen américain de naissance et résider aux États-Unis depuis 14 ans.

Droit de *veto*

Le président peut opposer son *veto* à un projet de loi ; ce *veto* peut être renversé par les deux tiers des membres du Sénat et de la Chambre des représentants.

Durée du mandat

D'après le 22e amendement de 1951 : « Nul ne peut être élu à la présidence plus de deux fois. »

Une responsabilité politique diffuse

Autant il est clair que le leadership revient au président dans un régime présidentiel, autant il est difficile, ironiquement, de déterminer les responsables des bavures ou des mauvaises décisions politiques.

Aucun organe de l'appareil de l'État ne peut être tenu pour responsable d'une politique ou, au contraire, d'une absence de politique. Si le président américain propose une nouvelle taxe et que le Congrès la rejette, sur le compte de qui alors doit-on mettre l'abandon de la mesure fiscale? Le Congrès fait-il preuve de mauvaise volonté? Le président aurait-il dû formuler autrement la proposition? Aurait-il dû exercer plus de pression? Si, au contraire, le projet de loi est adopté, mais avec des amendements qui en changent la substance, le président en serait-il encore l'auteur? Qui en porterait la responsabilité? Le Congrès? Personne?

La dispersion de la responsabilité politique

Le régime présidentiel entraîne une dispersion de la responsabilité politique, et il en résulte deux désavantages d'importance. Premièrement, le vote électoral perd un peu de son sens, car les électeurs ne peuvent faire porter sur personne en particulier la responsabilité des politiques. Un électeur américain mécontent de la réforme du régime d'assurance maladie du président Obama, en 2009, aurait-il dû voter républicain? Et si, comme Obama le prétendait, la faute incombait au Sénat qui a amputé le projet de son volet sur l'assurance publique universelle et obligatoire? Dans une situation de ce genre, l'électeur doit faire son choix en se fondant sur la personnalité des candidats ou les faveurs obtenues de l'un d'eux pendant son mandat, plutôt que sur les politiques élaborées et appliquées par le parti au pouvoir. Au bout du compte, l'électeur perd son principal moyen d'influencer les décisions politiques.

Des élus aux comportements politiques souvent irresponsables

Les élus peuvent être tentés de se comporter de manière irresponsable. Si, par exemple, le Congrès n'a pas de comptes à rendre en matière budgétaire, il est facile pour ses membres de voter à la fois pour une réduction des impôts et pour la construction d'autoroutes, deux mesures qui auront pour effet d'augmenter leur popularité. Le gouvernement dépense en général plus d'argent qu'il en reçoit, puisque les élus ne sont pas tenus personnellement pour responsables des politiques (principe d'imputabilité).

Les plateformes électorales des partis américains témoignent de l'absence de responsabilité politique propre aux régimes présidentiels. Le chef du parti (le président) ne peut être blâmé pour s'être abstenu d'accomplir les promesses faites par son parti en votant des lois car, après tout, le Congrès peut avoir refusé de coopérer. En outre, les partis peuvent être tentés de dire aux électeurs ce qu'ils désirent entendre. Le régime présidentiel morcelle tellement le pouvoir (principe du *checks and balances*) que les partis peuvent toujours arriver à justifier un manquement à leurs engagements électoraux.

Les politiques globales

L'élaboration de politiques globales s'avère plus ardue dans un régime présidentiel que dans un régime parlementaire. Dans un régime présidentiel, en effet, les politiques aboutissent souvent à une impasse, ou sont le fruit de multiples compromis plus ou moins raisonnables. Les États-Unis sont l'une des rares démocraties qui ne possèdent pas de politique nationale de l'énergie, encore que les efforts accomplis en ce sens n'aient pas manqué. Les présidents ont bien proposé des politiques énergétiques au Congrès, mais ils n'ont jamais réussi à obtenir un consensus qui ressemble de près ou de loin à une politique proprement dite.

Étant donné les nombreux obstacles qui entravent l'adoption d'un projet de loi dans un régime comportant une séparation étanche des pouvoirs, il ne suffit généralement pas qu'une simple majorité de citoyens exige un changement pour qu'une loi soit établie. La fragmentation des pouvoirs est telle qu'elle empêche le gouvernement d'effectuer rapidement et efficacement les changements demandés par la population.

En effet, le peu de discipline de parti, le morcellement du pouvoir au Congrès, la complexité du processus législatif et la puissance des groupes d'intérêts peuvent faire avorter plusieurs projets politiques qui seraient adoptés dans un régime parlementaire où le gouvernement est majoritaire. Le contrôle des armes à feu est un bon exemple de mesure réclamée par une majorité d'Américains, mais jusqu'à présent, aucune loi n'a été votée en ce sens. Il faut dire à cet égard que le 2ᵉ amendement de la Déclaration des droits de la Constitution américaine (droit de possession d'armes) rend l'adoption de cette mesure particulièrement ardue.

Le recrutement des membres du pouvoir exécutif

Les membres du pouvoir exécutif ne se recrutent pas de la même manière dans un régime parlementaire que dans un régime présidentiel. Dans un régime parlementaire, les ministres ont été et demeurent députés alors qu'ils occupent la fonction ministérielle. Ils ont pour la plupart connu le même cheminement: pendant des années, leur travail en chambre a consisté à élaborer, à étudier et à adopter des projets de loi, et à représenter les électeurs de leur circonscription. Ils ont pu se familiariser avec les affaires de l'État, qu'il s'agisse de la politique fiscale, de l'éducation, de la défense ou de la politique étrangère. Les députés promus au rang de ministres maîtrisent donc souvent des dossiers qu'ils auront à traiter en tant que membres de l'exécutif.

Dans un régime présidentiel, cependant, le recrutement des membres du pouvoir exécutif se fait indépendamment du pouvoir législatif. Comme en témoigne le tableau 12.2, l'expérience législative au sein de l'une des deux chambres du Congrès ne constitue pas

TABLEAU 12.2 | L'EXPÉRIENCE LÉGISLATIVE DES PRÉSIDENTS AMÉRICAINS DANS L'UNE OU L'AUTRE DES CHAMBRES DU CONGRÈS DEPUIS 1952

Président	Antécédents
Dwight D. Eisenhower (1952-1960)	Général
John F. Kennedy (1960-1963)	Sénateur
Lyndon B. Johnson (1963-1968)	Sénateur
Richard M. Nixon (1968-1974)	Sénateur; vice-président
Gerald R. Ford (1974-1976)	Membre du Congrès
James E. Carter (1976-1980)	Producteur agricole; gouverneur de la Géorgie
Ronald W. Reagan (1980-1988)	Acteur de cinéma; gouverneur de la Californie
George H. W. Bush (1988-1992)	Titulaire de divers postes aux Affaires étrangères; vice-président
William J. Clinton (1992-2000)	Gouverneur de l'Arkansas
George W. Bush (2000-2008)	Gouverneur du Texas
Barack Obama (2008)	Sénateur

un préalable nécessaire à l'accession au poste de président des États-Unis. La moitié de ces hommes ont acquis leur notoriété ailleurs que dans l'une ou l'autre Chambre du Congrès.

POUR ALLER PLUS LOIN

Richard Nixon (1913-1994)

Candidat du Parti républicain, Richard Nixon est élu président des États-Unis en 1968 et réélu pour un second mandat en 1972. Natif de la Californie et d'origine modeste, il devient vice-président des États-Unis sous la présidence de Dwight D. Eisenhower de 1953 à 1960. Candidat à la Maison-Blanche en 1960, il est battu de peu par John F. Kennedy. Cet échec, pour lequel il tient la presse pour responsable, lui laisse un goût amer et explique ses relations difficiles avec les médias par la suite. Pendant sa présidence (1968-1974), il favorise le désengagement des troupes américaines du Viet Nam, rétablit les relations diplomatiques avec la Chine communiste et signe des accords avec l'URSS sur la limitation de la production et de l'emploi des armes atomiques. Toutefois, l'histoire a surtout retenu de Richard Nixon son implication dans le scandale du Watergate. En juin 1972, à quelques mois des élections présidentielles, des hommes envoyés par des républicains pénètrent par effraction dans les locaux du Parti démocrate dans l'immeuble du Watergate à Washington. À la suite d'enquêtes menées par la presse, en particulier par le *Washington Post,* Nixon apparaît comme l'instigateur du cambriolage et est accusé d'avoir tenté d'entraver le cours de la justice et de pratiquer systématiquement une politique du secret pour éviter le contrôle public. En 1974, menacé d'une procédure de destitution, Richard Nixon devient le premier président des États-Unis à être contraint de démissionner. Dans les 20 dernières années de sa vie, il s'est appliqué à redorer son image. Son bilan reste cependant mitigé.

Dans les régimes présidentiels, la plupart des membres du Cabinet ne proviennent pas des assemblées législatives. Aux États-Unis, par exemple, plusieurs secrétaires et membres du Cabinet n'ont pas fait carrière au Congrès; leurs occupations antérieures, non politiques, ont d'ailleurs permis d'obtenir des points de vue aussi intéressants que personnels. Henry Kissinger, secrétaire d'État sous Nixon et Ford, était professeur d'université spécialisé en relations internationales; Donna Shalala, secrétaire à la Santé et aux Services sociaux sous Clinton, avait été chancelière de l'Université du Wisconsin; Colin Powell, secrétaire d'État sous George W. Bush, avait fait une brillante carrière militaire; Timothy Geithner, secrétaire au Trésor, avait été président du conseil d'administration de la Réserve fédérale de New York; et Steven Chu, secrétaire à l'Énergie, professeur et prix Nobel en physique.

Le processus de sélection et de nomination des membres de l'exécutif aux États-Unis a l'avantage d'apporter du sang neuf dans les plus hautes sphères du pouvoir et d'attirer des personnalités venant d'horizons différents. Le pouvoir exécutif peut alors exploiter des idées innovatrices susceptibles d'être appliquées.

Cependant, ce mode de sélection comporte des risques, car les personnes choisies peuvent être mal préparées pour accomplir les tâches qui leur sont confiées. Ainsi, les présidents Carter, Reagan, Clinton et George W. Bush n'avaient aucune expérience de la politique étrangère lorsqu'ils sont devenus présidents.

La surveillance, le contrôle et la division du pouvoir exécutif

La plupart des organisations sont chapeautées par un conseil d'administration auquel le chef de la direction doit régulièrement rendre des comptes. Dans un régime parlementaire, le Parlement joue en quelque sorte ce rôle.

En raison du principe du gouvernement responsable (*voir la rubrique «Pour aller plus loin», page 211*), le premier ministre et le Cabinet doivent lui rendre compte de leurs activités et répondre aux questions des parlementaires (notamment à celles de l'opposition). En fait, les membres du gouvernement doivent expliquer leurs actions politiques aux autres élus, entretenir des contacts réguliers avec le Parlement, et avoir la confiance de ce dernier.

Dans un régime présidentiel, par contre, les membres du pouvoir exécutif agissent de façon relativement isolée. La presse les surveille, et ils ont des contacts occasionnels avec la législature à propos des projets de loi ou des enquêtes en cours. Cependant, le président et son Cabinet n'ont pas de responsabilité «ministérielle» comme telle; ils n'ont donc pas de comptes à rendre à une instance supérieure. Par conséquent, le bureau présidentiel se transforme souvent en tour d'ivoire, et il arrive que l'entourage du président soit taxé d'arrogance et d'insensibilité, comme ce fut le cas sous la présidence de Richard Nixon.

L'affaire du Watergate n'aurait peut-être pas été aussi «traumatisante» pour les Américains si un mécanisme de surveillance et de contrôle de la présidence avait été mis en place. En effet, lorsque le scandale a éclaté, il n'existait aucun moyen officiellement reconnu pour porter l'affaire sur la place publique. Depuis, le Congrès a adopté la loi sur les procureurs spéciaux. Ces procureurs indépendants ont le pouvoir d'enquêter sur des allégations touchant le président (ou tout haut fonctionnaire) et de faire rapport au Congrès. C'est en vertu de cette loi qu'un procureur spécial a pu investiguer l'affaire Monica Lewinsky (appelée aussi «Monicagate») et placer le président Clinton, au cours de son second mandat, sous le coup d'une procédure de destitution, laquelle n'a pas abouti.

Le régime parlementaire repose sur l'amalgame du pouvoir exécutif et du pouvoir législatif mais, curieusement, il entraîne une division du pouvoir exécutif entre, d'une part, le premier ministre (chef du gouvernement) et le Cabinet (qui s'occupent de la politique nationale et de l'administration de l'État) et, d'autre part, le chef de l'État (qui symbolise le pays). Dans un régime présidentiel, le président cumule et assume toutes les fonctions du pouvoir exécutif.

Au Canada, le premier ministre (chef du gouvernement) et le Cabinet définissent les politiques gouvernementales et veillent à l'administration du pays, mais c'est le gouverneur général qui détient les pouvoirs de chef de l'État. À l'instar du président des États-Unis, il est accueilli protocolairement à l'étranger, et il reçoit de même les dignitaires étrangers en visite au Canada. Le rôle du chef d'État est symbolique puisque dans un régime parlementaire, cette fonction n'est pas élective; le véritable pouvoir est détenu par le premier ministre, élu en tant que chef du parti majoritaire en chambre, et par son Cabinet.

Le choix du régime présidentiel en démocratie

Le régime parlementaire constitue un moyen plus simple et, en général, plus efficace de faire les choix publics. Pourquoi, alors, certaines démocraties ont-elles choisi le régime présidentiel? La raison principale tient à l'instabilité des régimes parlementaires lorsque le gouvernement n'est pas majoritaire. Dans le régime parlementaire, les divisions partisanes se reflètent dans les mécanismes d'élaboration des politiques. Comme le parti (ou la coalition) au pouvoir peut s'appuyer sur une majorité au Parlement, il peut facilement faire adopter ses propres politiques. Par contre, si les voix de l'électorat sont divisées entre plusieurs partis, il peut être impossible de former une coalition, voire de recueillir une majorité suffisante. (C'est ce qui est arrivé, en 2007, en Belgique : pendant plus de six mois, il a été impossible de former un gouvernement.) Les gouvernements deviennent alors instables, et l'État est fragilisé, comme nous l'avons vu au chapitre précédent (*voir le tableau* 11.3*, page 189*). Cela a été le cas de l'Italie, qui a souffert, entre 1947 et 1994, d'une instabilité gouvernementale chronique (plus de 40 gouvernements entre 1955 et 1991). Un pays peut alors préférer instaurer un régime qui sépare les pouvoirs (régime présidentiel ou variante de ce régime) et qui offre donc plus de stabilité que le régime parlementaire.

Après la Seconde Guerre mondiale, la France a été aux prises avec une instabilité gouvernementale semblable à celle qu'a connue l'Italie de 1947 à 1994. Les communistes français ne coopéraient avec aucun autre parti, les partis catholiques étaient à couteaux tirés avec les socialistes, etc. En 1954, la perte de l'Indochine et l'éclatement de la guerre d'Algérie (1954-1963) ont entraîné progressivement un affaiblissement du régime français. La révolte d'une partie de l'armée et de la population française d'Algérie en 1958 a mis fin à la IVe République et on a fait appel à Charles de Gaulle (*voir la rubrique «Pour aller plus loin», page suivante*) pour redresser la situation. De Gaulle a fait adopter une nouvelle Constitution (4 octobre 1958) instituant la Ve République et a substitué un régime semi-présidentiel au régime parlementaire. Le tableau 12.3 présente les différentes caractéristiques essentielles des régimes parlementaire, présidentiel et semi-présidentiel; nous décrirons plus loin le régime semi-présidentiel français.

Bon nombre de démocraties ont constaté que le régime parlementaire ne pouvait leur fournir la stabilité ainsi que le leadership politique dont elles avaient besoin (qu'elles en aient fait l'expérience ou non). Elles étaient toutefois prêtes, si nécessaire, à fractionner et à raffiner le processus de prise de décision. Plusieurs démocraties d'Amérique latine, tels le Mexique et le Costa Rica, ont adopté d'emblée le régime présidentiel à l'américaine. En Afrique et en Asie, par ailleurs, où la pauvreté, le sous-développement et la multiplicité

TABLEAU 12.3 | LES CARACTÉRISTIQUES DES RÉGIMES POLITIQUES

	Régime parlementaire	Régime présidentiel	Régime semi-présidentiel
Chef d'État	Monarque ou président protocolaire.	Élu au suffrage universel; sans pouvoir de dissolution.	Élu au suffrage universel; peut dissoudre le Parlement.
Chef de gouvernement	Chef élu du gouvernement; chef de la majorité parlementaire.	Président élu au suffrage universel.	Premier ministre, responsable devant le Parlement qui le soutient et peut le renverser.
Parlement	Accorde sa confiance au premier ministre; choisit le président (sauf dans les monarchies).	Ne peut renverser le gouvernement ni être dissous.	Peut renverser le gouvernement; peut être dissous.

POUR ALLER PLUS LOIN

Charles de Gaulle (1890-1970)

Homme d'État français, militaire de carrière, Charles de Gaulle participe à la Première Guerre mondiale. Par la suite, il se fait connaître en tant qu'auteur d'histoire politique et de stratégie militaire, et devient professeur d'histoire militaire à l'Académie militaire de Saint-Cyr. Promu général en 1940, à la suite de la défaite de la France, De Gaulle s'oppose à l'armistice et à la paix avec l'Allemagne et préconise la poursuite de la lutte contre les forces de l'Axe aux côtés de la Grande-Bretagne. Il prend la tête des Forces françaises libres et coordonne la Résistance contre l'Occupation allemande ; à la tête des forces françaises, il participe à la libération de la France avec les Anglo-Américains. Devenu président de la République provisoire en 1945, De Gaulle démissionne en 1946 en raison de l'opposition des partis socialiste et communiste à son projet constitutionnel de renforcer le pouvoir exécutif. Revenu au pouvoir en 1958, il fait adopter une nouvelle Constitution qui établit un régime semi-présidentiel. Durant sa présidence, il s'efforce de redonner à la France sa place et son prestige dans le monde, et prend des mesures pour redresser l'économie française. Sur le plan de la politique extérieure, il met fin à la guerre d'Algérie et à l'Empire colonial français, préconise un rapprochement entre les pays de l'Est et de l'Ouest, et favorise la réconciliation avec l'Allemagne. Au Québec et au Canada, Charles de Gaulle marque la scène politique en lançant son « Vive le Québec libre » à Montréal, à l'été de 1967. À la suite de l'échec d'un référendum portant sur certaines réformes constitutionnelles de régionalisation et de décentralisation, il démissionne en 1969.

des ethnies pèsent lourdement sur la politique, de nombreux régimes ont dû renoncer au régime parlementaire.

La révision constitutionnelle et la séparation des pouvoirs

Là où les pouvoirs sont séparés de façon étanche, que ce soit dans un régime présidentiel (qui divise le pouvoir entre différentes institutions politiques) ou dans un système fédéral (qui répartit le pouvoir entre un gouvernement central – le gouvernement fédéral – et des gouvernements régionaux – soit les États membres ou les provinces membres de la fédération), il est nécessaire d'avoir une institution capable de régler les désaccords entre les différents paliers de gouvernement ou entre les pouvoirs exécutif et législatif. Un président qui possède une part du pouvoir (l'exécutif) et une législature qui possède l'autre part (le législatif) vont immanquablement finir par s'affronter au sujet de leurs compétences et de leurs pouvoirs respectifs. Comment détermine-t-on que telle question relève de l'autorité du gouvernement central ou de celle des gouvernements régionaux, ou encore du pouvoir exécutif ou du pouvoir législatif ? La solution consiste à donner un pouvoir d'arbitrage à une troisième institution. Aux États-Unis et au Canada, cette institution est la Cour suprême, qui relève du pouvoir judiciaire.

Au cours des deux derniers siècles, la Cour suprême des États-Unis a établi son droit de révoquer une loi si elle juge que le président ou le

TABLEAU 12.4 | LA RÉVISION CONSTITUTIONNELLE, LE FÉDÉRALISME ET LE RÉGIME PRÉSIDENTIEL EN EUROPE DE L'OUEST ET EN AMÉRIQUE DU NORD

	Révision constitutionnelle
Régimes présidentiels	
France	Oui
Mexique	Oui
États-Unis	Oui
Régimes parlementaires	
Autriche	Oui
Belgique	Non
Canada	Oui
Danemark	Non
Allemagne	Oui
Royaume-Uni	Non
Islande	Non
Irlande	Oui
Italie	Oui
Luxembourg	Non
Pays-Bas	Non
Norvège	Non
Portugal	Oui
Espagne	Oui
Suède	Non
Suisse	Non

Congrès ont outrepassé leurs pouvoirs. Quelles que soient par ailleurs les critiques dont elle est l'objet, la Cour suprême, composée de neuf juges nommés à vie par le président moyennant approbation du Sénat, possède un immense pouvoir dans le régime américain. «La Cour suprême des États-Unis est fort probablement la cour de justice la plus puissante, la plus active et la plus vénérée du monde occidental […]. Depuis toujours, aux États-Unis, on vénère la Constitution […], la Cour étant l'interprète suprême de la Constitution, l'importance de celle-ci rejaillit sur celle-là[5].»

Il semble que l'existence de procédures de révision constitutionnelle va de pair avec la fragmentation du pouvoir. Le tableau 12.4 présente les États d'Europe et d'Amérique du Nord en fonction du régime qu'ils ont adopté; il indique aussi si chacun de ces États a mis en œuvre des mécanismes de révision constitutionnelle. Les trois régimes présidentiels ont tous des procédures de révision constitutionnelle. Parmi les régimes parlementaires, 7 pays sur 16 possèdent des mécanismes de révision constitutionnelle. Parmi ces sept pays, quatre sont des fédérations.

Le régime semi-présidentiel en France

W. PHILLIPS SHIVELY

Après la Seconde Guerre mondiale, la France a adopté un régime parlementaire traditionnel, de 1945 à 1958. Cependant, la faible discipline de parti, les affrontements entre les partis politiques et l'absence de majorité gouvernementale ont eu pour effet de paralyser le gouvernement et de rendre le régime instable et fragile. D'ailleurs, la durée de vie moyenne d'un Cabinet durant cette période était d'environ six mois. Les ministres ne demeuraient pas en poste assez longtemps pour véritablement maîtriser leurs dossiers, de sorte que la France était davantage gouvernée par la fonction publique que par les élus. La fragilité du régime s'est accentuée au moment du déclenchement de la guerre d'Algérie en 1954. Une majorité des élites politiques sous la pression des militaires a demandé au général de Gaulle, héros de la Seconde Guerre mondiale, d'assumer le pouvoir, ce qu'il a fait en devenant premier ministre, le 1er juin 1958.

De Gaulle et ses conseillers ont rédigé la nouvelle Constitution de la Ve République en intégrant des éléments du régime présidentiel dans le cadre parlementaire (d'où l'expression «régime semi-présidentiel»). À l'origine, le système qu'ils ont établi était composé d'un Cabinet

▶

5. Chevrette, François (1987). «La Cour suprême», dans Edmond Orban *et al.* (dir.), *Le système politique des États-Unis,* Montréal, Presses de l'Université de Montréal, p. 208.

responsable devant l'Assemblée nationale (la Chambre basse du Parlement) et d'un président relativement puissant, mais apolitique. Celui-ci, élu indirectement par un collège électoral composé de députés et de maires, nommait le premier ministre et dirigeait la politique nationale avec le gouvernement (puisqu'il présidait le Conseil des ministres), les affaires étrangères (il était le chef de l'État) et la défense en particulier. Il pouvait tenir des référendums pour consulter l'électorat et, en cas de crise, déclarer l'état d'urgence et alors avoir recours aux pleins pouvoirs qui lui permettent de légiférer par décrets en attendant que soit rétabli le fonctionnement normal des institutions.

Malgré l'importance des prérogatives, dans les faits, les pouvoirs du président étaient plutôt implicites et équivalaient à ceux de la reine d'Angleterre ou à ceux des présidents de la République française pendant la période allant de 1945 à 1958. Le président allait-il se contenter d'un rôle symbolique et agir seulement sur les conseils du Cabinet ou, au contraire, allait-il se prévaloir de tous les pouvoirs attachés à sa fonction ? C'est De Gaulle lui-même qui a été le premier président de la Vᵉ République, de 1958 à 1969. Il a exercé avec fermeté son pouvoir potentiel. Il l'a même renforcé :

- En 1962, De Gaulle fait amender la Constitution de façon que le président soit élu directement au suffrage universel. Le président de la République française jouit dès lors d'un grand prestige ainsi que d'une grande légitimité, puisqu'il s'agit du seul gouvernant à être élu par l'ensemble de la population. Il est, à cet égard, dans la même situation que le président américain.

- De Gaulle institue un conseil constitutionnel chargé de s'assurer de la constitutionnalité des lois.

- Selon certaines dispositions de la réforme apportée par De Gaulle, non seulement le président nomme le premier ministre et avec lui les autres ministres, mais il peut également mettre fin à leurs fonctions, pour autant qu'ils démissionnent. En 1962, il demande et obtient la démission du premier ministre Michel Debré. Il vient ainsi d'ajouter une importante prérogative au pouvoir présidentiel.

Aujourd'hui, le premier ministre et le Cabinet jouent parfois le rôle d'exécutants du président lorsque la présidence et la majorité parlementaire sont détenues par le même parti. Ils veillent aux affaires courantes de l'État et représentent le président devant le Parlement.

La Constitution que De Gaulle a fait adopter limitait l'indépendance du Parlement, elle visait à empêcher la

stagnation politique à laquelle le gouvernement français avait été en proie avant 1958. L'Assemblée nationale ne peut démettre le Cabinet qu'en adoptant une motion de censure à la majorité absolue des voix, de sorte que les abstentions équivalent à des votes en faveur du Cabinet. Celui-ci a le droit d'assigner un ordre de priorité aux projets de loi soumis au Parlement et de fixer les règles du débat, si bien qu'il décide presque de l'ordre du jour. (Le Cabinet peut, par exemple, obliger le Parlement à voter sur l'ensemble d'un projet de loi plutôt que sur chacun des amendements ; ce procédé fréquemment utilisé rend difficile l'amendement des projets de loi.) La Constitution interdit aux députés de proposer des amendements à un projet de loi qui auraient pour effet d'augmenter les dépenses de l'État ou de diminuer ses revenus. Un amendement qui entraîne une nouvelle dépense doit prévoir soit la suppression d'une autre dépense, soit une augmentation des impôts. Enfin, le nombre des commissions permanentes spécialisées (pour chaque assemblée du Parlement) est limité à six, ce qui limite leur indépendance et leur pouvoir. Les diverses commissions rassemblent entre 60 et 120 membres, qui sont chargés d'étudier de vastes domaines de la politique (par exemple, la Commission des finances, de la défense nationale, etc.).

Grâce à ces dispositions, la nouvelle Constitution française confère au pouvoir exécutif une prépondérance qu'il acquiert officieusement dans la plupart des régimes parlementaires par l'intermédiaire des partis politiques. La Constitution supplée ainsi au manque de discipline des partis, celle-ci étant nécessaire pour assurer la prééminence du pouvoir exécutif. Le mécanisme officieux, plus souple, peut paraître préférable, mais la voie constitutionnelle semble avoir donné des résultats satisfaisants en France.

Non seulement la Constitution de la Vᵉ République consacre la prépondérance du pouvoir exécutif sur le Parlement (le pouvoir législatif), mais elle le remet en plus entre les mains du président. Or, le régime semi-présidentiel français a ceci de particulier que le président gouverne par l'intermédiaire d'un Cabinet que les députés peuvent démettre. Par conséquent, il est crucial que le président et la majorité parlementaire appartiennent au même parti. Le cas échéant, le système fonctionne sans heurts selon les modalités que nous avons décrites précédemment : le président nomme les ministres, et l'Assemblée nationale appuie le Cabinet. Telle est la situation qui a eu cours pendant la majeure partie de la Vᵉ République.

Si, au contraire, le parti auquel appartient le président n'est pas majoritaire à l'Assemblée nationale, le gouvernement peut se trouver dans une impasse. Il est théoriquement possible que le président forme une série de Cabinets que l'Assemblée nationale désavouera les uns après les autres. Il est évident que le président ne pourrait alors gouverner longtemps.

À trois reprises, un président de la République française a dû coexister avec une assemblée nationale de tendance politique opposée (situation appelée « cohabitation »). En 1986, la droite a récolté une majorité absolue à l'Assemblée nationale, et le président socialiste, François Mitterrand, n'exerçant pas son droit de dissolution de l'Assemblée nationale, a dû nommer Jacques Chirac (de la droite) au poste de premier ministre. Ce fut une première ! Il est apparu que la cohabitation conférait plus de pouvoir au premier ministre qu'au président. La stratégie du président Mitterrand a alors consisté à laisser le gouvernement gouverner, tout en gardant ses distances et en manifestant à l'occasion un désaccord de principe. L'initiative en matière législative est entièrement revenue à Chirac et à son Cabinet, sauf que Mitterrand a restreint la capacité du premier ministre à promulguer des décrets. Mitterrand et Chirac représentaient tous deux la France aux conférences internationales et ils s'y partageaient le temps de parole.

La cohabitation n'a duré que deux ans. En 1988, les Français réélisent Mitterrand et celui-ci profite de l'enthousiasme suscité par sa victoire pour dissoudre l'Assemblée nationale et déclencher des élections législatives. Les socialistes obtiennent la majorité, et le président retrouve sa prépondérance habituelle. En 1993, les socialistes perdent encore la majorité aux élections législatives. Cette fois, cependant, la cohabitation entraîne moins de frictions : Chirac se retire et le nouveau premier ministre, Édouard Balladur, réussit à la fois à dominer le pouvoir exécutif et à rester en bons termes avec Mitterrand. Le régime revient à la normale en 1995, lorsque l'électorat français porte Chirac à la présidence et donne aussi à la droite une majorité à l'Assemblée nationale.

C'est cependant de courte durée car, en avril 1997, le président Chirac demande la dissolution de l'Assemblée nationale et déclenche des élections législatives anticipées. La coalition de la gauche remporte

une majorité absolue à l'Assemblée nationale ; le président Chirac (de la droite) doit donc nommer un premier ministre socialiste : Lionel Jospin. Toutefois, à la suite de la réélection du président Jacques Chirac au printemps 2002, des élections législatives sont déclenchées, et l'UMP (Union pour un mouvement populaire), le nouveau parti politique du président, obtient une forte majorité à l'Assemblée nationale, ce qui met fin à la cohabitation. En 2007, Nicolas Sarkozy, gagnant des élections présidentielles, devient président, avec une forte majorité à l'Assemblée nationale. À l'élection présidentielle du printemps 2012, le candidat du parti socialiste, François Hollande, est élu. Les élections à l'Assemblée nationale, qui se tiennent quelques semaines après, permettent au Parti socialiste d'obtenir une majorité des sièges. ◀

Le palais de l'Élysée à Paris. Ce palais est la résidence officielle du président et aussi le symbole de la présidence de la République française.

CONCEPTS CLÉS

EXERCICES

Questions d'approfondissement

1. Commentez l'affirmation suivante : « Les partis politiques dans un régime présidentiel sont plus radicaux idéologiquement et moins unifiés que dans un régime parlementaire. »

2. Le chef d'État au Canada a les mêmes fonctions que le chef d'État aux États-Unis. Vrai ou faux ? Justifiez votre réponse.

3. Relevez les forces et les faiblesses du régime présidentiel en vigueur aux États-Unis.

4. Pour quelles raisons la France a-t-elle procédé, en 1958, à une modification en profondeur de sa Constitution ?

5. Dans le régime semi-présidentiel français, que veut dire le terme « cohabitation » ?

Sujets de discussion

1. Discutez de l'affirmation suivante : « Toutes les démocraties devraient institutionnaliser l'*impeachment*. »

2. Discutez de l'affirmation suivante : « À l'instar du régime présidentiel américain, les autres démocraties devraient limiter les mandats – nombre et durée – de leurs dirigeants politiques. »

3. Discutez de l'affirmation suivante : « En régime présidentiel, le fait que le président désigne des ministres non élus en fonction de leur compétence et de leur lien avec lui-même est acceptable. »

WWW

http://mabibliotheque.cheneliere.ca

LECTURES SUGGÉRÉES

BROWN, Bernard E. *L'État et la politique aux États-Unis*, Paris, PUF, coll. « Thémis », 1994.

BURGESS, Françoise. *Les institutions américaines*, 7e éd. corrigée, Paris, PUF, 1999.

FORTMANN, Michel, et Pierre MARTIN. *Le système politique américain*, Montréal, Presses de l'Université de Montréal, 2008.

PAINCHAUD, Marcel. *Introduction à la vie politique*, 2e éd., Montréal, Gaëtan Morin, 2007.

QUERMONNE, Jean-Louis. *Les régimes politiques occidentaux*, 4e éd., Paris, Seuil, coll. « Points », 2000.

TOINET, Marie-France. *La présidence américaine*, Paris, Montchrestien, 1996.

GLOSSAIRE

Absolutisme: Dans son acceptation la plus large, l'absolutisme est une forme de pouvoir politique qui n'est limitée ni par des institutions représentatives ni par des règles constitutionnelles. S'appuyant sur une administration efficace, le monarque absolu jouit, en droit comme en fait, de la plénitude des pouvoirs (souveraineté) et les exerce sans partage.

Accord de Charlottetown: En août 1992, à Charlottetown, capitale de l'Île-du-Prince-Édouard, les premiers ministres des provinces et du Canada ainsi que les représentants des peuples autochtones ont conclu un accord en vue d'une modification en profondeur de la Constitution canadienne. À l'automne 1992, cet accord a été soumis à un référendum et rejeté par une majorité de Canadiens (55 %) et de Québécois (56 %), et par 6 provinces sur 10.

Anarchisme: Doctrine politique qui prône un système social dans lequel sont supprimés l'État et tout pouvoir disposant d'un droit de contrainte sur l'individu.

Aristocratie: Régime politique où le pouvoir de gouverner revient, en raison de la naissance ou de la fortune, à un groupe restreint d'individus appartenant à la noblesse, à une caste ou à une classe de patriciens.

Autorité: D'une perspective générale, l'autorité permet d'obtenir de l'individu une certaine obéissance sans qu'il soit nécessaire de faire appel à la violence ou à la contrainte physique. Dans une société, le concept d'autorité désigne le fait, pour un détenteur de pouvoir, de conduire tant les individus que les groupes à lui reconnaître une supériorité dans ses fonctions de commandement. C'est en vertu de l'autorité dont ils sont investis qu'un chef et un gouvernement réussissent à obtenir l'obéissance des citoyens. En science politique, le concept d'autorité désigne une forme de pouvoir d'influence-incitation fondée sur le statut, la compétence ou encore le charisme de la personne.

Béhaviorisme (comportementalisme): Courant ou mode d'approche empirique qui est apparu aux États-Unis au cours des années 1930 et qui a couvert l'ensemble des sciences sociales. En science politique, ce courant a marqué une rupture avec les approches normatives et juridiques. Ainsi, le rôle des politologues n'est pas de déterminer quel est le meilleur régime politique, mais d'établir comment fonctionnent les différents régimes. L'approche béhavioriste privilégie les données quantitatives, la quantification devenant l'élément clé de l'observation. Le politologue privilégie les études d'opinion, les analyses de comportements électoraux et les techniques de sondage.

Bicaméralisme: Système parlementaire comprenant deux Chambres législatives.

Bien collectif: Bien qui profite à tous les membres de la collectivité et dont personne ne peut être privé. L'administration des biens collectifs incombe généralement au gouvernement, en raison des difficultés posées par la contribution volontaire à leur financement.

Bill: En Grande-Bretagne, mot désignant un projet de loi soumis au Parlement. Revêtu du sceau royal, le « bill » devient *act* ou *law*.

Cabinet: Organe exécutif d'un régime parlementaire composé de ministres (qui sont également députés). Chaque ministre est responsable de l'administration d'un secteur particulier des services gouvernementaux, la santé ou la défense, par exemple. Le Cabinet dirige le Parlement, prépare des lois, s'occupe de la politique étrangère, etc. Il peut être renversé à la suite d'un vote de défiance du Parlement.

Capitalisme: Système économique basé sur la propriété privée des moyens de production et structuré en vue de maximiser les profits.

Caucus: Terme d'origine amérindienne signifiant « conseil » ou « assemblée ». Réunion de tous les députés d'une même formation politique durant les sessions de la Chambre ou de l'Assemblée. Au Parlement canadien, les sénateurs prennent part à ces réunions.

Charte: En droit international, écrit solennel où sont consignés des droits ou de grands principes (exemple : la *Charte des Nations Unies*).

Coalition: Réunion de partis politiques permettant de constituer une majorité parlementaire et de former le Cabinet. Les coalitions sont fréquentes dans un régime parlementaire.

Communisme: Doctrine socialiste radicale selon laquelle la révolution est un moyen plus propre que les moyens démocratiques à l'instauration d'un État socialiste. À partir des années 1930, les communistes se sont en général inspirés du modèle soviétique pour formuler leurs objectifs et élaborer leurs stratégies. *Voir aussi* Socialisme *et* Socialisme démocratique.

Compagnonnage: Genre de formation professionnelle qui exigeait qu'un compagnon soit sous la tutelle d'un maître afin d'apprendre son métier.

Confédération: Association politique volontaire et durable d'États qui résulte d'un traité, qui est dotée de certains organes interétatiques destinés à régler les affaires communes, et qui reconnaît l'égalité des États entre eux ainsi qu'un droit de retrait.

Conservatisme: Doctrine politique souvent défendue par un parti. Situé à droite sur l'axe idéologique, le conservatisme est d'abord apparu au Royaume-Uni, patrie du penseur

Edmund Burke. Les conservateurs défendent l'entreprise privée, un État non interventionniste. Ils défendent également des valeurs traditionnelles en matière d'avortement, de famille et d'autorité. *Voir à ce propos le glossaire du site Internet Perspective monde de l'École de politique appliquée de l'Université de Sherbrooke.*

Constitution: Aussi appelée « loi fondamentale ». Ensemble des règles écrites et coutumières qui déterminent la structure des pouvoirs publics d'un État, qui attribuent des pouvoirs aux différentes instances et en régissent l'exercice, ou qui déterminent la structure de l'État, attribuent des pouvoirs aux différentes instances exécutives, législatives ou judiciaires et en règlent l'exercice.

Constitutionnalisme: Doctrine selon laquelle la constitution d'un État doit être équitable envers les groupes ou les individus et assurer la protection des citoyens contre toute action arbitraire du gouvernement. Le constitutionnalisme s'appuie sur des codes ou des chartes qui définissent les libertés et les droits fondamentaux des individus.

Conventions constitutionnelles: En droit canadien et britannique, règles non écrites qui régissent le fonctionnement des institutions politiques. Elles résultent d'une entente tacite entre ceux qui dirigent l'État, et sont considérées comme contraignantes par les diverses parties. Les tribunaux peuvent en reconnaître l'existence, mais ne peuvent, sur le plan juridique, les sanctionner, c'est-à-dire obliger les parties à la convention à les respecter légalement.

Culte de la personnalité: Poussée à l'extrême, la personnalisation du pouvoir débouche sur le culte de la personnalité. Les organes de la propagande de l'État sont alors systématiquement mobilisés afin de faire du leader une figure surnaturelle et mystique. Ce culte de la personnalité s'observe dans les régimes autoritaires, et plus particulièrement dans les régimes totalitaires. Ainsi, le culte de la personnalité s'est développé entre autres en Italie sous Mussolini (1883-1945), en Allemagne sous Hitler (1889-1945), en Chine sous Mao Tsé-toung (1893-1976) et en Corée du Nord sous Kim Il-sung (1912-1994). Le régime dictatorial imposé par Saddam Hussein en Irak, de 1979 à 2003, a aussi donné lieu à un culte de la personnalité.

Décentralisation: Transfert de compétences de l'État central à des collectivités territoriales ou régionales.

Démocratie: Régime politique fondé sur le principe que la souveraineté appartient à l'ensemble des citoyens. Selon Georges Lavau, politologue français, la démocratie est un régime qui, dans son organisation politique, applique le principe selon lequel le pouvoir souverain appartient au peuple (les citoyens détenant chacun une part de souveraineté). Par des votes librement exprimés et non entachés de fraude, la majorité des votants, directement ou par ses représentants élus, oriente les décisions publiques liant l'ensemble de la communauté.

Démocratie représentative: Forme de démocratie où le peuple gouverne non pas directement (sauf dans le cas des référendums), mais par l'intermédiaire de représentants élus.

Despotisme: Pouvoir absolu et arbitraire d'une personne. Au XVIIIe siècle, doctrine politique selon laquelle le souverain doit gouverner en se fondant sur la raison. *Voir* Monocratie.

Dictature: Régime dans lequel les dirigeants sont parvenus au pouvoir par des voies non constitutionnelles et n'assujettissent l'exercice du pouvoir à aucune règle établie.

Discipline de parti: Position commune qui est imposée aux membres d'un parti et qui touche les politiques et la façon de voter. Dans un régime parlementaire du type britannique, la discipline de parti est assurée en Chambre par un député appelé « whip ». Ce dernier veille à maintenir la cohésion du groupe et à ce que les députés fassent preuve d'assiduité.

État: Entité politique fondamentale, aussi appelée « pays » et « nation » dans le langage courant. Les États sont indépendants les uns des autres sur le plan militaire et dirigés par des gouvernements qui légifèrent, contrôlent l'économie, etc. Les États actuels occupent en général des territoires relativement étendus dont les frontières sont stables et les populations unies par des liens politiques étroits. Les critères utilisés pour définir un État sont aujourd'hui de plus en plus flous, comme en témoigne l'exemple de l'Union européenne. Le mot « État » peut désigner aussi une subdivision d'un pays (tels les États-Unis).

État (ou société) de droit: Société dans laquelle l'exercice du pouvoir politique est subordonné au respect de règles de droit préétablies.

État fédéral: État dont la Constitution établit des gouvernements locaux et leur attribue une pleine compétence dans des domaines déterminés (l'éducation, par exemple). Les citoyens d'un État fédéral sont donc dirigés par deux gouvernements, mais ceux-ci s'occupent de questions politiques différentes.

État providence: État où le gouvernement protège les citoyens contre l'insécurité économique ou la misère. Il tend à mettre en œuvre diverses mesures concernant notamment les pensions, les soins de santé, le chômage et l'éducation des enfants. Depuis la Seconde Guerre mondiale, la plupart des pays industrialisés sont devenus des États providence.

État unitaire: Système où le gouvernement central possède toutes les compétences légales. Le gouvernement central a le pouvoir d'annuler toutes les décisions politiques prises par les gouvernements régionaux ou locaux.

Extrême droite: On situe à l'extrême droite de l'axe des idéologies politiques celles qui s'opposent à la démocratie et visent à l'établissement d'un régime autoritaire qui maintient la loi et l'ordre de manière à perpétuer les privilèges d'un groupe, d'une classe ou d'une race tenue pour biologiquement supérieure. *Voir le site Perspective et monde, Université de Sherbrooke.*

Extrême gauche: On situe à l'extrême gauche de l'axe des idéologies politiques celles qui rejettent la démocratie et prônent la révolution comme moyen de renverser le système capitaliste, en ayant recours à la violence et au terrorisme, si nécessaire. Ces idéologies constituent des interprétations radicales de la doctrine marxiste. *Voir le site Perspective monde, Université de Sherbrooke.*

Fédération: Système de gouvernement où, en vertu d'une constitution, le pouvoir d'élaborer des lois est réparti entre un corps législatif central et les assemblées législatives des communautés politiques membres de cette fédération. Ces communautés politiques peuvent prendre différentes dénominations telles que province au Canada, État aux États-Unis, Länder en Allemagne, canton en Suisse ou république dans l'ex-URSS. Dans une fédération, c'est la constitution qui établit ces gouvernements régionaux et leur reconnaît une pleine compétence dans certains domaines, par exemple l'éducation et la santé.

Gouvernement: Groupe de personnes qui, dans une société, a l'autorité d'agir au nom de l'État.

Gouvernement autocratique: Forme de gouvernement où les dirigeants exigent des dirigés une obéissance inconditionnelle. Synonyme de despotisme.

Guilde: Au Moyen Âge, organisation qui groupait des artisans, des commerçants, etc., s'obligeant à observer des règles déterminées. Comme les individus passés maîtres tendaient à octroyer la maîtrise à leurs seuls enfants ou à leurs seuls gendres, la maîtrise est devenue peu à peu inaccessible aux autres catégories de personnes désireuses de s'établir à leur compte. Les membres des guildes jouissaient de certains avantages commerciaux.

Habeas corpus: Règle de droit qui oblige un juge à se prononcer rapidement sur le caractère légal de la détention d'un individu. L'*Habeas Corpus Act* de 1679, adopté par le Parlement britannique, garantit les libertés individuelles.

Idéologie: Ensemble de valeurs, d'idées et de symboles qui permettent de comprendre et d'interpréter le monde selon une optique définie. Une idéologie est donc un système global d'interprétation du monde historico-politique ayant pour but de légitimer un ordre social donné. Elle sert à concevoir et à justifier certaines formes d'action et à en écarter d'autres.

Impérialisme: Politique par laquelle un État cherche à placer d'autres États dans une condition de sujétion économique, culturelle, etc.

Interventionnisme: En politique et en économie, doctrine selon laquelle l'État doit jouer un rôle très actif dans l'économie et, sur le plan social, protéger les couches sociales défavorisées.

Libéralisme: Idéologie politique. Doctrine élaborée en France et en Angleterre à l'époque des Lumières, au XVIIIᵉ siècle. On distingue le libéralisme économique et le libéralisme politique. Le libéralisme économique est fondé sur le respect de la propriété privée des moyens de production et sur la liberté d'entreprise. Le libéralisme politique désigne une forme de régime politique basée sur le parlementarisme, la pluralité des partis politiques, la liberté des citoyens, le rôle d'arbitre dévolu à l'État qui, au nom de l'intérêt général, est chargé de résoudre les conflits d'intérêts entre les citoyens et les groupes. L'intérêt général s'exprime essentiellement par le vote dans des élections libres. En fait, le libéralisme économique et le libéralisme politique sont étroitement liés, car ils reposent tous deux sur les notions de liberté, de raison et de progrès.

Lobbyiste: Personne ou groupe qui représente les intérêts d'un lobby (groupe de pression qui essaie d'influencer les opinions et les décisions des dirigeants politiques) et qui cherche à influencer le législateur dans un domaine déterminé.

Manichéisme: À l'origine, conception religieuse qui sépare nettement le bien du mal. De nos jours, tout système de pensée dualiste qui oppose deux principes irréductibles et antagonistes. Exemple: dans la doctrine marxiste, le conflit irréductible entre les capitalistes et la classe ouvrière.

Marxisme: Ensemble des conceptions élaborées par Marx et Engels. Le marxisme défend l'idée que le capitalisme est marqué par la lutte des classes et par l'exploitation du prolétariat. Le prolétaire (ou l'ouvrier) possède seulement sa force de travail, il exécute des tâches manuelles ou mécaniques, a un niveau de vie des plus bas et s'oppose aux capitalistes. La pensée marxiste propose comme solution à cet état de choses la révolution prolétarienne.

Mode de scrutin: Ensemble des règles à suivre pour désigner les personnes qui exerceront le pouvoir à la suite d'élections.

Monarchie constitutionnelle: Monarchie dans laquelle les pouvoirs du monarque sont limités par une Constitution.

Monocratie: Régime politique dans lequel le pouvoir est exercé par une seule personne.

Nation: Groupe assez vaste de personnes liées entre elles par des affinités découlant d'une culture commune. La langue, en particulier, constitue souvent un élément constitutif d'une nation. Une nation n'est pas nécessairement comprise à l'intérieur des frontières politiques d'un État. Par exemple, le peuple kurde est réparti entre la Turquie, l'Iraq et l'Iran, et les nationalistes irlandais et britanniques cohabitent tant bien que mal en Irlande du Nord. Le défaut de coïncidence entre les limites des nations et celles des États peut être une cause importante de conflits politiques.

Nationalisme: Doctrine politique qui prône la souveraineté de l'État-nation, l'unité ethnique, linguistique et politique d'une communauté d'individus qui se considère comme distincte. Le nationalisme part du principe que toute nation tend à s'organiser en État souverain (indépendant). Cette doctrine considère que le caractère national est un facteur essentiel de différenciation des êtres humains. De ce point de vue, le nationalisme s'oppose à l'internationalisme.

Nationalité : Sur le plan juridique, rattachement légal d'un individu à un État. Selon les pays, la nationalité s'obtient soit par filiation (droit du sang), comme en Allemagne ou en Suisse, soit par le fait d'être né sur le territoire national (droit du sol), comme en France et au Canada. Par ailleurs, la nationalité peut s'acquérir par naturalisation, selon les conditions prescrites par la législation de chaque pays, lesquelles sont parfois restrictives, comme c'est le cas en Suisse, ou uniquement formelles, comme au Canada (simple délai de résidence exigé). La nationalité implique des droits et des obligations envers l'État. Celui-ci doit notamment faire bénéficier ses ressortissants de sa protection diplomatique lorsqu'ils sont à l'étranger.

National-socialisme : Doctrine politique totalitaire définie par Adolf Hitler. Cette doctrine prône l'inégalité raciale, l'élitisme et la supériorité de la race allemande. En outre, elle favorise le culte du chef charismatique et les sentiments nationalistes. Hostile au libéralisme politique et économique, à la démocratie parlementaire et au suffrage universel, elle préconise enfin l'union des classes sociales dans une seule et même communauté nationale.

Oligarchie : Gouvernement exercé par un petit nombre de personnes désignées par cooptation (sous une forme ou une autre).

Ombudsman : Terme d'origine suédoise qui désigne un personnage public qui a pour tâche de protéger les citoyens contre les abus de l'État, et particulièrement de l'administration publique.

Partis révolutionnaires : Les partis révolutionnaires ont pour objectif fondamental de transformer radicalement l'ordre politique, économique et social. Une fois au pouvoir, ils ont tendance à supprimer toute compétition démocratique, à encadrer et à mobiliser la population (*voir le texte sur le Parti communiste chinois à la page 163*).

Personnalisation du pouvoir : Phénomène se traduisant par la mise en vedette et la prééminence d'un chef politique. Dans nos sociétés modernes, les techniques de communication de masse contribuent à mettre en évidence les « personnalités exceptionnelles » en insistant sur la compétence et les qualités hors du commun de ces dernières.

Ploutocratie : Système politique dans lequel le pouvoir est exercé par les gens les plus riches.

Politique publique : Ensemble d'intentions et d'actions imputables à une autorité publique ayant comme objet un problème d'allocation de biens ou de ressources (politique de santé, d'éducation, etc.).

Pouvoir : Capacité d'amener, par différents moyens, une personne ou un groupe à faire ce que l'on veut.

Pouvoir de dépenser : Pouvoir qu'a le Parlement canadien d'octroyer aux individus, aux organisations et aux gouvernements provinciaux et locaux des sommes pour des usages au sujet desquels le Parlement peut ne pas avoir le droit de légiférer.

Référendum : Consultation populaire, procédure électorale de la démocratie directe. Vote de l'ensemble des citoyens pour approuver ou rejeter une mesure publique proposée par un pouvoir exécutif (gouvernement). Au Canada et au Québec, les référendums ont jusqu'ici porté essentiellement sur des questions constitutionnelles (référendums québécois sur la souveraineté en 1980 et 1995, et référendum canadien sur l'*Accord de Charlottetown*), mais cette procédure de la démocratie directe peut être employée également pour toute autre question jugée essentielle par les autorités politiques, tels l'avortement ou l'entrée d'un pays dans une communauté déterminée de nations. Le référendum peut relever de la seule initiative des gouvernements comme il peut relever aussi de celle du peuple, comme c'est le cas dans les municipalités au Québec, dans les cantons suisses et de nombreux États américains.

Régime parlementaire : Régime démocratique où le pouvoir législatif et le pouvoir exécutif sont fusionnés dans une même institution, le Parlement. Le Parlement est souverain dans l'État, et c'est lui qui désigne les membres de l'exécutif (les ministres).

Régime présidentiel : Régime démocratique dans lequel le pouvoir législatif et le pouvoir exécutif sont distincts, et leurs représentants, élus séparément. En règle générale, le président définit les politiques, mais les lois qu'il propose doivent recevoir l'aval de la législature. Le régime présidentiel divise le pouvoir, tandis que le régime parlementaire l'unifie.

Régime totalitaire : À l'origine, le terme désignait les régimes autoritaires instaurés par Hitler en Allemagne et par Staline en URSS. Un régime totalitaire se distingue de la dictature, de l'absolutisme ou de la tyrannie en ce qu'il a pour but d'institutionnaliser la révolution, en transformant radicalement l'ordre politique, culturel et économique existant en fonction d'une idéologie. Un régime politique est dit totalitaire lorsqu'il exerce une emprise sur l'ensemble des activités des citoyens et qu'il abolit ou tente d'abolir toute notion de vie privée. Donnons comme exemple récent de régime totalitaire le régime des Khmers rouges (1975 à 1979) établi par Pol Pot au Cambodge et qui a été responsable de la mort de plus d'un million et demi de personnes. Un régime totalitaire est l'exact opposé d'un régime pluraliste ou d'un État de droit.

Régime unipartite : Régime dans lequel un seul parti politique est reconnu par le gouvernement.

Représentation proportionnelle (ou scrutin proportionnel): Mode de scrutin qui consiste à attribuer à un parti politique un nombre de sièges (députés ou représentants) proportionnel au nombre de votes qui ont été récoltés.

Ressources politiques: Moyens qu'un acteur politique mobilise en vue d'augmenter ses chances d'atteindre un objectif.

Révolution: Rupture radicale avec un mode d'organisation sociale. On distingue généralement les révolutions sociales et les révolutions politiques. Les premières transforment radicalement l'organisation politique et les structures sociales (Révolution française de 1789 et Révolution russe de 1917). Les secondes ne touchent que l'ordre politique (Révolution anglaise de 1642).

Séparation des pouvoirs: Principe qui consiste à séparer les différents pouvoirs politiques de telle manière qu'ils soient indépendants les uns des autres. Le pouvoir législatif fait les lois, le pouvoir exécutif les applique, et le pouvoir judiciaire les fait respecter.

Social-démocratie et socialisme démocratique: Termes qui désignent une position idéologique de gauche souvent défendue par un parti politique. La social-démocratie prend son origine dans les partis politiques qui se sont formés à la fin du xixe siècle en Allemagne et qui visaient à apporter des réformes sociales par des moyens démocratiques. S'inspirant plus ou moins de la doctrine marxiste, les sociaux-démocrates considèrent qu'il est possible de passer progressivement du capitalisme au socialisme.

Socialisation politique: Processus par lequel les valeurs culturelles sont transmises et intériorisées par une population donnée. La famille, l'école, les pairs, les médias de masse et les acteurs politiques sont les principaux agents de transmission. La socialisation politique est le processus par lequel les individus acquièrent des valeurs politiques.

Socialisme: Doctrine selon laquelle la société est composée de classes (groupes sociaux dont les membres partagent un même rapport avec les moyens de production) antagonistes. Suivant la doctrine socialiste, la classe ouvrière doit gouverner l'État et diriger l'industrie de telle manière que s'établisse une société juste et égalitaire.

Solidarité ministérielle: Principe en vertu duquel les ministres s'engagent publiquement à appuyer les décisions du Conseil des ministres ou du Cabinet, ou à démissionner.

Souveraineté: Capacité juridique d'une entité politique à se gouverner complètement elle-même.

Stratification sociale: Hiérarchie sociale ou classification des individus et des groupes établie en fonction des richesses, du prestige social et du pouvoir. La stratification sociale évolue en même temps que l'économie et les mœurs. Ces changements se produisent de façon lente et souterraine, mais parfois à travers des ruptures brutales, des révolutions, les rapports économiques et sociaux.

Suffrage universel: Mode de désignation fondé sur le principe que tous les citoyens, pourvu qu'ils satisfassent à certaines conditions relatives à l'âge, à la nationalité, etc., sont admis à voter.

Théocratie: Régime politique dans lequel l'autorité est exercée par un chef religieux ou un souverain considéré comme le représentant de Dieu (l'imam en Iran, le dalaï-lama au Tibet).

Théorie: Ensemble de concepts, de propositions et de modèles articulés entre eux qui ont pour objectif d'expliquer un phénomène (la théorie de la lutte de classe, les théories du développement économique).

Tories: Conservateurs au Royaume-Uni. À l'origine, au xviie siècle, ce terme désignait les partisans du roi et du maintien des privilèges de la noblesse.

Ultramontanisme: Littéralement, «qui est au-delà des montagnes». Ensemble d'idées et de doctrines qui soutiennent l'autorité et le pouvoir absolu du pape et la soumission des pouvoirs laïques à l'Église. Au Québec, ce courant fut longtemps dominant au sein de l'Église catholique.

Whigs: Au Royaume-Uni, groupe qui était opposé à celui des Tories, et qui défendait la suprématie du Parlement sur le roi. Au milieu du xixe siècle, les termes «conservateur» et «libéral» ont remplacé respectivement ceux de «Tory» et de «Whig».

ABURISH, Saïd. (10-16 octobre 2002). *Le Nouvel Observateur*, n° 1979.

ADNANE, Khalid. (13 octobre 2011). «Occupy Wall Street: un bilan partagé de la mondialisation», *Le Devoir*, [En ligne], www.ledevoir.com/economie/actualites-economiques/333435/occupy-wall-street-un-bilan-partage-de-la-mondialisation (Consulté le 4 décembre 2012).

ALEXENDER, Herbert et Rei SHIRATORI. (1994). *Comparative Political Finance among the Democracies*, Boulder, CO, Westview Press.

ALMOND, Gabriel. (1974). *Comparative Politics Today*, Boston, MA, Little Brown.

ALMOND, Gabriel et Sidney VERBA. (1965). *The Civic Culture*, Boston, MA, Little Brown.

ALMOND, Gabriel et Sidney VERBA. (1980). *The Civic Culture Revisited*, Boston, MA, Little Brown.

ARBOUR, Pierre. (5 mai 1998). *Le Devoir*.

ARENDT, Hannah. (2005). *Le système totalitaire: les origines du totalitarisme*, Paris, France, Seuil, (coll. «Points/Essais»).

ARON, Raymond. (1987). *Démocratie et totalitarisme*, Paris, France, Gallimard, (coll. «Folio Essais»).

BADIE, Bertrand. (1999). *Le développement politique*, Paris, France, Éditions Economica.

BADIE, Bertrand, Pierre BIRNBAUM, Philippe BRAUD et Guy HERMET. (2000). *Dictionnaire de science politique et des institutions politiques*, Paris, France, Armand Colin, (coll. «Cursus»).

BAILLARGEON, Normand et Jean-Marc PIOTTE (dir.). (2007). *Au bout de l'impasse, à gauche: récits de vie militante et perspectives d'avenir*, Montréal, Québec, Lux.

BAKER, Kendall, Russell DALTON et Kai HILDEBRANDT. (1981). *Germany Transformed*, Cambridge, Royaume-Uni, Harvard University Press, The President and Fellows of Harvard College.

BAKVIS, Herman. (1991). *La participation électorale au Canada*, vol. 15, Commission royale sur la réforme électorale et le financement des partis, Ottawa, Ontario, ministère des Approvisionnements et Services.

BARRETTE, M., S. DION, J.I. GOW et M. FORTMANN. (1987). *Introduction à l'administration publique: une approche politique*, Montréal, Québec, Gaëtan Morin.

BATSON, Andrew et Jason DEAN. (17 octobre 2007). «Communists Move to Adapt their Rule to a Richer China», *Wall Street Journal*, p. A1.

BAUDOIN, Jean. (1992). *Introduction à la science politique*, Paris, France, Dalloz.

BEAUDOIN, Gérald-A. (1983). *Le partage des pouvoirs*, Ottawa, Ontario, Presses de l'Université d'Ottawa.

BEAUDOIN, Gérald-A. (2000). *Le fédéralisme au Canada*, Montréal, Québec, Wilson & Lafleur.

BEAUDOIN, Gérald-A. (2004). *La Constitution du Canada: institutions, partage des pouvoirs, Charte canadienne des droits et libertés*, 3ᵉ éd., Montréal, Québec, Wilson & Lafleur.

BÉLANGER, André-J. et Vincent LEMIEUX. (2002). *Introduction à l'analyse politique*, Montréal, Québec, Gaëtan Morin

BÉLANGER, Éric et François GÉLINEAU. (3-5 juin 2004). *Electoral Accountability in a Federal System*, communication présentée au Colloque annuel de l'Association canadienne de science politique, Winnipeg, Manitoba.

BERNARD, André. (1986). *La politique au Canada et au Québec*, Sainte-Foy, Québec, Presses de l'Université du Québec.

BERNARD, André. (1994). *Problèmes politiques: Canada et Québec*, Sainte Foy, Québec, Presses de l'Université du Québec.

BERNARD, André. (1995). *Les institutions politiques au Québec et au Canada*, Montréal, Québec, Boréal.

BERNARD, André. (1996). *La vie politique au Québec et au Canada*, Sainte-Foy, Québec, Presses de l'Université du Québec.

BERNARD, André. (2005). *La vie politique au Québec et au Canada*, Québec, Québec, Presses de l'Université du Québec.

BERNARD, André. (2005). *Vie politique au Canada*, Québec, Québec, Presses de l'Université du Québec.

BERTON-HOGGE, Roberte. (13 septembre 1996). «Russie 1993-1996: une fragile démocratisation», *Problèmes politiques et sociaux*, n° 772.

BINETTE, Pierre. (21 mars 2002). *Racisme, xénophobie et intolérance: des données encourageantes, mais aussi des attitudes persistantes chez les jeunes aux quatre coins du monde*, conférence présentée dans le cadre de la table ronde «Les jeunes contre le racisme: sur la voie de Durban», organisée par le Haut-Commissariat aux droits de l'homme des Nations Unies, Palais des Nations, Genève.

BLAIS, André et Jean CRÊTE. (2007). «Le système électoral et les comportements électoraux», dans Réjean Pelletier et Manon Tremblay (dir.), *Le parlementarisme canadien*, 3ᵉ éd., Québec, Québec, Presses de l'Université Laval, p. 163-196.

BLAIS, André et Élisabeth GIDENGIL. (1991). *La démocratie représentative: perceptions des Canadiens et Canadiennes*, vol. 17 de la collection d'études de la Commission royale sur la réforme électorale et le financement des partis, Ottawa et Toronto, Ontario, RCERPF/Dundurn Press.

BLAIS, André, Élisabeth GIDENGIL, Richard NADEAU et Neil NEVITTE. (9 mars 1998). «Les politiciens et le syndrome de Pinocchio», *La Presse*.

BLAIS, André, Élisabeth GIDENGIL, Richard NADEAU et Neil NEVITTE. (2002). *Anatomy of a Liberal Victory: Making Sense of the Vote in the 2000 Canadian Election*, Peterborough, Ontario, Broadview Press.

BLAIS, André et Peter LOEWEN. (2011). *Participation électorale des jeunes au Canada*, [En ligne], www. elections. ca/res/rec/part/youeng/youth_electoral_engagement_f.pdf (Consulté le 9 janvier 2013).

BLAIS, André, Louis MASSICOTTE et Antoine YOSHINAKA. (2004). *Establishing the Rules of the Game: Election Laws in Democracies*, Toronto, Ontario, University of Toronto Press.

BLAIS, André, Richard NADEAU, Élisabeth GIDENGIL et Neil NEVITTE. (2002). *Anatomy of a Liberal Victory: Making Sense of the Vote in the 2000 Canadian Election*, Peterborough, Ontario, Broadview Press.

BOUDREAU, Philippe et Claude PERRON. (2003). *La gauche et la droite*, Montréal, Québec, Chenelière/McGraw-Hill.

BOUGON, François. (7 novembre 2012). «Le PCC: un parti monstre pour régner sur 1,3 milliard de Chinois», *Le Monde*, p. 18.

BOURASSA, Guy. (1987). «Les groupes d'intérêt», dans Edmond Orban *et al.* (dir.), *Le système politique des États-Unis*, Montréal, Québec, Presses de l'Université de Montréal, p. 91-111.

BRADY, Henry E., Kay Lehman SCHLOZMAN et Sidney VERBA. (1995). *Voice and Equality: Civic Voluntarism in American Politics*, Cambridge, MA, Harvard University Press.

BRAUD, Philippe. (2006). *Sociologie politique*, 8ᵉ éd., Paris, France, Librairie générale de droit et de jurisprudence.

BURKE, Edmund. (1989). *Réflexions sur la Révolution de France*, Paris, France, Hachette Pluriel.

CAMERON, David. (2005). «La fédération canadienne», dans Ann L. Griffiths et Karl Nerenberg (dir.), *Guide des pays fédéraux, 2005*, Montréal et Kingston, Québec et Ontario, McGill-Queen's University Press.

CARTY, R.K. (1991). *L'action des partis politiques dans les circonscriptions au Canada*, vol. 23 de la collection d'études de la Commission royale sur la réforme électorale et le financement des partis, Ottawa et Toronto, Ontario, RCERPF/Dundurn Press, p. 191.

Central Intelligence Agency (CIA). (2013). *The World Factbook*, [En ligne], www.cia.gov/library/publications/the-world-factbook/index.html (Consulté le 17 avril 2013).

Centre d'étude de la vie politique. (2013). *Résultats électoraux*, [En ligne], http://dev.ulb.ac.be/cevipol/fr/elections.html (Consulté le 15 février 2008).

Centre d'étude de la vie politique. (2013). *Résultats électoraux*, [En ligne], http://dev.ulb.ac.be/cevipol/fr/elections_norvege_nationales_2009.html (Consulté le 15 février 2013).

CHARLOT, Jean. (1971). *Les partis politiques*, Paris, France, Armand Colin.

CHARNY, Israël W. (2001). *Le livre noir de l'humanité: encyclopédie mondiale des génocides*, Toulouse, France, Éditions Privat.

CHATELET, François, Olivier DUHAMEL et Évelyne PISIER-KOUCHNER. (2001). *Dictionnaire des idées politiques*, Paris, France, PUF.

CHAZEL, François. (1985). «Les ruptures révolutionnaires», dans Madeleine Grawitz et Jean Leca (dir.), *Traité de science politique*, t. 2, Paris, France, PUF, p. 635-686.

CHEVALIER, Jean-Jacques et Yves GUCHER. (2001). *Les grandes œuvres politiques de Machiavel à nos jours*, Paris, France, Armand Colin.

CHEVRETTE, François. (1987). «La Cour suprême», dans Edmond Orban *et al.* (dir.), *Le système politique des États-Unis*, Montréal, Québec, Presses de l'Université de Montréal.

Collection d'études (1991). Commission royale sur la réforme électorale et le financement des partis, vol. 1, 3 et 4, Ottawa et Toronto, Ontario, RCERPF/Dundurn Press.

COLLIARD, Jean-Claude. (1978). *Les régimes parlementaires contemporains*, Paris, France, Presses de la Fondation nationale des sciences politiques.

COMBS, James et Dan NIMMO. (1980). *Subliminal Politics: Myths and Mythmakers in America*, Englewood Cliffs, NJ, Prentice-Hall.

CONRADT, David. (1993). *The German Policy*, 5ᵉ éd., New York, NY, Longmann.

CÔTÉ, Pierre-F. (1992). *La législation québécoise sur les consultations populaires*, Québec, Québec, Le Directeur général des élections du Québec.

COURTOIS, Stéphane. (2009). *Communisme et totalitarisme*, Paris, France, Éditions Perrin.

COURTOIS, Stéphane *et al.* (2009). *Le livre noir du communisme: crimes, terreur, répression*, Paris, France, Pocket.

CROISAT, Maurice. (1995). *Le fédéralisme dans les démocraties contemporaines*, 2ᵉ éd., Paris, France, Montchrestien.

DAHL, Robert. (1973). *L'analyse politique contemporaine*, Paris, France, Robert Laffont, (coll. «Science nouvelle»).

D'ALLEMAGNE, André. (1992). «Le régime politique français: la Vᵉ République», dans Michelle Gérin-Lajoie (dir.), *Idéologies et régimes politiques*, Ottawa, Ontario, MGL.

DALTON, Russell J. (2008). *Citizen Politics*, 5ᵉ éd. New York, NY, Chatham House.

DAUDET, Yves et Charles DEBBASCH. (1992). *Lexique de politique*, Paris, France, Dalloz-Sirey.

DEBBASCH, Charles et Jean-Marie PONTHIER. (2000). *Introduction à la politique*, 5ᵉ éd., Paris, France, Dalloz.

DELLI CARPINI, Michael X. et Scott KEETER. (1995). *What Americans Know about Politics and Why It Matters*, New Haven, CT, Yale University Press.

DELY, Renaud. (22 septembre 2002). «Premier mai», *Le Devoir*.

DENNI, Bernard et Patrick LECOMTE. (1999). *Sociologie du politique*, t. 1, Grenoble, France, Presses Universitaires de Grenoble.

DENNI, Bernard et Patrick LECOMTE. (1999). *Sociologie du politique*, t. 2, Grenoble, France, Presses Universitaires de Grenoble.

DENQUIN, Jean-Marie. (1989). *Science politique: droit politique et théorique*, Paris, France, PUF.

DENQUIN, Jean-Marie. (1996). *Science politique*, Paris, France, PUF.

DENQUIN, Jean-Marie. (2007). *Introduction à la science politique*, Paris, France, Hachette.

DIAMOND, Larry. (2000). «The End of the Third Wave and the Start of the Fourth», dans Larry Diamond (dir.), *Democratic Invention*, Baltimore, MD, Johns Hopkins University Press.

Dictionnaire des idées politiques. (1998). Paris, France, Sirey.

DOGAN, Mattei. (1993). «La légitimité: nouveaux critères et nouvelle typologie», *Encyclopædia Universalis*.

DOSTIE-GOULET, Eugénie (2011). «Jeunesse et démocratie: états des lieux», *Éthique publique*, vol. 13, nᵒ 2, p. 225-241.

DUCATENZEILER, Graciela et Diane ÉTHIER. (été 2001). «La consolidation de la démocratie: nouveaux questionnements», *Revue internationale de politique comparée*, vol. 8.

DUMONT, Fernand. (1997). *Recherches sociographiques*, nᵒ 38, vol. 3.

DURAND, Guy (9 et 10 juin 2012). «Le Devoir de philo – À propos de la désobéissance civile: entretien avec le professeur Guy Durand sur l'histoire et le sens de cette notion», *Le Devoir*, [En ligne], www.ledevoir.com/societe/le-devoir-de-philo/352031/a-propos-de-la-desobeissance-civile (Consulté le 1ᵉʳ février 2013).

DUVERGER, Maurice. (1986). *Les régimes semi-présidentiels*, Paris, France, PUF.

DUVERGER, Maurice. (1990). *Institutions politiques et droit constitutionnel*, Paris, France, PUF.

DUVERGER, Maurice. (1992). *Les partis politiques*, Paris, France, Seuil, (coll. «Essais»).

ECKSTEIN, Harry et Ted ROBERT GURR. (1975). *Patterns of Authority*, New York, NY, Wiley.

ÉLIE, Bernard. (11 avril 1996). *Le Devoir*.

ENGELS, Friedrich. (1976). *La situation de la classe laborieuse en Angleterre*, Paris, France, La Dispute.

ÉTHIER, Diane. (1990). *Democratic Transition and Consolidation in Southern Europe, Latin America and South East Asia*, Londres, Royaume-Uni, Macmillan.

ÉTHIER, Diane. (septembre 2001). «La conditionnalité démocratique des agences d'aide et de l'Union européenne», *Études Internationales*, nᵒ 3.

ÉTIENNE, Jean (dir.). (1997). *Dictionnaire de sociologie*, Paris, France, Hatier.

EVERITT, Joanna et Brenda O'NEILL (dir.). (2002). *Citizen Politics: Research and Theory in Canadian Political Behaviour*, Don Mills, Ontario, Oxford University Press.

FINKEL, Annik et Bahgat KORANY. (1992). «Le Moyen-Orient: l'homogénéité apparente d'une mosaïque politique», dans Michelle Gérin-Lajoie (dir.), *Idéologies et régimes politiques*, Ottawa, Ontario, MGL.

Fonds monétaire international (FMI). (2000). *Statistiques financières des gouvernements*, Rapport annuel 2000.

Fonds monétaire international (FMI). (2010). *Government Finance Statistics Yearbook*.

FONTAINE, Pascal. (2010). *12 leçons sur l'Europe*, [En ligne], http://europa.eu/teachers-corner/15/index_fr.htm (Consulté le 30 janvier 2013).

FORSEY, Eugène A. (2005). *Les Canadiens et leur système de gouvernement*, 6ᵉ éd., Ottawa, Ontario, Service d'information de la Bibliothèque du Parlement.

FORSEY, Eugène A. (2012). *Les Canadiens et leur système de gouvernement*, 8ᵉ éd., Ottawa, Ontario, Service d'information de la Bibliothèque du Parlement, [En ligne], www.parl.gc.ca/About/Parliament/SenatorEugeneForsey/book/chapter_1-f.html (Consulté le 6 mars 2013).

FOUGEYROLLAS, Pierre. (1987). *La nation*, Paris, France, Fayard.

FRANK, Joseph. (2001). «Le Congrès», dans Edmond Orban *et al.* (dir.), *Le système politique des États-Unis*, Montréal, Québec, Presses de l'Université de Montréal.

Freedom House, adaptées par Jules-Pascal Venne, [En ligne], www.freedomhouse.org

FRIZZELL, A., J.H. PAMMETT, A. WESTELL et le Directeur général des élections. (2009). «Élections générales de 1993 à 2008: résultats officiels du scrutin», dans Manon Tremblay et Réjean Pelletier (dir.), *Le parlementarisme canadien*, 4ᵉ éd., Québec, Québec, Presses de l'Université Laval, p. 187.

FUKUYAMA, Francis. (1994). *La fin de l'histoire*, Paris, France, Flammarion.

GAGNON, Alain-G., André LECOURS et Geneviève NOOTENS (dir.). (2007). *Les nationalismes majoritaires contemporains : identité, mémoire, pouvoir*, Montréal, Québec, Québec Amérique.

GALLO, Max. (2005). *Les clés de l'histoire contemporaine*, Paris, France, Fayard.

GAZIBO, Mamoudou et Jane JENSON. (2004). *La politique comparée*, Montréal, Québec, Presses de l'Université de Montréal.

GÉLÉDAN, Alain *et al.* (1998). *Dictionnaire des idées politiques*, Paris, France, Dalloz-Sirey.

GÉLINEAU, François et Éric BÉLANGER. (3-5 juin 2004). *Electoral Accountability in a Federal System*, communication présentée au Colloque annuel de l'Association canadienne de science politique, Winnipeg, Manitoba.

GELLNER, Ernest. (1989). *Nations et nationalisme*, Paris, France, Payot.

GIDENGIL, Élisabeth, Richard NADEAU, Neil NEVITTE et André BLAIS. (9 mars 1998). « Les politiciens et le syndrome de Pinocchio », *La Presse*, p. B2.

« Gorbachev Says Hard-Liners Risk Communist Demise ». (4 juillet 1991). *The New York Times*, p. 1.

GOW, J.I., M. BARRETTE, S. DION et M. FORTMANN. (1992). *Introduction à l'administration publique : une approche politique*, Montréal, Québec, Gaëtan Morin.

GRIFFITHS, Ann L. et Karl NERENBERG. (2005). *Guide des pays fédéraux, 2005*, Montréal et Kingston, Québec et Ontario, McGill-Queen's University Press.

GUAY, Jean-Herman et Luc GODBOUT. (13 août 2012). « Du néolibéralisme, vraiment? », La Presse, [En ligne], www.lapresse.ca/debats/votre-opinion/201208/13/01-4564595-du-neoliberalisme-vraiment.php (Consulté le 4 décembre 2012).

GUAY, Jean-H. et Denis MONIÈRE. (1987). *Introduction aux théories politiques*, Montréal, Québec, Québec Amérique.

GUÈVREMONT, Normand. (2001). *L'avènement de la démocratie libérale*, Montréal, Québec, Éditions Cartier.

GUY, James John. (2000). *Le parlementarisme canadien*, Québec, Québec, Presses de l'Université Laval.

GUY, James John. (2001). *People, Politics and Government : A Canadian Perspective*, 5e éd., Toronto, Ontario, Prentice-Hall.

HALPERN, Catherine et Jean-Claude RUANO-BORBALAN (dir.). (2004). *Identité(s)*, Paris, France, Éditions Sciences humaines.

HERMET, Guy. (1983). *Aux frontières de la démocratie*, Paris, France, PUF.

HERMET, Guy. (2008). *Exporter la démocratie ?*, Paris, France, Presses de Science Po.

HERMET, Guy *et al.* (2001). *Dictionnaire de la science politique et des institutions politiques*, Paris, France, Armand Colin.

HIRSCHMAN, Albert. (1992). *Deux siècles de rhétorique réactionnaire*, Paris, France, Fayard.

HOWE, Paul et David NORTHRUP. (26 juillet 2000). « Strenthening Canadian Democracy : The View of Canadians », *IRPP*, vol. 1, n° 5.

HREBENAR, Ronald J. et Akira NAKAMURA. (1993). « Japan : Associational Politics in a Group-Oriented Society », dans Clive S. Thomas (dir.), *First World Interest Groups : A Comparative Perspective*, Westport, CT, Greenwood Press.

HUNTINGTON, Samuel P. (1991). *The Third Wave : Democratization in the Late Twentieth Century*, Norman, OK, University of Oklahoma Press.

HYMAN, Herbert H. (1987). *Political Socialization : A Study in The Psychology of Behavior*, New York, NY, Free Press.

ICHILOVI, Orit. (1990). *Political Socialization, Citizenship Education, and Democracy*, New York, NY, Teachers College Press.

IHL, Olivier. (2000). *Le vote*, 2e éd., Paris, France, Montchrestien.

INGLEHART, Ronald. (1990). *Culture Shift in Advanced Industrial Society*, Princeton, NJ, Princeton University Press.

INGLEHART, Ronald. (1993). *La transition culturelle dans les sociétés industrielles avancées*, Paris, France, Economica.

INGLEHART, Ronald *et al.* (s.d.). *Human Beliefs and Values : A Cross-Cultural Sourcebook*, Based on the 1999-2000 Surveys, supplemental CD, tableaux E025, E026, E027 et E029.

Institut français des relations internationales (1990). « La transition : une nouvelle Espagne », *Ramses : rapport annuel mondial sur le système économique et les stratégies*, Paris, France, Dunod.

JACKMAN, Robert. (décembre 1976). « Politicians in Uniform », *American Political Science Review*, n° 70, p. 1098-1109.

JACKSON, Robert J. et Doreen JACKSON. (2004). *Politics in Canada*, Scarborough, Ontario, Prentice-Hall Canada.

JAFFRELOT, Christophe. (1998). *La démocratie en Inde*, Paris, France, Fayard.

JOHNSTON CONOVER, Pamela. (1991). « Political Socialization : Where's the Politics ? », dans William Crotty (dir.), *Political Science : Looking to the Future*, vol. 3, Evanston, IL, Northwestern University Press.

JOURNET, Paul. (19 janvier 2013). « Scrutin provincial du 4 septembre : portrait-robot des électeurs », *La Presse*, p. A4.

JUDT, Tony. (2010). *Retour sur le XXᵉ siècle : une histoire de la pensée contemporaine*, Paris, France, Éditions Héloïse d'Ormesson.

KENNEDY, Paul. (2004). *Naissance et déclin des grandes puissances*, Paris, France, Éditions Payot.

KISSINGER, Henry. (12 mars 1982). « Les années orageuses », *L'Express*.

LABROSSE, Alexis. (juillet 2007). *La présence syndicale au Québec en 2006*, Québec, Québec, ministère du Travail.

LABROSSE, Alexis. (avril 2011). *La présence syndicale au Québec en 2010*, Québec, Québec, ministère du Travail.

« La crise de confiance dans les démocraties pluralistes ». (1996). *Universalia*.

La Documentation française. (janvier-février 2012). « Printemps arabe et démocratie », *Questions internationales*, nᵒ 53, p. 4-5.

LAFLEUR, Guy-Antoine. (1987). « La présidence », dans Edmond Orban *et al.* (dir.), *Le système politique des États-Unis*, Montréal, Québec, Presses de l'Université de Montréal.

LAMONDE, Yvan. (2000). *Histoire sociale des idées au Québec*, t. 1, Montréal, Québec, Fides.

LAMONDE, Yvan. (2004). *Histoire sociale des idées au Québec*, t. 2, Montréal, Québec, Fides.

LANE, Jan-Erik, David MCKAY et Kenneth NEWTON. (1991). *Political Data Handbook : OECD Countries*, Oxford, Royaume-Uni, Oxford University Press.

LAPALOMBARA, Joseph et Miron WEINER. (1966). *Political Parties and Political Development*, Princeton, NJ, Princeton University Press.

LAUNDY, Philip. (1989). *Les parlements dans le monde contemporain*, Lausanne, Suisse, Éditions Payot.

LAVROFF, Dmitri Georges. (1988). *Histoire des idées politiques, de l'Antiquité à la fin du XVIIIᵉ siècle*, Paris, Dalloz, (coll. « Mémentos »).

Le Directeur général des élections du Québec. (2012). *Tableau synthèse des élections générales : élections générales de 1867 à 2012*, [En ligne], www.electionsquebec.qc.ca/documents/pdf/chapitre_7_1-tableau-synoptique-des-resultats-des-electi.pdf (Consulté le 23 novembre 2012).

LEMIEUX, Vincent. (2002). *L'étude des politiques publiques*, Québec, Québec, Presses de l'Université Laval.

LEONARD, Mark. (2008). *Que pense la Chine ?*, Paris, France, Plon.

Les Constitutions de l'Europe des Douze. (1994). Paris, France, La Documentation française, (coll. « Retour aux textes »).

Les Constitutions des États de l'Union européenne. (1999). Paris, France, La Documentation française, (coll. « Retour aux textes »).

LESCUYER, Georges et Marcel PRÉLOT. (1992). *Histoire des idées politiques*, Paris, France, Dalloz.

LESSARD, Jean-François. (2007). *L'état de la nation*, Montréal, Québec, Petite collection Liber.

« Les transitions démocratiques : regards sur l'état de la transitologie ». (août-octobre 2000). *Revue française de science politique*, vol. 50.

LÉVESQUE, Jacques. (1995). *1989 : la fin d'un Empire*, Paris, France, Presses de Science Po.

LEWIS-BECK, Michael S. et Tom W. RICE. (1992). *Forecasting Elections*, Washington, DC, Congressional Quartely Press.

LOCKE, John. (1999). *Traité du gouvernement civil*, trad. de l'anglais par David Mazel, Paris, France, Garnier-Flammarion.

MANENT, Pierre. (2001). *Cours familier de philosophie politique*, Paris, France, Gallimard.

MANIN, Bernard. (1995). *Principes du gouvernement représentatif*, Paris, France, Calmann-Lévy.

MARTIN, Pierre. (2006). *Les systèmes électoraux et les modes de scrutin*, 3ᵉ éd., Paris, France, Montchrestien.

MASSICOTTE, Louis. (26 août 2002). « La démission forcée d'un premier ministre : les précédents », *Le Devoir*.

MAYER, Nonna. (2010). *Sociologie des comportements politiques*, Paris, France, Armand Colin.

M'BOKOLA, Elikia. (1985). *L'Afrique au XXᵉ siècle : le continent convoité*, Paris, France, Seuil, (coll. « Points/Histoire »).

MEDISH, Vadim. (1984). *The Soviet Union*, 2ᵉ éd., Englewood Cliffs, NJ, Prentice-Hall.

MICHAUD, Nelson. (1997). *Praxis de la science politique*, Québec, Québec, Presses de l'Université Laval.

MILLET, Kate. (1983). *La politique du mâle*, Paris, France, Stock.

MILLS, John Stuart. (1990). *De la liberté*, Paris, France, Gallimard.

MILLS, John Stuart. (1991). *On liberty and Other Essays*, Oxford, Royaume-Uni, Oxford University Press.

MILNER, Henry. (2002). *Civic Literacy*, Medford, MA, Tufts University Press.

MILNER, Henry. (2004). *La compétence civique : comment les citoyens contribuent au bon fonctionnement de la démocratie*, Québec, Québec, Les Presses de l'Université Laval.

MILNER, Henry et Jules-Pascal VENNE. (1995). « Le sens de la continuité et du relatif », dans Michel

Sarra-Bournet (dir.), *Manifeste des intellectuels pour la souveraineté suivi de Douze essais sur l'avenir du Québec*, Montréal, Québec, Fides.

MINTZ, Eric, Livianna TOSSUTTI et Christopher DUNN. (2010). *Democracy, Diversity, and Good Government*, Don Mills, Ontario, Pearson Education Canada.

MONIÈRE, Denis. (2006). *Le développement des idéologies au Québec, des origines à nos jours*, Montréal, Québec, Québec Amérique.

MONIÈRE, Denis et Jean-H. GUAY. (1987). *Introduction aux théories politiques*, Montréal, Québec, Québec Amérique.

MOORE, Stanley W. *et al.* (1985). *The Child's Political World*, New York, NY, Praeger.

MORIN, Jacques-Yvan et José WOERHLING. (1994). *Les Constitutions du Canada et du Québec, du régime français à nos jours*, Montréal, Québec, Éditions Thémis.

MUHLMANN, Géraldine, Évelyne PISIER, François CHÂTELET et Olivier DUHAMEL. (2012). *Histoire des idées politiques*, Paris, France, PUF.

« Nation ». (1997). *Dictionnaire européen des lumières*, Paris, France, PUF.

National Election Studies. (2008). *The ANES Guide to Public Opinion and Electoral Behavior*, [En ligne], www.electionstudies.org/nesguide/nesguide.htm (Consulté le 3 janvier 2013).

Nations Unies. (2013). *États membres*, [En ligne], www.un.org/fr/members/index.shtml (Consulté le 27 février 2013).

NOËL, Alain et Jean-Philippe THÉRIEN. (2010). *La gauche et la droite*, Montréal, Québec, Les Presses de l'Université de Montréal.

O'DONNELL, Guillermo et Philippe C. SCHMITTER. (1986). *Transitions from Authoritarian Rule: Tentative Conclusions about Uncertain Democracies*, Baltimore, MD, Johns Hopkins University Press.

O'DONNELL, Guillermo, Philippe C. SCHMITTER et Laurence WHITEHEAD. (1991). *Transitions from Authoritarian Rule: Prospects for Democracy*, Baltimore, MD, Johns Hopkins University Press.

OFFERLÉ, Michel. (1991). *Les partis politiques*, Paris, France, PUF, (coll. « Que sais-je »), n° 2376.

OLSON, Mancur. (1965). *The Logic of Collective Action*, Cambridge, Royaume-Uni, Harvard University Press, 1965.

OLSON, Mancur. (2011). *Logique de l'action collective*, trad. de l'anglais par Pierre Desmarez, Bruxelles, Belgique, Éditions de l'Université de Bruxelles.

ORBAN, Edmond. (1984). *La dynamique de la centralisation dans l'État fédéral : un processus irréversible*, Montréal, Québec, Québec Amérique.

ORDESHOOK, Peter C. et William H. RIKER. (1973). *An Introduction to Positive Political Theory*, Englewood Cliffs, NJ, Prentice-Hall.

ORY, Pascal. (1987). *Nouvelle histoire des idées politiques*, Paris, France, Hachette Pluriel.

OTAYEK, René. (1992). « La difficile démocratisation des systèmes politiques africains », *Encyclopædia Universalis*, Paris, France.

PACTET, Pierre. (1999). *Institutions politiques, droit constitutionnel*, 18ᵉ éd., Paris, France, Armand Colin.

PAINCHAUD, Marcel. (1992). « Le régime présidentiel américain », dans Michelle Gérin-Lajoie (dir.), *Idéologies et régimes politiques*, Ottawa, Ontario, MGL.

PARENTEAU, Danic (2008). *Les idéologies politiques, le clivage gauche-droite*, Québec, Québec, Presses de l'Université du Québec.

PATTERSON, Thomas E. (2003). *The Vanishing Votes*, New York, NY, Alfred P. Knopf.

PELLETIER, Marcel R., Réjean PELLETIER et Manon TREMBLAY (dir.). (2000). *Le parlementarisme canadien*, Québec, Québec, Les Presses de l'Université Laval.

PELLETIER, Marcel R. et Manon TREMBLAY (dir.). (1996). Le *système parlementaire canadien*, Sainte-Foy, Les Presses de l'Université Laval.

PELLETIER, Réjean (dir.). (2012). *Les partis politiques québécois dans la tourmente : mieux comprendre et évaluer leur rôle*, Québec, Québec, Les Presses de l'Université Laval.

PELLETIER, Réjean, et Manon TREMBLAY (dir.). (2005). *Le parlementarisme canadien*, 3ᵉ éd. revue et augmentée, Québec, Québec, Les Presses de l'Université Laval.

PEMPEL, T.J. et Keiichi TSUNEKAWAT. (1979). « Corporatism without Labor ? : The Japanese Anomaly », dans Philippe Schmitter et Gerhard Lehmbruch (dir.), *Trends toward Corporatist Intermediation*, Beverly Hills, CA, Sage.

PIOTTE, Jean-Marc. (2005). *Les grands penseurs du monde occidental*, Montréal, Québec, Fides.

PIOTTE, Jean-Marc. (2007). *Les neuf clés de la modernité*, Montréal, Québec, Québec Amérique.

PNUD. (2001). *Mettre les nouvelles technologies au service du développement humain*, Rapport mondial sur le développement humain 2001, [En ligne], http://hdr.undp.org/en/reports/global/hdr2001/chapters/french (Consulté le 18 avril 2013).

PNUD. (2011). *Durabilité et équité : un meilleur avenir pour tous*, Rapport mondial sur le développement humain 2011, [En ligne], http://hdr.undp.org/fr/rapports/mondial/rdh2011 (Consulté le 18 avril 2013).

PRZEWORSKI, Adam. (1986). « Some Problems in the Study of Transition to Democracy », dans Guillermo

O'Donnell, Philippe C. Schmitter et Laurence Whitehead (dir.), *Transitions from Authoritarian Rule: Comparative Perspectives*, Baltimore, MD, Johns Hopkins University Press.

PRZEWORSKI, Adam (2004). «Political regimes and economic development», dans Richard Sisson et Edward Mansfield (dir.), *The evolution of political knowledge*, Ohio, OH, Ohio State University Press .

PRZEWORSKI, Adam *et al.* (2000). *Democracy and Development*, Cambridge, Royaume-Uni, Cambridge University Press.

REINHARD, Wolfgang. (1996). *Les élites du pouvoir et la construction de l'État en Europe*, Paris, France, PUF.

RESHETAR, John S. Jr. (1978). *The Soviet Polity*, 2ᵉ éd., New York, NY, Harper & Row.

RICHARD, Benoît (2010). «Quand la Chine invente… la dictature délibérative», dans Jean-Vincent Holeindre et Benoît Richard (dir.), *La démocratie*, Paris, France, Éditions Sciences humaines.

RIKER, William H. et Peter C. ORDESHOOK. (1973). *An Introduction to Positive Political Theory*, Englewood Cliffs, NJ, Prentice-Hall.

ROUQUIÉ, Alain. (1985). «Changement politique et transformation des régimes», dans Madeleine Grawitz et Jean Leca (dir.), *Traité de science politique: les régimes politiques*, t. 2, Paris, France, PUF.

ROY, Fernande. (1993). *Histoire des idéologies au Québec*, Montréal, Québec, Boréal Express.

RUSSET, Bruce M. (1972). *World and Book of Political and Social Indicators*, New Haven, CT, Yale University Press.

SCHEMEIL, Yves. (1985). «Les cultures politiques», dans Madeleine Grawitz et Jean Leca (dir.), *Traité de science politique*, t. 3, Paris, France, PUF.

SCHMIDT, Vivien A. (1991). *Democratizing France: The Political and Administrative History of Decentralization*, Cambridge, Royaume-Uni, Cambridge University Press.

SCHWARTZ, Barry. (1982). George *Washington: The Making of an American Symbol*, New York, NY, Free Press.

SCHWARTZENBERG, Roger-Gérard. (1991). *Sociologie politique*, Paris, France, Éditions Montchrestien.

SEILER, Daniel-Louis. (1986). *De la comparaison des partis politiques*, Paris, France, Economica.

SEILER, Daniel-Louis. (1993). *Les partis politiques*, Paris, France, Armand Colin, (coll. «Cursus»).

SEMO, Marc. (décembre 2011). «Muammar al-Kadhafi: de terroriste à partenaire de l'Occident», *Libération: une année de fièvres*, hors-série, p. 50-51.

SEN, Amartya. (2005). *La démocratie des autres: pourquoi la liberté n'est pas une invention de l'Occident*, Paris, France, Payot.

SHIVELY, W. PHILLIPS. (mai 1992). «From Differential Abstention to Conversion: A Change in Electoral Change, 1864-1988», *American Journal of Political Science*, vol. 36, nᵒ 2.

SIGEL, Roberta S. (1989). *Political Learning in Adulthood*, Chicago, IL, University of Chicago Press.

«Sondage Léger Marketing». (2 octobre 2012). *Journal de Montréal*.

«Sondage SOM». (9 octobre 2007). *La Presse*.

SOWELL, Thomas. (2011). *Intellectuals and society*, New York, NY, Baic Books.

Statistique Canada. (2003). *Enquête sociale générale de 2003 sur l'engagement social*, [En ligne], www.statcan.gc.ca/pub/89-598-x/89-598-x2003001-fra.pdf (Consulté le 18 avril 2013).

Statistique Canada. (2006). *Revue chronologique de la population active 2006*, cat. nᵒ 71F0004XCB.

Statistique Canada. (2011). *Revue chronologique de la population active 2010*, cat. nᵒ 71F0004XVB.

SULLIVAN, John L. *et al.* (janvier 1993). «Why Politicians Are More Tolerant: Selective Recruitment and Socialization among Political Elites in Britain, Israel, New Zealand and the United States», *British Journal of Political Science*, nᵒ 23, p. 60.

SURET-CANALE, JEAN. (1996). *Panorama de l'histoire mondiale*, Verviers, Belgique, Marabout.

«Survey». (20 au 25 octobre 1990). *The Economist*, p. 19.

«The Stateless Corporation». (14 mai 1990). *Business Week*, p. 98-105.

THIESSE, Anne-Marie. (2001). *La création des identités nationales en Europe*, Paris, France, Éditions du Seuil.

THOENING, Jean-Claude. (1985). «L'analyse des politiques», dans Madeleine Grawitz et Jean Leca (dir.), *Traité de science politique: les politiques publiques*, t. 4, Paris, France, PUF.

THORBURN, Hugh G. (1996). «Les groupes d'intérêt et le système parlementaire canadien», dans Manon Tremblay et Marcel R. Pelletier (dir.), *Le système parlementaire canadien*, Sainte-Foy, Québec, Presses de l'Université Laval, p. 132 à 138.

TOCQUEVILLE, Alexis de. (1986). *De la démocratie en Amérique*, Paris, France, Gallimard.

TREMBLAY, Manon et Marcel R. PELLETIER (dir.). (1996). *Le système parlementaire canadien*, Sainte-Foy, Québec, Les Presses de l'Université Laval.

TRENT, John. (1996). «Les fonctions du Parlement: la théorie en pratique», dans Marcel R. Pelletier et Manon Tremblay (dir.), *Le système parlementaire canadien*, Sainte-Foy, Québec, Presses de l'Université Laval.

TUFTE, Edward R. (1978). *Political Control of the Economy*, Princeton, NJ, Princeton University Press.

TURNER, Barry (dir.). (1999). *The Statesman's Yearbook 1998-1999*, New York, NY, St. Martin's Press.

UIP. (2012). *127ᵉ Assemblée de l'Union interparlementaire*, [En ligne], www.Ipu2012uip.ca/fr (Consulté le 29 janvier 2013).

Union européenne. (30 janvier 2008). «12 leçons sur l'Europe», *Europa.eu*, [En ligne], http://europa.eu/abc/12lessons/lesson_2/index_fr.htm (Consulté le 13 décembre 2012).

Union européenne. (2013). *Pays*, [En ligne], http://europa.eu/abc/european_countries/index_fr.htm (Consulté le 21 mars 2013).

VACHET, André. (1999). «Les bases sociales et l'expression idéologique», *L'idéologie libérale*, Ottawa, Ontario, Presses de l'Université d'Ottawa.

VENNE, Jules-Pascal. (1992). «Les nations et le nationalisme», *Idéologies et régimes politiques*, Ottawa, Ontario, Éditions MGL.

VERBA, Sidney Kay, Lehman SCHLOZMAN et Henry E. BRADY. (1995). *Voice and Equality: Civic Voluntarism in American Politics*, Cambridge, MA, Harvard University Press.

WALTER, Harold M. (2001). «Le Congrès», dans Edmond Orban *et al.* (dir.), *Le système politique américain*, Montréal, Québec, Presses de l'Université de Montréal.

WHITE, Stephen. (mai 1980). «The U.S.S.R. Supreme Soviet: A Developmental Perspective», *Legislative Studies Quarterly*, n° 5, p. 247-274.

WHITTINGTON, Michael S. et Richard G. VAN LOON. (1996). *Canadian Government and Politics*, Toronto, Ontario, McGraw-Hill Ryerson.

World Values Survey. (janvier 2009). *Fifth wave*, [En ligne], www.worldvaluessurvey.org (Consulté le 28 février 2013).

SOURCES ICONOGRAPHIQUES

COUVERTURE

Concept de couverture: Alain Reno. Images Alain Reno, sauf: (René Lévesque): Jacques Nadeau; (Pierre-Elliot Trudeau, Abraham Lincoln, Barack Obama, Karl Marx, Rouhollah Khomeini, Nelson Mandela, logo ONU et logo international socialiste): Wikipedia Commons; (Chambre des communes de Grande-Bretagne): London Pictures Services; (Assemblée nationale du Québec): Gracieuseté Assemblée nationale du Québec.

CHAPITRE 1

p. 1: (édifice de l'ONU): Angelo Hornak/Corbis; (drapeaux): Foucras G./Getty Images; p. 4: Courtoisie *Le Droit*, Martin Roy; p. 7: © Jacques Haillot/Apis/Sygma/Corbis; p. 13 (en haut): Francis Miller/ Time & Life Pictures/Getty Images; I. Bennetto & Co. (Israel Bennetto, 1860-1946) / Wikipedia Commons.

CHAPITRE 2

p. 17 et 18: (édifice de l'ONU): Angelo Hornak/Corbis; (drapeaux): Foucras G./Getty Images; p. 20: *The Invention by Gutenberg of Moveable Type printing*, illustration tirée de 'First Book of French History' by A. Aymard, Hachette, 1933, Beuzon, J. L. (fl.1933)/ Private Collection/Archives Charmet/The Bridgeman Art Library; p. 21: Hulton Archive / Getty Images; p. 26: Images distribution; p. 31: The Canadian Press /Sean Kilpatrick; p. 32: AP Photo/Richard Drew; p. 36: © Brooks Kraft/Sygma/Corbis.

CHAPITRE 3

p. 38 et 39: (édifice de l'ONU): Angelo Hornak/Corbis; (drapeaux): Foucras G./Getty Images; p. 43 (en haut): © Bettmann/ CORBIS; (en bas): Roger Viollet/Getty Images; p. 45: © Bettmann/COR-BIS; p. 46: Bibliothèque et archives Canada; p. 49: © Bettmann/CORBIS; p. 53: Getty Images; p. 54: Gracieuseté du Bureau d'Elizabeth May. Chef du Parti vert du Canada et députée pour Saanich-Gulf Islands.

CHAPITRE 4

p. 59 et 60: (Che Guevara): Kevin Leighton/Getty Images; (policiers): Flying Colours Ltd/Getty Images; p. 61: AP Photo/Nikolas Glakoumidis / Presse canadienne; p. 62: Gamma-Rapho via Getty Images; p. 64: Associated Press; p. 66: Khaled Desouki/AFP via Getty Images; p. 69 (en haut): Jacques Boissinot/Presse canadienne; (en bas): © Shane Hollingsworth/ Demotix/Corbis; p. 78: Megapress.

CHAPITRE 5

p. 83: (Che Guevara): Kevin Leighton/Getty Images; (policiers): Flying Colours Ltd/Getty Images; p. 86: Gamma-Rapho via Getty Images; p. 87 (en haut): René Doyon; (en bas): Associated Press; p. 89: EdStock2/iStockphoto; p. 91: © Barry Lewis/CORBIS; p. 94: George Henton/Getty Images.

CHAPITRE 6

p. 99: (Che Guevara): Kevin Leighton/Getty Images; (policiers): Flying Colours Ltd/Getty Images; p. 101: Musée de l'Armée, Brussels, Belgium/Patrick Lorette/The Bridgeman Art Library; p. 104: © Bettmann/ CORBIS; p. 105: AFP/Getty Images; p. 108: AFP/Getty Images; p. 109: State Secretariat of the Republic of Indonesia/Wikipedia Commons; p.110: James Gordon/Wikipedia Commons.

CHAPITRE 7

p. 113 et 114: (Parlement): Alan Copson/Getty Images; (foule): Rene Mansi/Getty Images; p. 116: Wikipedia Commons; p. 117: © Underwood & Underwood/Corbis; p. 119: Presse canadienne/Jacques Boissinot; p. 120: Presse canadienne; p. 126: Bibliothèque et archives Canada e010900421; p. 127: PA/Anwar Hussein.

CHAPITRE 8

p. 129: (Parlement): Alan Copson/Getty Images; (foule): Rene Mansi/Getty Images; p. 130: Chiloa / Wikipedia Commons; p. 132: AFP/Getty Images; p. 134: Presse canadienne/The Montreal Gazette/ Charla Jones; p. 139: Presse canadienne / Clément Allard.

CHAPITRE 9

p. 151: (Parlement): Alan Copson/Getty Images; (foule): Rene Mansi/Getty Images; p. 155: AFP Photo/Thomas Samson/Getty Images; p. 156 (en haut): Presse canadienne/Graham Hughes; (en bas): Wikipedia Commons; p. 158: Presse canadienne/Graham Hughes; p. 160: Norbert Schiller / Wikipedia Commons; p. 163: DoD photo by Erin A. Kirk-Cuomo / Wikipedia Commons.

CHAPITRE 10

p. 166: (Parlement): Alan Copson/Getty Images; (foule): Rene Mansi/Getty Images; p. 169: Presse canadienne/Jonathan Hayward; p. 170: Jacques Nadeau; p. 173: AFP/Getty Images; p. 175: AFP/ Getty Images; p. 176: Colocho / Wikipedia Commons.

CHAPITRE 11

p. 184: (Parlement): Alan Copson/Getty Images; (foule): Rene Mansi/Getty Images; p. 192: Wikipedia Commons; p. 194: © Yang Zongyou/Xinhua Press/Corbis.

CHAPITRE 12

p. 200: (Parlement): Alan Copson/Getty Images; (foule): Rene Mansi/Getty Images; p. 201: Patrick Vanasse; p. 203: Wikipedia Commons; p. 205: Mark Wilson/Getty Images; p. 211: © Henri Bureau/Sygma/Sygma/Corbis; p. 214: Wikipedia Commons.

INDEX